LE PIÈGE DU SUCCÈS

L'EXCELLENCE DE L'ÊTRE

Données de catalogage avant publication (Canada)

Biron, Marc

Le piège du succès

ISBN 2-89074-691-7

1. Succès - Aspect psychologique. 2. Réalisation de soi. 3. Acceptation de soi. 4. Excellence - Aspect psychologique. I. Titre.

BF637.S8B565 2004 158.1 C2004-941189-6

Édition
Les Éditions de Mortagne
Case postale 116
Boucherville (Québec)
J4B 5E6

Distribution
Tél. : (450) 641-2387
Téléc. : (450) 655-6092
Courriel : edm@editionsdemortagne.qc.ca

Dépôt légal
Bibliothèque nationale du Canada
Bibliothèque nationale du Québec
Bibliothèque Nationale de France
4e trimestre 2004

ISBN : 2-89074-691-7

1 2 3 4 5 – 04 – 08 07 06 05 04

Imprimé au Canada

Nous reconnaissons l'aide financière du gouvernement du Canada par l'entremise du Programme d'aide au développement de l'industrie de l'édition (PADIÉ) et celle du gouvernement du Québec par l'entremise de la Société de développement des entreprises culturelles (SODEC) pour nos activités d'édition. Gouvernement du Québec – Programme de crédit d'impôt pour l'édition de livres – Gestion SODEC.

Marc Biron

LE PIÈGE DU SUCCÈS

L'EXCELLENCE DE L'ÊTRE

À ma mère, Louise, pour sa persévérance et sa curiosité, et à mon oncle Charles, pour son équilibre et son discernement.

À mes sœurs, Renée et Michèle, pour les soins qu'elles m'ont prodigués quand j'étais jeune et fragile.

À mon oncle Luc, cette âme généreuse qui m'a fait découvrir les profondeurs du jeu.

À mon père, Jean-Guy, pour ce cadeau que j'ai maudit pendant longtemps.

Je vous aime tous !

Remerciements

Je suis heureux de pouvoir enfin remercier les aspirants que j'ai tenté d'aider par mon écoute et mes interventions ; ils furent et continuent d'être la source profonde de ma motivation.

Merci à tous ces grands auteurs : Timothy Gallwey, Robert Bly, John Bradshaw, Michael Murphy, Lise Bourbeau, Guy Corneau, Scott Peck et Dan Millman, de même qu'à mon maître, Arnaud Desjardins... Ils furent pour moi de véritables phares dans les moments d'obscurité.

Je voudrais remercier tout spécialement Pauline Gill pour avoir perçu, entre les lignes, la valeur de cet ouvrage, et pour m'avoir guidé tout au long de ce processus d'écriture.

Je remercie également François Lord, Linda Fontaine, Robert Poirier et Claude Sarrazin pour leurs précieux conseils.

Enfin, j'exprime ici toute ma reconnaissance à mon amour et alliée, Manon Langevin, pour son appui et son amour quotidiens qui ne cessent de me faire grandir.

Table des matières

Avant-propos

J'ai longtemps vécu mon désir de l'excellence comme un véritable calvaire. À mes yeux, j'étais rarement *assez bon* pour être content de moi, alors que j'étais pourtant assoiffé de cette satisfaction. J'étais convaincu que mon enfer était attribuable aux autres ou encore à mon manque d'effort ou de talent. Mes études, mes réflexions en tant qu'athlète et mes tâches d'enseignant et de consultant auprès des gens des milieux sportif et musical m'ont fait comprendre que seule ma propre attitude face à la réussite et à l'échec était en cause. En fait, j'étais constamment à deux doigts d'atteindre la sagesse qui aurait pu me procurer la satisfaction et, par le fait même, la confiance dont j'avais tant besoin pour parvenir à mes objectifs. Pourtant, cette sagesse me demeurait inaccessible.

À partir de ce constat, j'ai travaillé à mettre au point une nouvelle approche de la recherche de l'excellence. La particularité de l'approche que j'ai développée vient du fait qu'elle nous demande de mieux nous connaître, de nous accepter et – pourquoi ne pas le dire ? – de nous aimer suffisamment pour rester en équilibre en toute circonstance. Par amour, j'entends ici la compassion qui permet à notre cœur de s'ouvrir à tout ce que nos entreprises peuvent nous apporter.

Tout au long de ce livre, lorsque j'emploie l'expression « piège du succès », je désigne l'approche que tant de gens préconisent, souvent inconsciemment, pour atteindre les objectifs qu'ils se fixent. D'autres que moi ont vécu et vivent encore la recherche de l'excellence comme un processus qui impose un stress exagéré, une fatigue constante et une angoisse presque permanente. Tout ça pour quoi ? Pour satisfaire à cette obsession de se maintenir au plus haut niveau possible ou, ce qui revient au même, cette peur de perdre la reconnaissance des autres, que nous associons généralement au succès.

Certaines parties de ce livre évoquent une période de ma vie où je me moquais éperdument des conditions de vie que je m'imposais pour atteindre un objectif donné ; tant que j'arrivais à croire que j'étais meilleur que les autres (ou que les autres me percevaient comme étant le meilleur), j'avais la conviction d'avoir conquis ce que l'excellence avait de mieux à offrir. Je bénis le jour où des circonstances, que j'ai sûrement inconsciemment provoquées, m'ont appris que je passais complètement à côté de l'essentiel.

D'autres sections font état de mes prises de conscience successives concernant ce que la recherche de l'excellence peut offrir de bien à quiconque veut la saisir de l'intérieur.

Ce livre s'adresse autant aux hommes qu'aux femmes. Même si les exemples sont souvent puisés dans le domaine des sports, le propos de cet ouvrage peut être appliqué à tous les secteurs de l'existence où le rendement est l'objectif majeur. Toutefois, le mot « rendement » comme les termes « aspirant » et « compétiteur » doivent être pris au sens large : le rendement désigne le niveau de qualité avec lequel nous effectuons une tâche que nous avons à cœur d'exécuter de notre mieux. Les termes « aspirant » et « compétiteur » désignent tous ceux qui évoluent vers l'atteinte d'un objectif personnel.

Ce serait aussi une erreur de réserver les mots « performance » et « excellence » aux événements se déroulant devant un grand nombre de spectateurs. La personne qui, depuis vingt ans, souhaite perdre vingt kilos et qui se lève un matin pour courir de son mieux une distance de un kilomètre, le père qui téléphone à son fils alors qu'il ne lui a pas parlé depuis deux ans, ceux-là aussi accomplissent indéniablement une performance.

Celui ou celle qui veut adapter ce livre à sa propre situation n'a qu'à remplacer le terme « aspirant » par celui qui convient à son cheminement personnel. On peut considérer le rendement comme la somme des efforts à fournir au quotidien pour atteindre, à plus ou moins long terme, un objectif ayant une valeur certaine.

Je n'ai pas la prétention d'apporter la recette miracle pour atteindre sans effort et sans difficulté la réussite. J'invite plutôt le lecteur à reconnaître le véritable sens des épreuves qui ponctuent sa quête de l'excellence.

Au fil de la lecture, vous découvrirez que ce n'est pas le succès en soi qui risque de devenir un piège, mais bien l'importance que l'on attache au succès. Cette considération exagérée peut rendre pénible ce qui promettait d'être une aventure merveilleuse. Loin de dénigrer la performance, je cherche plutôt à faire valoir qu'un processus d'accomplissement équilibré peut procurer un enrichissement personnel incomparable. Je souhaite donc proposer quelques pistes de réflexion et des suggestions de changement à ceux qui continuent d'emprunter, jour après jour et malgré les obstacles, le chemin du Guerrier Intérieur.

Prologue

Le maître et l'élève

Un jeune homme voyageait à travers le Japon vers l'école d'un célèbre maître d'arts martiaux. Lorsqu'il arriva au *dojo*, on lui accorda une audience avec le *sensei*.

– Que veux-tu de moi ? demanda le maître.

– Je veux être votre élève et devenir le meilleur karatéka du pays, répondit le garçon. Combien de temps dois-je étudier ?

– Au moins dix ans.

– Dix ans, c'est long. Et si j'étudiais deux fois plus que vos autres élèves ?

– Vingt ans.

– Vingt ans ! Et si je pratiquais jour et nuit de toutes mes forces ?

– Trente ans.

– Comment se fait-il que chaque fois que je dis que je vais travailler plus fort, vous me répondez que cela va prendre plus de temps ?

– C'est clair. Lorsqu'un œil est fixé sur la destination, il n'en reste qu'un avec lequel on peut trouver le chemin.

Vieux conte zen[1]

1. Tiré du livre de Rick Fields, *Couper du bois, porter de l'eau*, Montréal, Le Jour éditeur, 1990, p. 290.

Partie I

ORIGINE ET TRANSMISSION DU PIÈGE DU SUCCÈS

CHAPITRE I

Le jeu de Martin : la découverte

Comme tous les samedis d'été, Martin, un blondinet de neuf ans enjoué et sensible, s'était levé très tôt pour aller jouer près du grand chêne dans la cour derrière chez lui. Ce matin-là, l'arbre lui paraissait encore plus grand, plus magique que d'habitude. Ce qu'il aimait surtout, c'était le bruissement des feuilles qui dansaient au gré du vent. Pendant vingt minutes, il attendit que son père sorte. La porte s'ouvrit enfin. Accoutré comme à l'habitude d'un bermuda à carreaux, d'un chemisier vert et d'une drôle de casquette sans fond, le père de Martin se rendit à la remise pour y prendre ses souliers à crampons et ses bâtons de golf, qu'il emportait toujours lors de ses escapades du samedi.

Il s'adressa à Martin sans le regarder :

– Salut, ça va ?

– Salut, papa. Est-ce qu'on mange des crêpes ?

– Non, pas ce matin. Je vais jouer au golf. Je suis en retard.

– Mais tu m'avais promis qu'on en mangerait ! insista le petit garçon.

– Une autre fois, je suis pressé... Demande à ta mère de t'en faire.

– Est-ce que je peux aller jouer au golf, alors ?

– Martin, une autre fois, d'accord ? Je n'ai vraiment pas le temps.

De toute façon, même s'il n'avait rien à faire, le père de Martin était toujours pressé quand venait le moment de parler à son fils. Martin était un peu triste à l'idée de passer un autre samedi sans son père. Il se préparait à aller inviter son ami d'à côté à jouer au ballon près du grand chêne, quand il se rappela soudain, avec déception, que les voisins étaient partis pour la fin de semaine.

Sans savoir pourquoi, Martin se dirigea vers la remise. En entrant, il vit, comme d'habitude, un bidon d'essence, la tondeuse, plusieurs pots de clous et de vis un peu rouillés, des boîtes en bois, les bottes boueuses que sa mère portait pour travailler au jardin... Quelque chose attira soudain son attention. Il s'approcha et tira sur le bout d'une tige noire qui dépassait derrière la petite armoire à outils où son père farfouillait parfois. C'était un des bâtons de golf de son père. Il avait sûrement oublié de le mettre dans son sac. Cette trouvaille réjouit Martin. Il palpa l'objet minutieusement : le bout de métal, la tige noire et la poignée en cuir. Une sensation étrange l'envahit. Il courut chercher une des balles de plastique avec lesquelles il jouait lorsqu'il était plus jeune.

Il se plaça à une dizaine de mètres du grand chêne et, à l'aide du bâton, essaya de l'atteindre avec la balle. Lors des premiers essais, l'objet lui sembla trop lourd et trop long. Il plaça donc ses mains plus bas sur le bâton et toucha bientôt le tronc à presque tous les coups. Il passa deux bonnes heures à simplement frapper des balles de toutes sortes de façons en direction de la cible. Chaque mouvement lui procurait un grand plaisir. Puis, une voix se fit entendre :

– Martin, viens manger...

– Attends, maman, je joue au golf... Tu sais, le jeu de papa.

– Ouais, je connais très bien ce jeu, répondit sa mère, visiblement ennuyée. Viens, j'ai fait des crêpes.

Martin laissa tomber le bâton et se précipita vers la cuisine. Une fois son déjeuner avalé avec appétit, il refusa – chose rare ! – d'accompagner sa mère dans les magasins. Il avait pourtant l'habitude de dévorer des yeux tous les jouets exposés sur les rayons... Il préféra passer le reste de la journée à jouer avec le bâton de son père.

L'enfant somnolait déjà devant la télévision quand son père, en entrant, fit claquer la porte. Martin sursauta.

– Pas besoin de faire le souper, j'ai déjà mangé, annonça-t-il à son épouse.

– Merci quand même pour le congé, répondit-elle. Mais le souper est passé depuis longtemps... Tu as vu l'heure ?

– Je sais, mais les autres voulaient finir d'écouter le tournoi à la télé... le tournoi des maîtres.

– Hum... hum... c'est quand le tournoi des maîtr...esses de maison ?

– Ha ! Ha ! Très drôle.

À ce moment, Martin entra en trombe dans la cuisine.

– Eh ! Papa ! J'ai joué au golf toute la journée, moi aussi. Je pense que je suis bon !

– Tu lui as encore acheté des jouets ? grogna le père en se tournant vers son épouse.

– Non ! J'ai pris ton bâton dans la remise, avoua Martin avant même que sa mère ne réponde.

– Mon fer 7 ! Je l'avais oublié ce matin. J'espère que tu ne l'as pas brisé.

– Non, j'ai seulement frappé des balles.

Martin, un peu déçu du manque d'enthousiasme de son père, le relança :

– Papa, j'aimerais que tu m'amènes jouer au golf.

Comme son père faisait mine de ne rien entendre, Martin insista :

– Papa, je veux aller jouer au golf avec toi !

– Je ne peux pas t'amener, Martin, c'est un jeu d'adulte. En plus, il faut connaître les règles pour jouer.

– Mais je sais déjà jouer. Je l'ai fait toute la journée...

– Frapper des balles dans la cour, ce n'est pas jouer au golf.

Devant la mine désolée de Martin, le père se radoucit un peu :

– Bon... On verra si tu peux prendre un cours quelque part.

– Youpi !

Quelques semaines plus tard, un samedi après-midi, Martin prenait son premier cours au Country Club, le club de golf dont son père était membre depuis onze ans. Ce dernier avait préalablement pris la précaution de lui expliquer en détail ce qui se faisait et ce qui ne se faisait pas sur un terrain de golf. Martin allait passer près de deux heures avec son professeur, un certain M. Gagner, et d'autres débutants âgés comme lui d'une dizaine d'années.

– Bonjour. Je suis M. Aimé Gagner, se présenta le professeur. Comme le golf est très important et surtout très sérieux, je ne tolérerai aucun comportement dissipé. Nous allons commencer par huit exercices d'échauffement. Vous devrez toujours jouer et vous entraîner de la même manière et faire ces exercices dans le même ordre. Je veux que tout le monde fasse cela comme il faut. Au golf, la clé du succès, c'est la discipline !

Le premier cours, Martin apprit à placer ses mains et ses pieds, à bien tourner ses épaules et, surtout, à ne pas bouger la tête, ce qui semblait capital pour réussir. Tout se déroula pour le mieux.

Après la quatrième semaine de cours, M. Gagner vint rejoindre le père de Martin qui sirotait une bière au bar du club de golf.

– Bonjour, vous êtes bien M. Meilleur, le père de Martin ?

– Oui, c'est moi. Quelque chose ne va pas ?

– Non, non. Au contraire. Pour être franc, Martin me semble avoir un potentiel intéressant. Il dépasse déjà tous les autres élèves.

À ces mots, le père avala une gorgée de travers avant d'esquisser un sourire de fierté. Jamais il ne lui était venu à l'esprit que son fils puisse avoir du talent, alors que lui-même n'avait pas encore joué sous les 90 coups sur un 18 trous, même s'il ne rêvait que de cela depuis quinze ans.

– Seriez-vous d'accord pour que Martin participe au tournoi des jeunes du club, même s'il est débutant ? poursuivit le professeur.

– Pensez-vous qu'il peut gagner ? demanda le père sur un ton excité.

– Plusieurs joueurs de ce tournoi jouent depuis quatre ou cinq ans déjà. Mais on ne sait jamais, répondit M. Gagner avec la même lueur d'espoir dans les yeux.

Ce soir-là, Martin apprécia beaucoup le souper. Durant le repas, son père, qui n'avait pourtant pas l'habitude d'être bavard avec sa famille, avait la parole facile. À la grande surprise de Martin, il se montra même intéressé à discuter de golf avec lui. Il lui parla des grands champions, de leur façon de s'entraîner et des circonstances dans lesquelles ils avaient gagné tel ou tel tournoi.

Avant de s'endormir, la tête pleine d'images de golf, Martin pensa aux champions, au terrain où lui-même allait participer à son premier tournoi, à son professeur de golf et à ses cours. De toute évidence, il avait beaucoup amélioré ses coups, la balle partait plus loin et davantage en ligne droite qu'auparavant, mais quelque chose l'avait quitté depuis que ce n'était plus le grand chêne qu'il visait et depuis qu'il ne jouait plus avec ses balles de plastique. Son plaisir s'était estompé... Il chercha à se consoler en se rappelant que M. Gagner le prenait toujours en exemple pour faire les démonstrations techniques. Il l'avait même entendu dire que « le petit Martin était le meilleur du groupe ! » Ça, c'était important.

Deux semaines passèrent. Un après-midi, alors qu'ils jouaient ensemble aux cartes, la mère de Martin remarqua qu'il n'était pas aussi loquace et rieur que d'habitude.

– Qu'est-ce qui ne va pas, Martin ? Est-ce que quelque chose de spécial est arrivé au golf ce matin ? le questionna-t-elle.

– Non, non. Tout était correct, répondit Martin.

– Est-ce que tu t'es disputé avec ton père ?

– Non, ça va, avec papa.

– D'accord, je n'insiste pas. Mais tu sais que je suis là si tu as besoin de parler.

– Euh... j'ai quelque chose à te montrer. Est-ce que tu promets de ne pas te fâcher ? risqua le garçon.

– Une mauvaise nouvelle ? D'accord, je reste calme, lui promit sa mère.

Martin partit dans sa chambre et revint aussitôt avec son sac d'écolier.

– J'ai quelque chose à te faire signer, mais je n'ai pas vraiment le goût que tu le vois, balbutia-t-il.

– Pas un mauvais résultat, Martin... Qu'est-ce qui s'est passé ? fit sa mère, visiblement déçue.

Martin sortit piteusement de son sac un examen de mathématiques sur lequel était inscrite la note de 68 %.

– Tu aurais pu faire mieux, déplora la mère sur un ton qui ne semblait pas sincère.

– Je ne sais pas pourquoi c'est arrivé. J'avais bien étudié et je comprenais tout, juste avant l'examen, soupira Martin.

Martin était doué à l'école et il était toujours fier de montrer ses résultats scolaires à ses parents. Il s'inquiétait de ce mauvais résultat, qui représentait sa pire note depuis qu'il allait à l'école. À cet instant, son père entra dans la pièce.

– Martin, qu'est-ce qui se passe ? Un résultat comme ça, c'est sans doute à cause d'un manque d'efforts.

Martin avait un examen de français quelques jours plus tard. Il prit plus de temps que d'habitude pour s'y préparer. Sa mère trouva même un peu exagérée son ardeur à l'étude. Il révisa trois soirs de suite jusqu'à l'heure d'aller au lit. Le matin de l'examen, il étudia même avant de déjeuner, ce qui plut à son père.

– C'est comme ça qu'on réussit ! lança-t-il, très fier de son fils.

Pendant l'examen, Martin se sentit nerveux. Contrairement à ses camarades de classe, il trouvait qu'il faisait trop chaud. Il reçut son résultat trois jours plus tard : 96 %. De retour à la maison, il se précipita vers sa mère pour lui apprendre la nouvelle dans un soupir de soulagement. Elle fut très fière de lui, tout comme son père quand il rentra du travail.

CHAPITRE II

Les racines du piège du succès

Le succès instantané exige
habituellement dix ans d'efforts...

Auteur anonyme

Dévalorisation du processus d'évolution personnelle

L'expression d'un talent bien cultivé est merveilleuse. Pour bien s'en rendre compte, il faut avoir vécu ces moments où le corps et l'esprit sont en parfaite harmonie avec l'environnement. Ces instants d'excellence et de magie ont le pouvoir de réconcilier plaisir et performance ; c'est alors que nous saisissons ce que cela signifie de réaliser notre plein potentiel. Que ce soit un match de tennis ou un parcours de golf pendant lequel nous faisons preuve d'une aisance étonnante, un travail intellectuel accompli avec une créativité enivrante, un exposé suscitant un contact intense avec l'auditoire ou encore une communication harmonieuse avec un client potentiel, ces moments s'imprègnent en nous, et parfois pour longtemps.

Pourquoi ces moments, même pour les compétiteurs assidus, sont-ils rares et si difficiles à provoquer volontairement ? Voici la réponse que mes vingt-cinq ans de recherche de l'excellence dans différents domaines et que mes années de travail dans les milieux sportif et musical m'ont permis de dégager : la fusion entre le plaisir et la performance est rare parce que le développement du talent n'accorde presque pas d'importance à la croissance de l'être. Si on insiste beaucoup sur le développement technique, sur la connaissance du milieu ou sur l'image projetée, la maturation intérieure, en revanche, est très peu considérée. On ne se préoccupe de la personne qu'en dernier recours, quand la situation se détériore et qu'on n'a plus d'autre choix que d'y venir. Autrement, le facteur humain est la plupart du temps évité, parce que ses implications, qui ne sont pas toujours simples, sont aussi loin d'être prévisibles.

À notre époque, et c'est peut-être vrai depuis longtemps, l'excellence est perçue comme un simple outil pour atteindre gloire et renommée. Certes, ces honneurs offrent des avantages intéressants, mais ils entravent chez l'aspirant le processus naturel d'apprentissage dès qu'ils deviennent leur objectif principal. Les moments magiques, pour être vécus régulièrement, exigent une grande maturité. Ceux qui sont toujours aux prises avec des émotions et des comportements infantiles – et cela concerne aussi bien les jeunes que les moins jeunes – ne peuvent accéder que très rarement à l'état d'esprit nécessaire aux performances de pointe, qui exigent l'absence d'émotions et une concentration maximale, peu importe le domaine concerné.

Dans les milieux où la meilleure performance possible est l'unique objectif, on a très souvent l'habitude d'évaluer la valeur d'un cheminement en ne considérant que le plus haut résultat atteint. Par exemple, rares sont les entraîneurs et les sportifs qui sont conscients de la richesse des habiletés physiques et psychologiques acquises pendant le développement sportif. Dans le sport de compétition, la fin justifie les moyens, tout simplement. Cette attitude empêche l'aspirant de comprendre l'importance d'apprendre et de s'enrichir tout au long du processus qui le mène vers l'excellence. Trop souvent, il ignore l'immense privilège qui lui est accordé de cultiver et de développer son potentiel, et ce, parce qu'il vit sous l'emprise constante de son impatience d'atteindre le sommet. On le pousse à développer ce qui *fonctionne*, ce qui pourrait produire des résultats le plus vite possible, peu importe l'expérience personnelle qu'il vit pendant ce temps.

« Nous avons joué avec la peur de perdre et je pense que c'est très bon », disait l'entraîneur d'une équipe sportive professionnelle après une victoire. Or, cette croyance, fort répandue, amène l'aspirant à valoriser le fait d'être menacé pour fournir un rendement maximum.

Demeurer calme et serein dans les moments difficiles d'échec ou de défaite, pour la simple raison qu'ils permettent d'apprendre et d'évoluer, semble à plusieurs une parfaite aberration ; cependant, cela représenterait un atout précieux pour l'aspirant.

Trop de compétiteurs perdent la motivation, la confiance et la concentration nécessaires pour franchir les obstacles, justement parce qu'une partie d'eux-mêmes continue à espérer, à tort, qu'un jour ils cesseront de rencontrer des embûches. Pour atteindre de hauts niveaux de performance, en effet, une longue suite d'épreuves, tant intérieures qu'extérieures, devront être surmontées avant de parvenir au degré de qualité recherché. Pris au piège du succès, le débutant prometteur voit rapidement l'impatience et l'angoisse de l'atteinte du résultat remplacer son enthousiasme initial. Comment s'étonner alors que les plus chanceux se retrouvent couverts d'honneurs, certes, mais usés de l'intérieur par la hantise de ne pas être à la hauteur de ce que l'on attend d'eux ?

Dans le même ordre d'idées, je persiste à croire que la différence entre les aspirants qui apprécient la compétition[1] et ceux qui la redoutent réside dans leur perception de l'adversité. Dans l'histoire amorcée au chapitre précédent, Martin, après avoir trouvé le bâton de son père dans la remise, vit pleinement toute l'aventure de frapper des balles, même quand il rate sa cible. Si Martin conserve cette attitude même lorsqu'il est entouré d'adversaires, il ne se sentira pas menacé par la compétition. D'ailleurs, s'il prend plaisir à jouer et à apprendre même dans la défaite, que risquerait-il ?

Ceux qui savent équilibrer et harmoniser désir de succès[2] et désir d'évolution personnelle à toutes les étapes de leur apprentissage resteront emballés beaucoup plus longtemps par le développement de leur talent. Par le fait même, ils maximiseront leurs chances de réaliser le rêve qu'ils caressent.

Pour beaucoup d'aspirants, la quête de l'excellence n'offre que deux possibilités : réussir et en être comblés ou échouer et remettre en cause leur valeur personnelle. Or, si l'individu prend conscience que seul le processus d'apprentissage mène à de plus grandes victoires et que l'échec favorise cet apprentissage, il demeure motivé même dans les moments où les réussites se font rares. Il conserve une partie de sa confiance et chemine donc vers la réussite malgré les inévitables échecs passagers.

---

1. Le mot **compétition** est utilisé dans cet ouvrage pour désigner la rivalité entre deux personnes ou plus qui visent le même but. Ce terme n'est naturellement pas limité au seul domaine sportif.

2. Le mot **succès** sera utilisé fréquemment dans cet ouvrage ; il se définit ici par l'ensemble des valorisations extérieures que l'aspirant peut retirer de ses performances. Ex. : médaille, argent, reconnaissance sociale, admiration des proches, etc.

Prenons l'exemple d'un enfant qui tente de se tenir debout pour la première fois. Puisqu'il ne fait aucune différence entre échec et réussite, il apprend autant de ses chutes que des courts moments où il parvient à rester sur ses pieds. Son estime de soi ne dépend pas du nombre d'échecs ou de réussites, mais bien du fait d'arriver à son objectif pendant quelques instants d'abord et, finalement, de façon permanente. Son besoin d'évoluer le pousse à expérimenter, peu importe le résultat.

Revenons maintenant à notre jeune golfeur qui s'exerce dans sa cour : puisque sa perception de la réussite et de l'échec n'est pas encore définie, les coups qui ratent le chêne lui apprennent autant que ceux qui l'atteignent. La même attitude face à la compétition permettrait aux aspirants de retirer plus d'enseignements de chaque expérience, qu'elle soit couronnée ou non de succès.

Désirer à tout prix la réussite immédiate peut procurer, à court terme, une amélioration des résultats. Toutefois, à moyen et long terme, cette attitude engendre la peur de l'échec ou la peur des conséquences de la réussite, deux effets directs du piège du succès.

Bien sûr, personne n'espère consciemment échouer. Néanmoins, certaines personnes craignent les responsabilités inhérentes au succès : la nécessité d'égaler ou de dépasser leur dernière performance ou encore le désir de répondre aux attentes de leurs proches ou des médias.

Force nous est de reconnaître que, dans plusieurs cas, le besoin de réussite des aspirants est un ultimatum qui vient davantage de l'extérieur que de leur volonté propre. Le succès immédiat est si convoité que les aspirants à l'excellence se sentent forcés de brûler les étapes, alors qu'ils gagneraient davantage s'ils consentaient à une évolution plus lente, qui respecterait leur équilibre personnel. De fait, rien n'est plus efficace pour l'atteinte de performances durables que d'apprendre, petit à petit, à déployer son potentiel. Or, l'impatience manifestée à l'égard de la performance prive les aspirants de la motivation liée à l'apprentissage.

Pourquoi le succès peut-il devenir un piège ?

Associer le succès à un piège peut de prime abord sembler contradictoire. Comment le fait d'être reconnu pour un talent particulier pourrait-il présenter le moindre risque ? L'argent, une réputation solide, le pouvoir social et tous les autres avantages qui découlent du succès ne peuvent sans doute qu'enrichir une vie, non ?

Les risques proviennent de ce que le talent est souvent développé en réaction à une blessure narcissique de l'enfance, qui englobe tous les moments où l'enfant s'est senti inadéquat. Cette blessure, que nous devons tous assumer à différents degrés, n'est pas seulement causée par les erreurs de ceux qui ont vu à notre éducation, mais aussi par les fatalités du destin. Mon père est mort avant mon deuxième anniversaire, ce qui m'a longtemps donné l'impression que j'avais moins de valeur que les autres et que je devais compenser en accomplissant davantage que ceux que je côtoyais. Selon une réaction similaire, une personne née dans une famille pauvre pourrait développer un sentiment de honte, qu'elle voudra neutraliser par ses performances et peut-être par une réussite financière éloquente.

Même dans une famille idéale et utopique, l'enfant subirait probablement une certaine blessure narcissique. En bas âge, en effet, un enfant se croit tout-puissant, c'est-à-dire qu'il est convaincu qu'il peut réussir tout ce qu'il entreprend. Tôt ou tard, il s'aperçoit que la réalité est tout autre...

Par exemple, en regardant un adulte qui répare une armoire, l'enfant doit bien se rendre à l'évidence : il ne peut pas même bouger la planche que papa ou maman soulève si facilement et le clou ne s'enfonce pas malgré ses coups de marteau répétés.

Cette blessure, lorsqu'elle est légère, est à l'origine de la motivation à grandir et à devenir un adulte digne de ce nom. Lorsque la blessure est plus sérieuse, comme elle l'est pour beaucoup d'entre nous, le désir de réussite peut alors prendre l'aspect d'une vengeance ou d'un besoin de prouver que nous avons, nous aussi, une valeur. Des aspirants vont même jusqu'à payer le prix de leur vie personnelle pour un succès éphémère. Mais attention ! Je ne dis pas que l'aspiration au succès est nécessairement un obstacle au bonheur, bien au contraire. Nous avons tous un besoin d'accomplissement plus ou moins fort, et le nier serait sacrifier une part importante de notre épanouissement.

Le piège du succès dont je parle ici concerne un autre danger que celui de perdre son équilibre personnel. Il s'agit du risque de ne jamais atteindre son plein potentiel à cause de la peur de se mesurer à la recherche de l'excellence sous toutes ses facettes : moments d'échec, d'apparente humiliation, de confusion et, avouons-le, de déprime. Beaucoup de gens n'amorcent même pas leur cheminement tellement ils craignent de changer ou de souffrir un peu, et donc de vivre.

Avec le travail intérieur, l'aspirant qui devient conscient de sa blessure narcissique peut, tout en s'accomplissant, cheminer et devenir un adulte solidement équilibré, ce qui est plus difficile qu'on pourrait le croire.

Le piège du succès n'est menaçant que si cette blessure reste inconsciente et que la personne reste prisonnière de l'attitude qui consiste à tout faire pour devenir le meilleur et prouver qu'elle l'est. Voilà le piège, en effet : continuer à s'affirmer simplement par besoin de s'élever au-dessus des autres. Si on tente uniquement, par ses réussites, de prouver son mérite personnel, chaque échec soulève alors un doute face à sa propre valeur. Si je reprends l'exemple de la personne qui a vécu une enfance pauvre et qui désire ardemment la réussite financière pour panser cette blessure inconsciente, ce doute se manifestera, lors de chaque revers de fortune qui se présentera sur sa route, par un retour à la honte de ses origines modestes.

Pour se libérer du piège du succès, l'aspirant est plutôt invité à s'affirmer en coopération avec les autres, même si cela peut impliquer des moments d'opposition et d'adversité.

Deux grands du tennis s'affrontaient dans un tournoi important. L'un d'eux, voyant que l'autre boitillait depuis un moment, lui proposa de reprendre le match un autre jour. Voilà un exemple parlant de coopération dans une situation d'opposition. Combien d'autres se seraient plutôt réjouis de voir l'adversaire forcé d'abandonner le match et de céder la victoire ?

La blessure narcissique peut être très profonde, cachée dans un quelconque recoin de notre psychisme. Le travail sur soi qu'elle impose peut exiger plusieurs années d'efforts. C'est d'ailleurs pour cette raison que le piège du succès est d'autant plus menaçant que l'aspirant est jeune. À la fin de l'adolescence, à de rares exceptions près, la personne est encore aux prises avec le besoin de prouver sa valeur et la peur de ne pas y parvenir. Cela explique l'immense menace qui plane sur le jeune lorsqu'il se trouve dans une situation dont les issues possibles sont soit une réussite grandiose, soit un échec dramatique.

Le succès de l'être dépend en grande partie de la connaissance de soi, qui permet d'éloigner les émotions empêchant le sentiment durable de joie et de confiance. D'ailleurs, la quête de cette connaissance est parfaitement conciliable avec un cheminement également intéressé par la réputation et la fortune. La recherche de l'excellence met l'aspirant dans toutes sortes de situations qui, inévitablement, l'obligent à affronter les aspects cachés de lui-même.

Analogie du piège du succès

Un voyage en voiture peut servir à illustrer le piège du succès, puisque les composantes de la quête de l'excellence sont applicables à plusieurs de ses aspects. L'atteinte de l'objectif final correspond à l'arrivée à destination ; le succès se rapporte à l'admiration et aux éloges de ceux qui attendaient le voyageur. Enfin, le processus d'apprentissage et d'évolution personnelle est assimilable aux préparatifs du voyage, à court et à long terme, et au parcours en soi.

Le piège du succès se traduit alors par une préoccupation telle concernant le fait de se rendre à destination sans écueils et dans un temps record que cette double ambition devient un facteur d'anxiété, d'erreurs, d'impatience et de frustration.

L'exemple devient encore plus évocateur si on parle d'un long voyage en automobile avec des enfants qui, d'une part, ne cessent d'exprimer leur empressement à arriver, mais qui, d'autre part, réclament de nombreux arrêts pour boire, manger ou aller aux toilettes. Si on parvient à les distraire par une histoire, une chanson, un jeu ou la beauté du paysage, l'atmosphère se transforme et devient des plus agréables. Le plaisir d'apprendre de nouvelles choses et les échanges interpersonnels transforment le voyage en un événement plaisant et intéressant pour tous. Ainsi, le fait de se concentrer sur le processus enrichit ceux qui le vivent sans pour autant compromettre l'atteinte de l'objectif fixé.

Pour comprendre le piège du succès dans un contexte de performance, imaginons que le conducteur est si inquiet de ne pas parvenir à sa destination finale qu'il met en doute à tout moment l'itinéraire choisi, craint d'avoir manqué un croisement, fait demi-tour et emprunte une mauvaise voie... Perdu et frustré, il se retrouve alors devant deux options : essayer de revenir à son plan initial après des détours qui lui auront fait perdre beaucoup de temps ou renoncer à son voyage et rentrer chez lui. Peu importe le choix qu'il fera, cette mauvaise expérience risque de briser sa motivation pour les voyages.

Si, au contraire, l'impatience d'arriver à destination est atténuée par le désir d'apprendre et de jouir de l'expérience vécue, le voyage se déroulera probablement de façon fort différente. Le conducteur qui aime découvrir de nouveaux paysages ou de nouvelles villes en écoutant sa musique préférée vivra sur la route des expériences enrichissantes et fort agréables.

Si l'itinéraire prévu et les préparatifs n'ont pas permis au voyageur d'arriver à destination dans le temps prévu et sans anicroches, l'échec ne sera alors qu'apparent : les erreurs commises l'inciteront la prochaine fois à faire preuve de plus de vigilance ou de prévoir une meilleure préparation, mais il gardera de cette expérience un excellent souvenir. Il aura effectivement appris que l'impatience dans la poursuite de ses objectifs peut curieusement l'éloigner de son but. Il admettra aussi que le progrès exige endurance, persévérance et assiduité.

Quel paradoxe que celui-là ! Ceux qui recherchent l'excellence doivent se détacher du résultat et de ses conséquences s'ils veulent augmenter leurs chances d'obtenir le succès qu'ils souhaitent... C'est comme si on demandait à un amoureux de calmer sa passion s'il veut garder près de lui la femme de ses rêves.

Mes épreuves sportives

J'ai longtemps souffert de ce paradoxe dans ma pratique sportive. À l'approche d'une partie de tennis, par exemple, je m'imaginais inconsciemment en train de jouer de façon calme et harmonieuse. Je me voyais réussir tous mes coups aisément et battre mon adversaire. Le tennis me semblait être une partie de plaisir et j'avais hâte de m'y mettre. Cet état d'esprit durait jusqu'au moment de commencer le match. Le jeu devenait alors le plus lourd des fardeaux. Et pour cause ! Je m'imposais d'atteindre immédiatement une qualité de jeu supérieure à mes habiletés du moment pour obtenir rapidement les résultats souhaités. Je préférais m'accrocher à mes illusions plutôt que de regarder mes lacunes bien en face. Je voulais être le meilleur, un point c'est tout. Quand le jeu me démontrait brutalement que je ne pouvais pas être parfait sans développer au préalable plusieurs habiletés que je ne maîtrisais pas encore, j'étais frustré. J'avais honte de mes capacités pourtant bien réelles et je ressentais le besoin de justifier mon manque de perfection.

Voici deux exemples de justifications que je me donnais alors : « Mon revers m'a coûté le match ! » (comme si ce n'était pas moi qui l'avais fait) ; « Je joue toujours mal le matin » (je me convainquais que cela aurait été fort différent à un autre moment). Bref, je me mentais. Pire que les fausses excuses, c'était parfois l'autohumiliation : je m'accablais des pires injures. Un jour, une partie de moi-même en a eu marre de cette attitude pénible.

Dans ces moments sombres, en effet, mon apprentissage devenait un fardeau et mes résultats s'en ressentaient. J'ai maintenant la conviction que la recherche de l'excellence offre de plus grandes possibilités à ceux qui sont prêts à faire les efforts pour bien se connaître et pour demeurer honnêtes envers eux-mêmes. Rêver d'atteindre des objectifs précis est certainement une source de motivation bénéfique pour l'aspirant, à la condition toutefois qu'il demeure réaliste, c'est-à-dire lucide et patient face au chemin à parcourir. La décision de prendre la responsabilité de ses échecs, sans se culpabiliser, est une attitude de base pour tout compétiteur qui désire apprendre.

Si vous êtes désireux d'en connaître davantage sur la théorie sous-jacente au piège du succès, vous trouverez en annexe un modèle d'évolution pour l'aspirant, qui décrit le piège, ses composantes et leurs interactions. Des explications et des exemples pratiques reliés au modèle sont aussi fournis dans cette même annexe.

Pour la suite de cet ouvrage, il est nécessaire que le lecteur comprenne bien le sens précis que je donne à certains termes. Par le mot « émotions », je désigne ici celles qui sont créées et cultivées par notre façon personnelle de concevoir une situation, c'est-à-dire par l'interprétation que nous en faisons en pensée. Par exemple, je suis en colère contre une personne et je continue de me répéter qu'elle m'exaspère, que je vais me venger, que c'est une imbécile, etc. Le mot « résultat » désigne pour sa part la conclusion finale d'un événement, d'une épreuve ou d'une compétition. Un résultat positif, par exemple, pourrait être autant l'obtention d'un contrat ou le fait d'être parvenu à convaincre les autres d'une opinion que la victoire dans une course, un match, un tournoi, un combat, etc. Enfin, le « processus » signifie tout ce que l'aspirant doit apprendre et développer pour arriver à ses fins, par exemple la concentration, les habiletés techniques, la force, l'endurance, les stratégies médiatiques, etc.

Il importe aussi de comprendre que le processus se divise en deux : le *processus interne* comprend l'apprentissage des habiletés intérieures, comme la concentration, la maîtrise de soi, l'estime de soi, la communication, la créativité, etc., tandis que le *processus externe* fait référence à l'apprentissage des habiletés particulières à la pratique, par exemple la technique et les tactiques. Le processus global (interne et externe) représente l'ensemble des variables qui peuvent être gouvernées par l'aspirant. Le résultat et le succès constituent pour leur part les variables qui sont indépendantes de la volonté de l'aspirant, puisqu'elles dépendent en grande partie d'autrui. Le piège du succès peut aussi résider dans la tendance à mettre l'accent sur les variables incontrôlables au détriment des variables contrôlables. Cette insistance sur le résultat entraîne un grand désir d'exercer un pouvoir sur ce qui, de par sa nature, ne dépend pas de l'aspirant. Ce dernier place donc ses espoirs en des facteurs qu'il ne peut pas entièrement maîtriser, d'où l'inévitable peur de l'échec qui accompagne le piège du succès.

CHAPITRE III

Le jeu de Martin : la rencontre

Martin, qui était devenu un solide adolescent de haute stature, jouait au golf depuis plusieurs années. Il s'entraînait régulièrement sous la supervision de M. Gagner, qui insistait pour qu'il travaille d'arrache-pied. Il revenait sans cesse sur tout ce qui manquait à Martin pour remporter un jour tel tournoi d'envergure. Son père lui prodiguait aussi de nombreux conseils sur la façon de mener sa vie : il l'entretenait régulièrement de l'importance de la discipline et du danger de se perdre dans les folies et les amourettes comme les jeunes *ordinaires* de son âge. Martin participait à beaucoup de tournois, en gagnait quelques-uns et ressentait une grande fierté après chaque victoire. Sa fierté était largement partagée par son père, qui ne ratait aucune partie jouée par son fils. Le paternel n'aimait d'ailleurs pas voir Martin se faire battre par des golfeurs moins talentueux.

Depuis presque un an, Martin ressentait parfois des maux de ventre avant les compétitions, mais son père, appuyé en cela par M. Gagner, lui avait dit que c'était normal, que tous les champions étaient stressés avant un tournoi.

Un jour, Martin était assis sur un banc du parc près de chez lui. Il dégustait une tablette de chocolat en regardant autour de lui sans but précis. Il fréquentait ce parc surtout quand il se sentait seul ou que quelque chose l'agaçait. Il aimait cet endroit qui, mis à part un petit coin pour les jeux d'enfants, n'était occupé que par de grands espaces verts bordés d'arbres majestueux. Ce parc avait sûrement un nom, mais Martin ne le connaissait pas ; tout le monde l'appelait le « parc des Fous ».

En promenant son regard au hasard, son attention fut soudain attirée par un homme, debout, qui restait parfaitement immobile depuis déjà un bon moment. Martin remarqua qu'il tenait un objet dans sa main, mais d'où il était, il ne pouvait que discerner un bâton noir. Intrigué, il s'approcha et s'aperçut que c'était un bâton de golf en graphite. Martin fit une moue d'ennui. Ses deux derniers tournois, dont le plus récent datait de la veille, lui avaient fait passer le goût du golf, du moins pour un bout de temps. Après quelques minutes, puisque son attention, sans qu'il sache pourquoi, revenait sans cesse sur cet homme, il décida de s'en approcher davantage.

L'homme prenait deux bonnes minutes avant de frapper ses balles et de les propulser sur environ cinquante mètres. Martin jugea qu'il devait avoir une quarantaine d'années. Il lançait ses balles en direction d'un petit cerceau, qu'il atteignait presque à tous les coups ; Martin était fasciné.

– Bonjour ! fit Martin pour engager la conversation.

– Bonjour ! répondit l'homme sans lever les yeux.

– Pourquoi prenez-vous autant de temps avant de frapper la balle sur une aussi courte distance ? s'enquit Martin.

L'homme répliqua par une autre question :

– Vous jouez au golf depuis combien de temps ?

– Presque sept ans.

– Vous jouez au golf depuis sept ans et vous ne savez pas que chaque coup a une importance égale, celle que l'on accorde à la relation entre soi-même et le jeu ?

Par respect, Martin dissimula son sourire narquois ; cet homme lui semblait pour le moins bizarre. Pour s'amuser, le jeune homme poursuivit la conversation.

– Vous avez combien de handicap[1] ?

– Tout dépend de la journée. Il y a des jours où je suis moins handicapé que d'autres, estima l'homme avec un sourire de plaisanterie. Si tu veux jouer au golf un jour, ne t'encombre pas trop de ton handicap, quel qu'il soit.

– Je m'excuse, mais je suis un 6 de handicap ! s'insurgea Martin.

À ce moment, l'homme se retourna vers Martin et le regarda droit dans les yeux pour lui demander son nom. En plus du sourire amusé qui flottait sur son visage, il avait des yeux marron qui pétillaient de jeunesse. Son regard était captivant à cause de l'énergie douce qui s'en dégageait, comme une espèce de concentration à la fois coquine

1. Au golf, le handicap désigne le niveau de jeu du joueur ; plus votre handicap est petit, meilleur est votre jeu en général. Un golfeur jouant régulièrement en haut de 100 n'a pas de handicap. Les joueurs d'exception ont 0 de handicap, un handicap de 1 à 10 qualifie un excellent joueur et un bon golfeur possède un handicap entre 10 et 25. Quelqu'un ayant un handicap de 12, par exemple, joue en moyenne 12 coups au-dessus de la normale (soit environ 84 coups sur un 18 trous).

et imperturbable. Lorsqu'on le voyait de face, on ne savait pas vraiment quel âge lui attribuer, entre trente-cinq et cinquante ans. C'était également très difficile d'identifier ses origines : il avait le teint plutôt foncé et ses yeux étaient bridés, mais pas à la façon des Asiatiques de souche.

– Martin Meilleur ! se présenta Martin.

– LeSage est mon nom, fit l'homme.

Malgré sa lassitude du golf, Martin regarda M. LeSage frapper ses balles. Il trouvait quelque chose de fascinant dans sa façon de préparer ses coups. Il pliait ses genoux avec douceur deux ou trois fois, ballottait ses bras comme s'il voulait davantage sentir leur poids puis, avant de s'immobiliser, dans un geste que Martin trouvait merveilleusement beau, sa colonne vertébrale s'allongeait lentement jusqu'à atteindre un point culminant qui semblait se trouver au sommet du monde. Toute cette préparation se synchronisait avec une respiration profonde. Au bout d'une dizaine de minutes, M. LeSage s'adressa à Martin sur un ton d'une telle candeur que Martin ne put s'empêcher de sourire.

– Aimerais-tu t'entraîner avec moi ?

On aurait dit qu'il avait deviné l'intérêt de Martin pour sa façon de jouer.

– Oui ! répondit spontanément Martin. Mon golf va très mal depuis quelque temps, je veux redevenir le joueur que j'étais.

– C'est impossible, trancha fermement M. LeSage, personne ne peut revenir en arrière. Nous allons tous vers l'avant. Laisse ton golf changer et évoluer. Je serai ici demain matin à 6 h ; n'apporte qu'un fer court et quelques balles.

– J'y serai !

Ils se saluèrent poliment. Même si Martin trouvait l'homme parfaitement à sa place dans le parc des Fous, il ressentait une forte curiosité, mêlée d'excitation, à l'idée d'une séance d'entraînement avec M. LeSage. Il courut jusque chez lui, puisque l'heure du souper était venue.

Lorsque Martin arriva à la maison, son père descendait de son tracteur-tondeuse qu'il appréciait tant. Il salua Martin et lui demanda :

– Arrives-tu de t'entraîner ?

– Non, je suis allé au parc.

– Aaaah... Martin, si tu veux que ton golf revienne, il faut prendre ça plus au sérieux. Sais-tu que les joueurs de la PGA[1] frappent à peu près cinq cents balles par jour ?

– Papa, peux-tu arrêter avec ta discipline de temps en temps ?

– C'est ça, tu veux être bon, mais pas travailler... Les jeunes sont tous pareils : ils veulent récolter, mais pas semer.

– Papa, j'ai joué un tournoi, hier !

– Justement, quel tournoi ! Un peu d'entraînement ne te ferait pas de tort.

Martin entra dans la maison en fulminant ; depuis peu, quand il parlait de golf avec son père, il sentait la colère monter en lui.

1. Professional Golfers' Association.

Le lendemain, le jeune homme s'éveilla à 5 h 30 sans réveille-matin, ce qui était très rare. Vingt-cinq minutes plus tard, il arrivait au parc, mais M. LeSage n'y était pas. Martin pensa pendant un moment qu'il avait été stupide de s'emballer pour un vieil idiot qui devait ronfler dans un lit bien chaud. Pourtant, quelque chose le poussait à croire que même si l'homme semblait bizarre, il était honnête et sincère. Il attendit quelques minutes encore et, puisque personne ne venait, il commença à frapper des balles avec son cocheur d'allée[1]. Quand Martin regarda sa montre, elle indiquait 6 h 10 et il semblait toujours seul dans le parc. Soudain, le vent provoqua un bruissement de feuilles et M. LeSage sortit d'un buisson.

– Bonjour ! Je comprends que ton golf ne te comble pas, tu frappes les balles comme un politicien.

– Comme un... politicien ? balbutia Martin avec surprise.

– Oui. Dans le but d'obtenir des votes, beaucoup de politiciens disent seulement ce qui les fait bien paraître, sans considérer tous les aspects de la vérité. Toi, tu frappes les balles seulement pour obtenir un bon résultat, sans observer tout ce qui se passe réellement en toi pendant ton mouvement. En jouant comme ça, tu passes à côté des subtilités qui te permettraient d'apprendre beaucoup.

Même si Martin trouvait que la remarque avait quelque chose de farfelu, il devait avouer qu'elle était juste. Il avait effectivement développé l'habitude de frapper ses balles une après l'autre, en ne considérant que l'aspect mécanique de son élan. Une image lui vint soudain à l'esprit : il voyait son père et son professeur lui dire que

1. Le cocheur d'allée est un bâton plutôt court qui donne à la balle une trajectoire lobée.

les « pros » frappaient des tas de balles chaque jour. Ces deux-là lui avaient dit souvent que ça ne valait pas la peine de s'entraîner s'il ne frappait pas au moins deux cents balles. C'était peut-être pour cette raison que son empressement à frapper les balles en série avait pris le dessus dans son entraînement.

– L'important, Martin, continua M. LeSage, ce n'est pas de frapper le plus de balles possible. Ce qui importe surtout, c'est d'apprendre à propos de ta relation avec le golf. L'entraînement, c'est entendre ce que ton corps et ton esprit te disent avant, pendant et après tes coups. Ainsi, tu en découvres un peu plus sur la relation secrète entre tes pensées, tes sentiments et ton corps. Plus ces trois forces sont rassemblées dans une même intention, plus le coup joué se rapproche de la cible visée. Viens, nous allons nous échauffer pour l'entraînement.

M. LeSage marchait d'un pas dynamique. Martin le suivait en se demandant où il allait. Après quelques instants, il s'aperçut qu'il se dirigeait vers le dépanneur situé en face du parc. Il y entra en disant à Martin de l'attendre dehors. Martin, intrigué, attendit à peine cinq minutes. M. LeSage revint avec une boîte pleine de ces tablettes de chocolat dont Martin raffolait. Ils retournèrent au parc.

M. LeSage s'assit sur le gazon, prit une tablette de chocolat et la déballa. Il fit un signe de tête à Martin pour lui signifier de se servir. Ils dégustèrent leur tablette en silence et Martin remarqua le plaisir d'enfant que M. LeSage semblait prendre à mordre dans sa friandise. Se sentant un peu coupable de manger des sucreries si tôt dans la journée, Martin brisa le silence :

– Nous n'étions pas censés nous échauffer pour l'ent...

– Chut ! tais-toi et goûte.

Alors qu'il ne lui restait qu'une bouchée de sa gâterie, Martin laissa mourir sa culpabilité et enfonça en riant le reste de la tablette dans sa bouche. Il plongea alors sa main dans la boîte pour s'offrir un autre chocolat. À ce moment, d'un geste vif, M. LeSage lui donna une tape sur la main et dit :

– Tu veux mourir ou quoi ?

Martin le regarda d'un air ébahi... Est-ce que cet homme était débile ? Le regard de M. LeSage s'adoucit :

– Martin, ces choses sont très mauvaises pour ton corps.

– Dans ce cas, pourquoi semblez-vous comblé d'en manger avant même d'avoir déjeuné ? questionna Martin.

– Parce que je pense que tu perds progressivement le plaisir de jouer et que ces friandises peuvent nous rappeler à quel point c'était bon de jouer avec abandon avant d'avoir appris la notion du bien et du mal. Mais si tu te sers de cette merde régulièrement, sans plaisir, pour te goinfrer ou pour enfouir une émotion, ça devient du suicide à petit feu.

Encore une fois, Martin ne put nier que l'homme touchait une réalité qu'il avait vécue : aussitôt que la culpabilité l'avait quitté, il était tombé dans l'excès. Il était passé de la culpabilité à l'excitation nerveuse, sans passer par le plaisir profond qu'il avait lu sur le visage de M. LeSage, qui semblait déguster son chocolat comme si c'était le dernier de sa vie.

Ils se mirent ensuite tous deux au golf. Martin apprit à ressentir et reconnaître dans son corps et dans son esprit des choses avec lesquelles il n'avait pas été en contact depuis plusieurs années... depuis le temps, en fait, où il avait commencé à jouer au golf en frappant des balles vers le grand chêne. Après chaque coup, M. LeSage l'amenait à remettre en question certaines de ses réactions émotionnelles. Il le portait également à réfléchir à des expressions populaires vides de sens que Martin utilisait pour discuter de son golf. Il prenait conscience que les réactions de plaisir et les compliments auxquels il s'attendait après un coup réussi l'amenaient à s'identifier à son golf en le rendant trop fier d'être un bon golfeur. Selon M. LeSage, cette attache au succès était responsable des tensions et des angoisses avec lesquelles il était sûrement aux prises pendant les compétitions. M. LeSage invita Martin à frapper en silence afin de mieux se concentrer sur les pensées et les sentiments présents en lui.

Après deux bonnes heures, les deux golfeurs se reposèrent sur un banc et M. LeSage invita alors Martin à lui parler de ses récents tournois.

– La nervosité ne me quitte plus ! lança spontanément Martin. Avant, pour les tournois, j'étais stressé avant de jouer, mais durant la partie, je retrouvais le plaisir de bien jouer et de rivaliser avec les autres joueurs.

– Et maintenant, qu'est-ce qui se passe ? s'enquit M. LeSage.

– C'est comme s'il y avait une personne en moi qui surveille tout ce que je fais. Cette présence rend chaque coup si important que je n'arrive pas à laisser mon élan s'exécuter librement. Mes pensées me cassent constamment les oreilles avec des phrases qui, même durant mon élan, attirent mon attention sur ce que je ne fais pas bien.

– Habituellement, combien de séances d'entraînement fais-tu dans une semaine ?

– Durant la saison de golf, entre sept et neuf, presque tous les jours et à l'occasion deux fois par jour. Hors saison, trois ou quatre, répondit Martin avec un air de fierté.

– Durant tes entraînements, que fais-tu ?

– Rien de spécial. Je travaille surtout mes faiblesses techniques.

– C'est bien ce que je pensais ! s'exclama M. LeSage. Tu veux tellement t'améliorer que tu as oublié les aspects positifs de ton jeu. Résultat : tu te prives de ta confiance en toi.

– Euh... Je ne suis pas sûr de comprendre. Pourquoi le fait de vouloir m'améliorer m'empêcherait-il de bien jouer ?

– Si tu te presses pour t'améliorer, c'est que tu ne te trouves plus *assez bon*. C'est donc la honte et la peur qui te font t'entraîner, et non le désir d'évoluer.

– Mais qu'est-ce que je peux faire ? demanda Martin après un moment de réflexion.

– Pour l'instant, rien de compliqué. Laisse d'abord tomber l'expression « faiblesse technique » et essaie plutôt de percevoir ce qui pourrait te rendre meilleur comme des objectifs d'amélioration. Tout ça deviendra alors moins important et la honte tombera d'elle-même. Pour comprendre les causes de tes difficultés, adopte la même attitude que si tu venais de recevoir un nouveau jeu vidéo et que tu désirais en connaître toutes les facettes. Quand tu travailles tes difficultés, prends conscience de tes pensées et de tes sentiments à chaque moment. Garde surtout en tête ce que tu veux obtenir. Si tu conserves une attitude positive et confiante, les choses vont s'améliorer d'elles-mêmes. Tu dois aussi t'exercer aux coups que tu réussis plutôt bien pour entretenir ta confiance.

Une fois de plus, la vérité des propos de l'homme décontenança Martin. Il reconnut qu'il détestait les aspects de son jeu qui lui paraissaient faibles et qu'il tentait souvent de les cacher à ceux qui le regardaient jouer. M. LeSage les avaient appelés objectifs d'amélioration ; cette expression semblait leur donner une autre signification, leur conférer un sens que Martin n'avait jamais perçu jusque-là.

– Ensuite, continua M.LeSage, n'oublie pas que ce handicap dont tu es si fier provient, en fait, de capacités athlétiques merveilleuses. Il te faut apprécier ces capacités qui sont les tiennes, même quand elles ne répondent pas à tes attentes du moment ou à celles de ton entourage. Tu n'as pas atteint ce niveau de maîtrise uniquement par une suite de réussites : toutes ces richesses sont le fruit d'une alternance aussi parfaite que mystérieuse entre réussites et échecs, au fil de laquelle tu as forgé ton unicité de golfeur.

– Unicité de golfeur... ?

– Oui. Même si nous sommes régis par les mêmes principes, nous sommes tous uniques et notre approche du golf doit respecter ce fait. Cela devrait être ton but ultime : découvrir, petit à petit, au fil des expériences, ta propre façon de t'adapter au jeu.

– Il y a aussi les examens scolaires qui me tendent et m'angoissent. J'étudie pourtant assez, je devrais me sentir confiant.

– N'allons pas trop vite, tu as suffisamment d'éléments à travailler jusqu'à la prochaine fois, trancha M. LeSage.

– Quand allons-nous nous revoir ?

– Quand ce sera le temps. Bon entraînement !

Presque un mois après sa rencontre avec M. LeSage, Martin amorçait une période d'examens, les derniers qui devaient être considérés pour son entrée au cégep. Il avait posé sa candidature en sciences de la nature dans un cégep prestigieux : la médecine l'intéressait. Il craignait de passer cette semaine d'examens dans l'angoisse. Ses parents tentaient de le rassurer en lui disant que ce n'était pas la fin du monde, mais Martin voyait bien qu'ils étaient eux-mêmes très tendus. Sa mère lui cuisinait tous ses petits plats préférés, insistait pour qu'il fasse une sieste l'après-midi et accomplissait elle-même les tâches ménagères qui lui revenaient habituellement. Son père surveillait ses heures d'étude et, durant la semaine d'examens, il téléphonait à la maison tous les après-midi pour demander à son fils comment s'étaient passés les examens du matin.

Après quatre examens, Martin se sentait vidé. Depuis le début, son humeur oscillait entre l'angoisse de l'échec et la peur d'oublier ce qu'il avait étudié. Il était découragé à l'idée de devoir subir ce stress encore trois jours. Le soir, dans sa chambre, il se mit à penser à M. LeSage. Son golf avait pris du mieux depuis leur rencontre : il avait décidé d'accepter ses difficultés, elles avaient perdu de leur importance et leurs effets négatifs s'étaient en partie dissipés. Il travaillait ses *faiblesses* à l'entraînement et les oubliait complètement par la suite.

Il aurait bien aimé discuter avec cet homme de ses angoisses scolaires. Il décida d'aller en secret au parc des Fous le lendemain matin avant son examen. Peut-être M. LeSage s'y trouverait-il ?

Il se leva à 6 h et arriva au parc peu de temps après. Il s'assit sur un banc près de l'endroit où il avait rencontré M. LeSage la première fois et attendit une bonne demi-heure sans voir qui que ce soit. Il fouilla les buissons pour surprendre l'homme, mais il n'y avait vraiment personne. Il retourna s'asseoir. Il était maintenant 7 h 30 ; il ne lui restait plus qu'une heure avant son prochain examen.

Une idée lui vint subitement. Il imagina, sans réfléchir, ce que M. LeSage lui conseillerait pour faire face à ces trois dures journées. Dans sa tête, il entendit la voix de M. LeSage lui dire : « La peur est là, tu n'y peux rien, cesse de te battre contre elle et laisse-la t'habiter. » Martin fut surpris. Cette réponse était venue en lui comme ça, sans qu'il la provoque intentionnellement. Il se mit ensuite à réfléchir pour comprendre le sens de ce conseil et il s'embrouilla dans toutes sortes de pensées confuses. Il décida donc de s'en tenir à la stratégie qui lui était venue spontanément : accepter sans résistance l'anxiété qui le rongeait. La tension tomba aussitôt d'un cran. Il se dirigea alors vers la maison en conservant son attention sur cet état de détente. Il s'empressa de manger et monta dans la voiture. Pendant que son père le conduisait à l'école, il tenta d'éviter la conversation pour maintenir son état d'esprit, mais son père parla tout de même :

– Je sais que c'est dur, Martin, mais ce n'est pas le temps de faiblir. Encore quelques jours et tout sera fini.

Devant l'air distant de son fils, le père insista :

– Martin, tu m'écoutes ?

– Oui, oui. J'ai compris, fit Martin.

Son père haussa le ton :

– Ne commence surtout pas à te décourager. Tu aurais la chance d'aller au collège Saint-Antrebolles, même si ça coûte huit mille dollars par année. C'est tout un honneur et je veux que tu y ailles.

– Qui a dit que je me décourageais ? C'est difficile, mais je vais continuer, se défendit le fils.

– J'espère que ces examens-là vont me prouver que tu veux vraiment réussir, termina le père.

Au moment où il décidait de répondre à son père, Martin avait senti son calme le quitter, comme si quelque chose en lui avait surgi. Sa peur d'échouer l'envahissait à nouveau et il en voulait à son père pour cela.

Il arriva à l'école juste à temps pour se rendre au local où avait lieu son examen. On lui donna sa copie et il se rua dessus comme un lion affamé. Avant de l'ouvrir, il prit toutefois conscience de cet empressement, qui lui indiqua la présence d'une menace. Il repoussa alors le questionnaire et resta immobile pendant de longues minutes : il s'appliqua à s'abandonner à ce qu'il ressentait et il récupéra un peu du calme qui l'avait habité plus tôt. Durant l'examen, il fit une pause chaque fois qu'il se sentit envahi par la peur d'échouer ou de ne pas comprendre une question.

La semaine se termina par un examen de chimie très exigeant. Martin continuait à se laisser prendre et porter par le stress, en tentant de mettre de côté ses plaintes et sa fatigue. Ses efforts étaient tournés vers le moment présent : une question à la fois, en acceptant les risques d'échec.

Le samedi soir, Martin était invité à une surprise-partie pour l'anniversaire de son meilleur ami. Cette fête arrivait à propos, il avait bien besoin de se vider la tête. Son père avait maugréé à cause de cette fête : il risquait d'y avoir de l'alcool et des filles... les ennemis jurés de la discipline. En entendant ses remarques désobligeantes, Martin s'était fâché :

– Après la semaine que je viens de passer, pas question que je rate cette fête ! Que tu le veuilles ou non, j'y vais et je rentre à l'heure que je veux.

Le père était resté bouche bée devant le ton sans appel de son fils. Il avait marmonné quelques arguments enfantins que Martin n'avait même pas écoutés.

Martin arriva assez tôt chez le copain qui donnait la soirée. Il descendit au sous-sol, où tous les invités étaient déjà entassés dans le noir. Il se joignit au groupe et on se mit à se bousculer les uns les autres en riant. Il sentit d'abord une légère gêne, mais après un moment d'hésitation, il entra dans le jeu. Dans le mouvement, sans le vouloir vraiment, il se retrouva à l'autre bout de la pièce, tout près d'une fille de son âge, assez près pour distinguer, malgré la pénombre, sa chevelure foncée, son regard clair et les traits fins de son visage. Une poussée du groupe les pressa l'un contre l'autre et Martin put sentir l'odeur de ses cheveux. Il eut l'impression de se retrouver sur un nuage...

Quelqu'un demanda soudain le silence : celui qui était fêté s'apprêtait à entrer dans la maison. La surprise fut réussie et la fête commença. Tout le monde dansait et riait. Martin n'avait que très rarement l'occasion de danser. Il ne se sentait pas talentueux et cela l'ennuyait. Aussitôt qu'il commençait à bouger, un vague malaise l'envahissait. Il n'aimait pas que les autres le voient malhabile.

Il regardait danser les autres et appréciait la musique depuis une quinzaine de minutes lorsqu'un éclair de vérité le foudroya : le sentiment de peur mêlé de honte qu'il ressentait au golf, pendant ses examens et quand il dansait était exactement le même ! C'était toujours ce sentiment désagréable qui lui donnait l'impression d'être... inadéquat. Aussitôt que cet état d'esprit le quittait, cependant, tout lui semblait facile et agréable. Cette révélation le mit en colère. D'un pas décidé, il se précipita au milieu de la piste de danse et se mit à bouger n'importe comment. Il ferma les yeux pour oublier ceux qui l'entouraient. Il se sentit presque à l'aise. Des voix intérieures lui disaient qu'il était ridicule et que son comportement était indigne d'un champion ; Martin reconnut la voix de son père. Il dansa alors avec plus de rage, dans un déhanchement extravagant. Un de ses amis, qui ne l'avait jamais vu danser, s'exclama :

– C'est super, Martin. Wow !

À ce moment, Martin ouvrit les yeux et fit un large sourire à Sébastian. Cela lui donna confiance et il recommença à danser les yeux fermés, avec des gestes exagérés qui le délivraient de sa torpeur. Il ouvrit les yeux quelques minutes plus tard pour reprendre un contact visuel avec Sébastian, mais il croisa plutôt le regard de la fille aux cheveux foncés et au regard clair qu'il avait frôlée plus tôt dans la soirée. Elle le regardait en souriant gentiment. L'énergie de Martin le quitta d'un coup. Il revint à son sentiment de gêne, qui était encore plus fort qu'auparavant. Il ne savait plus quoi faire, il se dandina encore quelques instants sur la musique, puis il quitta la piste pour passer à l'étage supérieur, feignant d'aller aux toilettes.

En haut, dans la cuisine, certains de ses copains d'école étaient affairés près d'un mélangeur. L'un d'eux appela Martin :

– Eh ! le golfeur, amène-toi !

Martin s'approcha du comptoir et s'aperçut qu'ils mélangeaient des fraises et de la glace avec le contenu d'une bouteille d'alcool fort. En lui tendant un verre rempli de cette boisson, le copain qui l'avait interpellé lui dit :

– Goûte ça, le golfeur !

– Ça va, les gars, je ne bois pas d'alcool, les remercia Martin.

– C'est bien ce que je pensais, le golf, ce n'est pas pour les vrais, trancha l'adolescent, qui but une grande rasade du verre qu'il avait offert à Martin.

Ce dernier quitta la pièce un peu irrité. Il sortit dehors et réfléchit quelques instants. Il voulait parler à cette fille, c'était très clair pour lui. Mais que pourrait-il lui dire d'intéressant ? Pourquoi ressentait-il encore cette peur détestable ? Pendant un moment, il eut envie d'entrer prendre un grand verre de cette boisson qu'on lui avait offerte, mais quelque chose lui dit que l'alcool n'était qu'une béquille pour les faibles. Il décida de redescendre au sous-sol et d'attendre : peut-être que sa peur tomberait d'elle-même ou que la fille prendrait les devants en venant vers lui ?

Une fois en bas, son malaise augmenta d'un cran. La fille discutait avec une copine et il remarqua que sa silhouette était aussi plaisante que son visage. Une force en lui le poussait à l'aborder, ce qui amplifia encore sa peur. Elle lui sourit et il ne put lui répondre que par un serrement de lèvres. Cette fois, ce qu'il ressentait était trop fort ! Il remonta à la cuisine et obtint un grand verre d'alcool aux fraises qu'il avala à grandes gorgées. Il discuta un peu d'école et de golf avec le groupe de copains en sirotant un deuxième verre avant de retourner au sous-sol. Il remarqua qu'il se sentait différent en descendant l'escalier : sa peur de l'opinion des autres était toujours présente, mais elle paraissait plus lointaine. Il pouvait la laisser tout au fond de lui-même et l'empêcher de prendre toute la place.

De retour au sous-sol, il se remit à danser. Ses mouvements étaient moins saccadés et lui semblaient plus en harmonie avec la musique. Le rythme le touchait davantage, comme s'il n'avait jamais vraiment écouté de la musique avant ce soir-là.

Après quelques minutes, la fille qu'il convoitait vint danser près de lui. Plutôt que de laisser sa peur l'envahir, il osa lui demander :

– Est-ce que je peux savoir ton nom ?

– Jaëlle. Et le tien ?

– Martin.

Pendant quelques secondes, il craignit de n'avoir plus rien à dire, mais il combattit aussitôt cette impression en parlant :

– Tu ne viens pas à Saint-James, je ne t'y ai jamais vue...

– Non, malheureusement, j'allais au privé. Mais c'est fini, je vais faire mon 5e secondaire à Saint-James, l'an prochain.

– Dommage, je n'y serai plus l'an proch...

Martin s'interrompit. Il venait de dire « dommage » et cet aveu soudain de ses sentiments lui semblait trop hardi. Elle lui répondit pourtant par un sourire. Ils passèrent la soirée à danser et à discuter. Martin alimentait parfois son courage à l'aide d'un daïquiri. Ils se quittèrent très tard. Lorsque Martin rentra chez lui, vers 3 h du matin, il était un peu ivre, mais il jubilait à la pensée que Jaëlle avait glissé son numéro de téléphone dans la poche de son manteau. Sa tête tournait énormément quand il se coucha et il fut malade avant de s'endormir.

Le lendemain, il avait la possibilité de jouer une partie de golf avec son père, mais il refusa de se mettre debout à cause d'un solide mal de tête. Son père, furieux, le somma de se lever, mais le fils refusa et le père dut jouer seul, à son grand désagrément. Martin se leva finalement vers midi. Sa mère constata qu'il avait l'esprit plutôt joyeux malgré ses traits tirés. Son père rentra dans l'après-midi. Il demanda aussitôt à son épouse si Martin était allé s'entraîner et maugréa à propos de la jeunesse et de ses maudits « partys ». La mère répliqua aussitôt :

– Ton fils n'est pas seulement allé à une fête. Il a aussi pris un verre et je suis à peu près certaine qu'il a rencontré une fille.

– *Quoi ?*

CHAPITRE IV

L'éducation à la performance

> Famille de fous, famille de sang,
> Racines plus fortes que tous les vents
>
> Famille de fous, famille de feu,
> d'aucuns connaissent l'art mystérieux.
>
> **M. B.**

Cet ouvrage visant le développement des performances, je n'ai nullement l'intention d'aborder ici les problèmes cliniques qui découlent des relations familiales. Toutefois, il faut savoir que la famille est un milieu déterminant pour l'individu. Nous y faisons des apprentissages qui, petit à petit, façonnent la personne que nous serons. Le milieu familial est donc largement responsable de l'attitude que nous adoptons par rapport à la recherche de l'excellence.

Le piège du succès prive des aspirants et même leur famille d'un cheminement qui permettrait, malgré les inévitables épreuves, d'atteindre des objectifs intéressants tout en maximisant l'évolution personnelle équilibrée.

Les familles compétitives

Dans plusieurs foyers, l'excellence est hautement valorisée. D'ailleurs, c'est parfaitement sain de pousser un enfant au dépassement de soi dans un certain domaine. Toutefois, il faut avouer que, souvent, on recherche bien davantage le succès par rapport aux autres que l'évolution personnelle.

Dans ces familles, les enfants apprennent donc à désirer la performance... par rapport aux autres. Quand papa ou maman s'intéresse à un domaine quelconque, les petits apprennent vite qu'il y a les meilleurs et, loin derrière, les autres. Le tapage médiatique réservé aux vedettes en est la preuve. Dans notre histoire, le père de Martin n'a nul besoin de formuler explicitement son admiration pour les golfeurs et les étudiants de haut calibre ; les exigences qu'il maintient à l'égard de son fils sont assez éloquentes.

De façon naturelle, l'enfant qui approche de l'adolescence intensifie sa quête d'indépendance, souvent par la réussite dans un domaine en particulier. Cette confirmation de sa propre valeur est surtout recherchée auprès du père, s'il est présent, puisqu'il est le symbole de l'autonomie, alors que la mère symbolise pour sa part la sécurité et l'accueil. Le jeune constate bientôt que la performance suscite un vif intérêt de la part de son père. Ce dernier passe de longs moments à discuter du talent de certains musiciens, peintres, hommes d'affaires ou athlètes ou à écouter des émissions qui traitent de ces sujets. Il est facile de voir qu'il est rempli d'admiration pour ceux qui ont *réussi*. Quand le fils ou la fille amorce un cheminement dans un domaine de performance, des parents, souvent inconsciemment, se disent : « Et si le talent y était ? » Cela éveille parfois un enthousiasme exagéré, qui engendre presque inévitablement une forte tension vers le résultat et le succès. Dans notre société, beaucoup de gens sont convaincus que l'argent et le succès sont garants d'une vie heureuse et sans problème.

Pourtant, si l'entourage immédiat du compétiteur est trop centré sur la performance, qui dépend des autres, il développera des relations de rivalité jalouse avec ses adversaires et même avec ses partenaires. Ce genre de relations, en donnant la rage de vaincre, peut aider l'aspirant au début, mais cela devient vite un obstacle à son développement. L'envie et la jalousie sont des forces qui, avec le temps, usent la motivation, la confiance ou la créativité. N'oublions pas que la recherche de l'excellence, dans tous les domaines, exige d'abord et avant tout une grande capacité de coopération. Pour avancer, l'aspirant doit parfois rivaliser, certes, mais beaucoup plus souvent il doit s'adapter et coopérer, que ce soit avec un entraîneur ou un patron, avec des collègues ou des coéquipiers ou, surtout, avec lui-même. Il doit aussi trouver une façon de collaborer avec son environnement, ainsi qu'avec les demandes grandissantes du monde de l'excellence, à mesure que le niveau de ses performances s'élève.

Le compétiteur qui laisse une partie de sa concentration se perdre dans son désir de dépasser les autres est dans l'erreur. Ce faisant, il fausse et complique sa vision de ce qu'il doit accomplir. Pour maximiser son efficacité, il doit accorder toute son attention à ses tâches et les effectuer le mieux possible ; si son rendement est supérieur, l'adversaire sera dépassé. La rivalité jalouse isole l'aspirant, le piège dans la dépendance par rapport à l'autre et l'amène à se fermer à la nouveauté, à l'expérience et à la créativité. La peur le force à se limiter à ce qui *fonctionne,* sans se soucier de savoir si cela fonctionne *pour lui.* Imaginons un peintre qui voudrait vendre plus de tableaux qu'un autre peintre qu'il admire : s'il l'envie à un point tel que sa jalousie occupe une partie de son attention durant ses séances de création, son art risque de s'en trouver diminué.

La compétitivité est utile dans certains milieux, mais l'aspirant doit se méfier du gaspillage d'énergie dépensée en agressivité contre l'adversaire.

Bien sûr, coopérer ne signifie pas obéir ou se placer en position d'être dominé. Par coopération, j'entends la volonté de nous adapter le mieux et le plus simplement possible à notre tâche. Cela nous permet d'être ouvert aux autres et cette disponibilité d'esprit prépare le chemin pour des apprentissages qui demeurent hors de la portée des gens trop agressifs, qui ne cherchent dans une relation qu'à désigner un gagnant et un perdant.

Pour maximiser son évolution, l'aspirant aurait même avantage à adopter une certaine forme de coopération avec ses adversaires. En observant et en analysant le jeu de ses plus coriaces rivaux, par exemple, le compétiteur peut découvrir d'autres façons de s'améliorer. Pour quelques rares individus, la force de collaboration est tellement développée que la rivalité ne les concerne plus : ils échangent et partagent naturellement leur expérience avec ceux qui convoitent les mêmes honneurs qu'eux. Des hommes d'affaires ont même la sagesse de s'unir à un compétiteur si les deux parties peuvent en tirer profit.

Une dame me disait un jour que ses deux fils, qui jouaient au hockey et qui avaient presque le même âge, insistaient régulièrement auprès d'elle et de son mari pour qu'ils désignent le meilleur entre les deux.

Cette philosophie qui met le succès au-dessus de tout le reste amène beaucoup d'athlètes à perdre de vue ce qui leur permettrait de progresser, soit une grande concentration sur ce qu'ils ont à apprendre. Ils sont sans cesse préoccupés par des variables incontrôlables comme la performance des autres.

La relation entre l'aspirant et ses parents

> Aux yeux de mes parents
> La lune suffira-t-elle ?
> Tous les trophées, tous les exploits
> Produiront-ils cette étincelle
> Que j'attends, j'attends ?
>
> **M. B.**

Le piège du succès s'installe rarement au début, lorsque le désir de réussir est équilibré par la recherche de plaisir, d'apprentissages et de relations sociales motivantes. Ce piège ne devient menaçant que lorsqu'une reconnaissance sociale plus sérieuse survient, quand les éloges et les honneurs sont plus fréquents.

À ce moment, l'aspirant à l'excellence prend – avec raison – la décision d'investir davantage dans le développement de son talent. C'est souvent alors que le piège le guette.

Le film *À la recherche de Bobby Fisher* est un exemple parfait de cette situation. Josh, jeune joueur d'échecs prometteur, doit s'efforcer de répondre aux attentes de son père qui n'en a que pour le talent de son fils. Ce ne sont pas les échecs qui effraient le petit Josh, mais bien le risque de décevoir son père. Ce dernier, malgré un équilibre personnel certain, est tombé dans le piège du succès.

Le piège s'installe solidement lorsque le *prodige*, après une suite de victoires et de succès auxquels il s'est identifié, entre dans une période plus difficile ponctuée d'échecs et de doutes. C'est alors qu'il s'aperçoit que son entourage s'attend à beaucoup plus. Il doit se mettre au travail sérieusement s'il veut réussir à nouveau. Pourtant, ces périodes creuses sont inévitables ; je dirais même qu'elles précèdent toujours une progression.

Une jeune pianiste qui réussit plutôt bien dans les concours locaux, par exemple, aura sûrement besoin d'une période d'ajustement avant de se sentir à l'aise au niveau provincial. Dans le domaine des affaires, une poussée de croissance de l'entreprise amène aussitôt une déstabilisation de son fonctionnement et, par le fait même, du personnel. Ces passages d'un niveau de performance à un autre, bien qu'ils puissent être perçus comme une chance vus de l'extérieur, sont la plupart du temps de véritables épreuves pour la solidité émotionnelle de la personne. À dix-sept ou dix-huit ans, par exemple, même si l'aspirant présente des aptitudes impressionnantes et une personnalité qui respire le courage et la confiance, il a malgré tout l'âme d'un enfant qui fait ses premiers pas hors de la surveillance parentale.

Si l'aspirant voit qu'il peut prendre le temps nécessaire à développer des habiletés plus solides et continuer à y prendre plaisir, la période d'instabilité sera sans doute facilitée, mais elle sera tout de même présente. Si, au contraire, à cause de ses échecs, les proches tentent de modifier au plus vite le processus de l'aspirant, le piège du succès va resserrer son emprise sur lui.

Pendant une période d'insuccès, plusieurs ont tendance à s'inquiéter, voire même à paniquer. De nouvelles exigences sont alors imposées à l'aspirant : augmenter le temps d'entraînement, avoir une meilleure alimentation, se coucher plus tôt, commencer un programme de musculation, diminuer la fréquence de ses rencontres avec son ami(e) de cœur... Certains de ces changements sont parfois bénéfiques, mais il faut s'assurer d'une part qu'ils répondent à un besoin réel de l'aspirant et, d'autre part, qu'il veut bien s'y plier et qu'il peut le faire sans forcer ou briser son équilibre.

Si ces changements se font dans la tension vers le succès : DANGER ! L'aventure pourrait s'avérer beaucoup moins enrichissante que voulu.

Face à l'impatience des gens qui l'encadrent, l'aspirant met son équilibre en péril sans trop d'hésitation pour investir exagérément dans son activité préférée. Pour réussir à devenir « quelqu'un », l'enfant ou l'adolescent nie ses limites, alors que le respect et la reconnaissance de ses limites personnelles sont des étapes essentielles dans son évolution s'il veut parvenir à les repousser.

Faire évoluer la personne pour améliorer son rendement

Le passage à un niveau supérieur de performance et de confiance n'implique pas nécessairement d'investir davantage dans l'entraînement. C'est même souvent hors du contexte de recherche de l'excellence que la personne doit subir certaines épreuves pour faire évoluer, indirectement, ses performances. J'ai connu des athlètes dont les résultats sportifs se sont améliorés simplement parce qu'ils ont pris de l'assurance dans une autre sphère de leur vie. Les parents qui protègent la discipline des adolescents en les gardant trop concentrés sur leurs études et sur la performance (sportive ou autre) retardent parfois, bien involontairement, leur évolution.

Le jeune parvenu à l'adolescence doit commencer à prendre de la distance par rapport à sa famille, et cela est valable pour tous. Ceux qui continuent à répondre parfaitement aux attentes de papa et maman retiennent l'élan qui les pousse vers l'indépendance. En même temps, ils entravent leur évolution vers une plus grande autonomie, une plus grande solidité individuelle et... une plus grande confiance dans un contexte de compétition.

J'explique parfois aux athlètes à qui j'enseigne qu'il est parfaitement sain de connaître une baisse de motivation pour le sport lors de l'adolescence. Entre treize et dix-huit ans, plusieurs aspects de la vie nous sont révélés et exigent que nous leur accordions du temps.

J'ai travaillé avec une athlète qui faisait vraiment de mauvaises semaines d'entraînement en patinage artistique. Je l'appellerai Karine. Elle n'arrivait plus à respecter l'horaire hebdomadaire qu'elle suivait à la lettre depuis plusieurs années. Sur neuf séances d'entraînement, elle n'en faisait plus maintenant que cinq ou six, et encore, pas de façon efficace.

En travaillant avec Karine, je me suis aperçu qu'elle avait de nouvelles priorités, même si elle aimait encore l'entraînement et la compétition. Elle avait maintenant un petit ami et ses études lui demandaient davantage de temps. Or, ce n'était pas ce nouveau contexte, mais bien la culpabilité, qui lui volait son énergie et sa motivation. Son estime de soi était à plat parce qu'elle ne se pardonnait pas de faire parfois passer certains autres aspects de sa vie avant le patinage artistique. Honteuse, elle sautait des entraînements et tentait de faire des travaux scolaires en vitesse dans une pièce du stade sportif.

Le patinage artistique était hautement valorisé dans sa famille et beaucoup de ses proches parents le pratiquaient. Karine craignait surtout de perdre son image d'athlète accomplie aux yeux de ses parents et de ses sœurs.

La solution fut simplement de dédramatiser la situation en éliminant un entraînement dans son horaire hebdomadaire. Le fait d'oublier son sport le samedi et le dimanche lui permettait de prendre soin de ses études et de ses amours, pour ensuite se concentrer pleinement sur son entraînement sportif durant la semaine.

Une fois surmontée sa réticence à modifier son image d'athlète parfaite, elle a trouvé un meilleur équilibre, adapté à ses nouveaux besoins. Heureusement, ses parents et ses entraîneurs étaient ouverts au changement. Le problème fut donc réglé en peu de temps et Karine reprit son évolution.

Certains parents s'inquiètent de l'arrivée d'une relation amoureuse dans la vie de l'aspirant, la croyance populaire voulant que les amours et la performance ne font pas bon ménage. Il est vrai que le fait de tomber amoureux cause parfois une diminution momentanée de l'engagement de l'aspirant. Malgré cela, je pense qu'il vaut beaucoup mieux respecter les désirs concrets de la personne. Si un réel besoin de relations interpersonnelles intimes était mis de côté, la recherche de l'excellence représenterait alors un obstacle au développement personnel et la motivation pour la performance risquerait de chuter.

On aurait plutôt avantage à encourager cette relation tout en demandant à l'aspirant de rester sincère dans le développement de son talent. Ce pourrait être une bonne idée de conclure des ententes claires avec l'aspirant concernant le respect de certains engagements. Bien gérée, une relation amoureuse peut engendrer une motivation et une confiance plus grandes malgré un nombre d'heures d'entraînement légèrement réduit.

J'ai en mémoire un autre athlète, que j'appellerai Marc-André. Il avait quinze ans lorsqu'il est venu me consulter. Il était tiraillé entre son désir de vivre une relation qui s'amorçait avec une fille de trois ans son aînée et l'insistance de ses parents pour qu'il mette fin à ces fréquentations. Les parents se montraient très stricts à cet égard pour protéger la discipline et le cœur de leur fils.

Je me doutais que la pratique sportive de Marc-André tenait surtout à l'insistance des parents, et j'étais convaincu que seul le fait d'écouter son cœur pouvait lui apporter une motivation personnelle.

Je conseillai donc aux parents de Marc-André de lui laisser la voie libre, tout en prenant des ententes avec lui par rapport à son engagement sportif. Ils refusèrent catégoriquement cette suggestion et Marc-André dut rompre la relation. Je l'ai revu environ un an plus tard ; il avait évidemment abandonné le hockey, son sport favori.

Les passions vécues de façon excessive par des êtres encore trop fragiles ou immatures risquent de créer des déséquilibres inconscients qui viendront, tôt ou tard, faire chuter leur motivation et leur confiance en soi. Il suffit de constater la déchéance de certains jeunes artistes mondialement populaires pour vérifier ce que j'avance. Je suis convaincu que les problèmes vécus par Mariah Carey, A. J. McLean des Backstreet Boys, Leif Garett et Andy Gibb, par exemple, sont directement liés au piège du succès. Ces individus sont devenus victimes de leur gloire parce qu'ils n'avaient pas la force psychologique nécessaire pour évoluer dans le monde artistique.

Bien que la compétition soit vive dans la société, ceux qui décident d'y prendre part ont toujours le choix entre une approche destructrice ou une approche saine. Il importe que les aspirants à l'excellence développent un sens de la rivalité empreint de coopération et qu'ils soient capables de respecter des limites bien établies. La rivalité vécue sans jalousie engendre une attitude plus solide pour persévérer malgré les difficultés.

Les parents peuvent apprendre à l'enfant à donner priorité au processus plutôt qu'aux résultats et, surtout, à ne pas valoriser le succès dès les premières expériences ludiques. Nos premiers contacts avec la performance se font en effet par le jeu et, dans la majorité des cas, dans le milieu familial.

En prenant conscience de leurs propres attitudes pendant le jeu, les parents seront plus à même d'aider les enfants à avoir une relation plus saine avec le jeu et le plaisir. Ils se doivent d'évaluer avec justesse les conséquences respectives d'une victoire et d'une défaite.

Voici des exemples courants de comportements qui témoignent d'un écart trop prononcé entre victoire et défaite : tricher (même pour rire) dans un jeu quelconque, se fâcher après une défaite, crier des « bravo ! » au gagnant, faire des farces mesquines à propos des erreurs du perdant, attribuer un montant d'argent seulement au gagnant, etc. La victoire est une récompense en soi, il suffit que papa et maman la soulignent d'une façon sincère et discrète, en faisant d'abord remarquer à l'enfant l'apprentissage qu'il a acquis, le plaisir qu'il a éprouvé à jouer, la persévérance dont il a fait preuve...

Faire des sacrifices

Le mot sacrifice est souvent utilisé pour accentuer la valeur d'un cheminement d'accomplissement. Il est pourtant évident que ceux qui se « sacrifient » ne peuvent se rendre aussi loin que ceux qui choisissent de se dépasser. Est-ce qu'une personne souffrant d'agoraphobie qui décide un jour de prendre l'autobus à l'heure de pointe fait un sacrifice ? Non, elle choisit de déployer des efforts pour se libérer de sa peur et accéder à une vie plus riche. Si elle se plie à cet exercice pour une amie qui l'encourage et à qui elle veut faire plaisir, elle a peu de chance de surmonter sa phobie.

Je me rappelle une entrevue accordée par Jean-Luc Brassard, médaillé olympique de ski acrobatique : il riait en entendant le mot « sacrifice » utilisé par l'animateur pour désigner les quatre ans d'entraînement qui séparent deux olympiades. Pour lui, ce n'était pas un sacrifice, c'était un choix, voire même un privilège, puisque si plusieurs personnes travaillaient jusqu'à 17 h pour aller s'entraîner ensuite, lui pouvait s'entraîner toute la journée.

Pour maximiser l'évolution dans n'importe quel domaine, le désir doit venir de l'intérieur, d'un choix volontaire. Le renoncement à certains autres plaisirs est inévitable, mais il doit être accepté et voulu. Les sacrifices imposés de l'extérieur nous amènent à effectuer nos tâches sans conviction, sans motivation profonde et dans le simple but d'en venir à bout. Les enfants et les adolescents doivent être conseillés, guidés et encouragés, mais ils doivent choisir ce dans quoi ils s'investissent.

Il existe évidemment de jeunes aspirants qui sont plus à l'aise que d'autres dans une vie très organisée. Ceux-là réussissent à conserver un équilibre personnel solide malgré un horaire exigeant. Lors d'une conférence, Sylvie Bernier, médaillée olympique de plongeon, racontait que même à l'âge de dix-huit ou dix-neuf ans, elle inventait des prétextes pour ne pas fréquenter les bars avec ses copines. Rares sont les jeunes de cet âge qui possèdent une discipline naturelle aussi mature.

En revanche, on connaît aussi, dans le domaine sportif, des exemples d'athlètes qui se sont sacrifiés trop tôt, sûrement de façon inconsciente. De toute évidence, l'impatience d'arriver au succès est à l'origine de plusieurs histoires tristes.

Nadia Comaneci et Jennifer Capriatti, toutes deux de grandes et jeunes championnes, ont souffert des conséquences de leur splendeur. Comme les artistes cités ci-dessus, une adolescence remplie d'argent et de gloire les a menées à l'envie de mourir ou à diverses dépendances destructrices.

Les jeunes qui s'enfoncent par devoir dans une vie trop exigeante se retrouvent un jour avec un mal de vivre qu'ils ne savent pas expliquer sans faire un long travail intérieur.

La plupart du temps, il faut un grand nombre d'échecs et beaucoup de douleur avant qu'un aspirant accepte que tout accomplissement extérieur nécessite une évolution intérieure correspondante. Le rôle premier de la recherche de l'excellence devrait être de créer les conditions propices à une évolution personnelle. Ceux qui décident d'ignorer ce principe en pensant trouver un raccourci pour la gloire le payent bien souvent de leur propre équilibre.

Protégé de l'anonymat

Voyons maintenant une autre conséquence possible du piège du succès, soit la perte de contact éventuelle avec notre côté faillible et vulnérable. Je suis tombé un jour sur un article au sujet des difficultés d'adaptation qu'éprouvent les champions au moment de prendre leur retraite. L'auteur racontait comment plusieurs grands athlètes de niveau international avaient vécu des problèmes considérables lorsque leur carrière sportive avait pris fin. Le retour à la vie *ordinaire* semble pour plusieurs être un fardeau lourd à porter.

Comment peut-on expliquer qu'un champion de natation comme Mark Tewksbury ait pensé au suicide alors qu'il sortait à peine de l'euphorie de sa médaille d'or olympique ? Comme le sport est réputé développer la confiance, l'estime de soi et la persévérance, on a tendance à penser qu'une erreur de parcours s'est glissée quelque part... Le livre *Splendeurs et misères des champions*[1] décrit avec précision les facteurs responsables des difficultés d'adaptation que vivent, lors de leur retraite, les champions qui n'ont vécu jusque-là que pour leur sport.

Le problème vient du fait qu'on oublie vite qu'un aspirant de quatorze, seize ou dix-huit ans a passé plusieurs années à se consacrer presque exclusivement à sa recherche de l'excellence. La vie d'un compétiteur de haut niveau est tellement réglementée qu'elle élimine en majeure partie toutes les occasions qu'il pourrait avoir d'affronter l'inconnu. La crainte de l'avenir et de la nouveauté ressentie par les jeunes qui ne connaissent pas de succès joue certainement un rôle dans leur développement. Les périodes noires pendant lesquelles ils se voient comme un individu parmi d'autres les obligent à regarder en face les choix qu'ils ont faits ainsi que leurs conséquences.

Ces difficultés sont les véritables rites initiatiques (souvent traversés dans une triste solitude) marquant le passage à la vie adulte dans notre société moderne. Elles enseignent l'humilité de commencer au bas de l'échelle et la persévérance nécessaire pour gravir un à un les échelons de la vie.

1. Makis Chamaldis, *Splendeurs et misères des champions*, Montréal, Vlb éditeur, 2000.

Dans le milieu des adolescents, la gentillesse est souvent bannie. La méchanceté et les sarcasmes qui sous-tendent la communication entre ados sont parfois cruels, mais ils servent aussi un besoin naturel de consolider les défenses personnelles et la capacité à faire face à *tout ça*. Ces épreuves obligent ceux qui les affrontent à faire mourir une partie de l'*ego* insatiable de l'enfance ; elles leur font prendre conscience qu'ils sont en tout point semblables au commun des mortels. Ainsi, les jeunes anonymes apprennent, progressivement, à vivre hors de la protection parentale.

S'adapter à un patron autoritaire, se lever à 6 h pour aller laver de la vaisselle ou creuser des trous pendant des mois sont d'autres exemples de situations qui stimulent le développement des forces intérieures.

Mais que se passe-t-il pour les jeunes adultes qui ont pu éviter une partie de ces épreuves sociales grâce à leur statut d'aspirant ? En vérité, ces épreuves ne sont que retardées, et elles s'accumulent avec le temps. Tous les adultes autonomes doivent les traverser un jour ou l'autre. Le danger est d'avoir échappé à tellement de difficultés que l'aspirant n'a pas développé la force nécessaire pour s'adapter à une nouvelle situation.

Voilà pourquoi un sain équilibre doit être conservé lorsque l'aspirant s'engage dans un cheminement impliquant un entraînement assidu. Il faut d'abord ériger de solides bases personnelles, ce qui peut très bien se faire en parallèle avec la recherche de l'excellence, pour autant que l'on s'en préoccupe. Même si la grande consécration doit pour cela attendre deux ou trois ans de plus, la progression de l'être est primordiale.

Du paradigme de l'extrême au paradigme de l'équilibre

Dans les milieux valorisant l'excellence, la philosophie du « plus égale mieux » a longtemps régné. La croyance qui veut que davantage d'heures de travail garantisse une plus grande qualité est maintenant fortement remise en question à cause de ses effets néfastes à moyen et long terme. Ces conséquences ne peuvent être ignorées lorsqu'on s'intéresse au développement de l'excellence à un niveau élevé, et surtout à la capacité de se maintenir à ce niveau.

Nous savons maintenant que le fonctionnement humain est basé sur un principe d'équilibre. C'est un fait largement accepté en ce qui concerne l'aspect physique. Par exemple, le corps nous indique par la soif qu'il est temps de rétablir l'équilibre en satisfaisant nos besoins en liquide, tout comme la sueur est le moyen par lequel l'organisme rétablit la température corporelle à son point d'équilibre.

Ce principe s'applique tout autant sur le plan psychologique. Trop de confiance prive l'aspirant d'une préparation minutieuse, alors qu'un manque de confiance l'incite à une trop grande prudence. Un excès de motivation le fait agir sans discernement, alors qu'un manque de motivation l'empêche de déployer les efforts nécessaires pour réussir une tâche. Trop de discipline est cause de tension et inhibe l'intuition, alors qu'un manque de discipline fait dévier l'aspirant vers des activités qui ne le rapprochent en rien de ses objectifs. On le voit : toutes les forces intérieures sont basées sur le principe d'équilibre. L'aspirant qui accepte ce principe se posera la question suivante quand il sera aux prises avec une situation difficile : « Qu'est-ce que je peux dire de mon attitude présente, trop ou pas assez ? Trop de colère ou manque de fermeté ? Trop de pensées ou manque de réflexion ? Trop de peur ou manque de prudence ? »

Un gestionnaire qui cherche anxieusement une solution à un problème dans son entreprise peut envenimer la situation s'il ignore ce principe d'équilibre. Il doit se poser les bonnes questions et laisser les réponses lui venir spontanément ou les obtenir de la bouche de quelqu'un d'autre. Continuer à s'inquiéter et se questionner vainement durant des jours risque d'amplifier le problème par le développement de fausses perceptions. Très souvent, un problème de ma vie professionnelle semblait insoluble le vendredi après-midi, pour ensuite devenir un détail le lundi matin, après un repos bien mérité.

L'éminent psychologue Carl G. Jung disait qu'il est beaucoup plus important d'être complet que d'être parfait ; Bouddha a dit que la voie du milieu menait à l'illumination. On sait aussi que l'apprentissage se fait selon le principe du balancier, en passant d'un extrême à l'autre et en s'approchant sans cesse du milieu, jusqu'à ce que la juste mesure soit atteinte. Tous ces grands principes se résument par cette vieille expression que nous connaissons tous : « Trop, c'est comme pas assez. »

Jung[1] rêva une nuit qu'il marchait dans le noir avec une chandelle ; il vit que la faible lumière projetait une ombre immense de sa silhouette. C'est à partir de ce rêve qu'il inventa sa théorie de l'*ego* et de l'ombre. Si on la simplifie à l'extrême, son hypothèse explique que là où il y a un excès (un *trop*), il risque d'y avoir un manque (un *pas assez*). Ainsi, lorsque l'*ego* se flatte de posséder une certaine force, la force opposée est reléguée dans l'ombre. Prenons quelques exemples. Une personne qui fait de sa grande capacité de travail sa fierté risque de présenter une lacune du côté de la détente et du ressourcement. Celui qui se

1. C. G. Jung, *Ma vie : souvenirs, rêves et pensées*, Paris, Éditions Gallimard, 1973.

targue de sa grande sensibilité devra être vigilant, puisqu'il pourrait avoir un manque de fermeté ou une faible capacité à fixer une limite à ses émotions. Enfin, celui qui se reconnaît comme étant une personne très altruiste aura tendance à négliger ses propres ambitions.

Pour poser de façon précise le geste exigé par telle situation qui se présente, il faut cesser de nous identifier à certaines forces et voir à contrebalancer nos tendances naturelles.

L'enseignement est un exemple parfait d'une activité qui exige d'être complet et de pouvoir compter sur plusieurs habiletés se relayant rapidement. Un enseignant, en l'espace de trois minutes, peut très bien avoir à réprimander sévèrement un enfant pour un geste dangereux, souligner une bonne action posée par deux autres, tout en donnant des consignes claires à un petit groupe d'élèves, dont deux le complimentent pour son habillement.

En chacun de nous se trouve le germe de toutes les qualités et de tous les défauts du monde. Or, n'importe quelle situation requiert que nous développions une force particulière. En adoptant cette attitude, l'aspirant peut entrer en contact avec des forces intérieures dont il pensait être dépourvu. Par la suite, si cela s'avère nécessaire, il pourra pousser plus loin sa maîtrise de l'une ou l'autre de ces habiletés.

Le déséquilibre le plus fréquent chez les gens visant la performance est probablement celui qui touche l'action. Puisque l'aspirant a choisi un objectif précis, il a tendance à insister exagérément pour que les choses progressent en ce sens, ce qui finit souvent par les ralentir.

L'équilibre entre l'action et le retour à soi

Un jour, un jeune homme qui avait un talent certain pour le karaté entreprit de trouver un maître qui lui apprendrait tous les rudiments de cet art. Il en trouva un qui lui inspirait confiance et, dès leur première conversation, le maître perçut l'impatience du garçon pour le succès et les honneurs. À leur deuxième rencontre, ils passèrent deux heures à jouer aux échecs. Pour la troisième séance, à la grande déception de l'élève, ils sortirent voir un film. Pour le quatrième cours, ils étaient assis au cœur d'une forêt à ne rien faire. Après vingt minutes, l'élève, à bout de patience, brisa le silence :

– Maître, mon désir le plus cher est d'apprendre tous les secrets du karaté le plus rapidement possible. Pourquoi perdre tout ce temps ?

L'homme sage, sans regarder l'élève, répondit :

– Première leçon : si ton esprit ne peut s'évader du karaté, ton art n'est qu'une prison.

Tous les humains portent en eux deux pôles : un principe masculin associé à l'action, à l'autonomie et à l'accomplissement, et un principe féminin lié à l'accueil, à la sensibilité, à la réflexion et au ressourcement. Cette dualité opposant le masculin au féminin est présente en chacun de nous, peu importe notre sexe. La recherche en biologie a même démontré que les hommes comme les femmes sont porteurs d'une certaine quantité de gènes appartenant à l'autre sexe. L'équilibre général d'une personne dépend de sa capacité à intégrer le masculin et le féminin dans sa vie. Le problème, c'est que notre société s'est fortement déséquilibrée en mettant l'accent sur l'énergie masculine.

Quand il est question de rendement, l'action est naturellement privilégiée par rapport à la passivité. La croyance populaire veut en effet que la solution à nos difficultés se trouve dans l'action : il faut agir, en faire plus. Cette conviction pousse l'aspirant à poser des gestes désorientés qui ne le font pourtant pas progresser, parce qu'ils ne tiennent pas compte de ses besoins réels.

L'équilibre entre le masculin et le féminin[1] (autrement dit, entre l'action et le retour à soi) nous indique plutôt que la solution aux problèmes qui se posent lors d'un cheminement se trouve d'abord dans l'inaction, c'est-à-dire dans la réflexion, la méditation et la patience. L'action juste naît de l'application d'une solution mûrie dans l'inaction. Après avoir établi ce qui est important pour lui, l'aspirant peut éliminer les gestes inutiles et s'orienter vers des actions bénéfiques compte tenu de ses priorités. Évidemment, ceux qui encadrent les aspirants doivent leur accorder l'espace nécessaire au développement de leur pôle féminin.

Dans notre culture occidentale, on associe souvent retour à soi et faiblesse, et on considère que la force est l'apanage de l'action. Cela explique sans doute que ceux qui visent l'excellence ont généralement tendance à perdre leur capacité de retour à soi. Théoriquement, les deux pôles d'une même personne ne devraient pas être séparés, puisque l'un se nourrit de l'autre. Il ne peut y avoir de ressourcement sans effort préalable, alors que l'effort puise sa vigueur et sa direction dans la qualité du ressourcement et du retour à soi.

---

1. Pour désigner la dualité entre le masculin et le féminin, j'utiliserai dorénavant l'opposition entre action et retour à soi, qui est plus claire et qui ne fait aucune référence au sexe.

Une femme sage dit un jour à quelqu'un qui lui avouait avoir de la difficulté à maintenir ses décisions : « Le problème, c'est que vous ne prenez pas les bonnes décisions. Vous ne pouvez tenir que les décisions justes. » Voilà pourquoi tant de régimes minceur se soldent par un échec. La personne décide de changer radicalement son alimentation pour maigrir au plus vite, simplement pour bien paraître. Elle-même ne compte pas vraiment dans cette prise de décision, seuls les autres et leur regard sont déterminants. Or, plusieurs autres questions sont d'importance capitale lorsque nous décidons de modifier notre régime alimentaire. Est-ce que notre santé est importante ? Est-ce que nous sommes bienveillant envers nous-même en nous imposant de si grands sacrifices dans un aspect de notre vie, l'alimentation, qui représente peut-être pour nous un plaisir important ? Des changements un peu moins radicaux ne seraient-ils pas plus efficaces à long terme ?

Dans le court métrage *Easy Speed* relatant les expériences olympiques du champion nageur Jeff Rouse, on comprend qu'après un échec, la plupart des gens déterminés décident de travailler plus fort, mais oublient l'importance de travailler plus intelligemment. Dans ce film, Rouse explique que, sur les quatre années entre les jeux olympiques de Barcelone et ceux d'Atlanta – où il a finalement gagné la médaille d'or – trois furent destinées au travail de retour à soi (*soul work*). Pour ma part, j'ai aussi travaillé avec plusieurs aspirants surpris d'avoir un bien meilleur rendement après une période d'inactivité.

Toute la journée, dans les multiples situations que nous vivons, des pensées et des émotions s'éveillent et viennent modifier notre état de conscience et nos décisions. Le retour à soi signifie, entre autres, écouter et accueillir ce qui s'accumule en nous, pour nous assurer de ne pas nous engager sur des fausses pistes. Plus nous sommes en contact avec notre intérieur, plus nos actions seront centrées sur nos objectifs premiers. Le retour à soi doit être régulier puisque, compte tenu du grand nombre d'influences auxquelles nous sommes quotidiennement soumis, il est facile de nous éloigner de nos véritables désirs. Malheureusement, certains n'en prennent conscience qu'après quatre ou cinq ans d'action fébrile. Ils se retrouvent alors épuisés ou dans l'incapacité d'entrevoir des solutions à leurs difficultés.

Le retour à soi : simple et naturel

Les exercices intérieurs sont perçus par plusieurs personnes comme des phénomènes bizarres et complexes. Au contraire, ce sont des activités très simples et, surtout, naturelles. Le talent des enfants et des adolescents dans ce domaine le prouve ; malgré les règles que plusieurs adultes leur imposent, ils réussissent à s'accorder du temps pour ne rien faire de productif (au sens actif du terme). Ils veulent simplement s'arrêter de courir et être un peu plus en contact avec eux-mêmes.

Chaque fois que je mentionne le mot méditation dans un cours, il y a aussitôt trois ou quatre étudiants qui, pour plaisanter, se placent en position du lotus et commencent à chanter le célèbre « aum... aum... » en joignant le majeur et le pouce. Pourtant, il existe plusieurs autres formes de méditation. Parfois, il faut éliminer les pensées, parfois elles sont simplement canalisées. Méditer, au début, c'est simplement écouter ce qui se passe en soi. Avoir le dos droit, respirer profondément et ralentir le flux des pensées mécaniques sont des atouts, mais ce ne sont pas des règles absolues pour un débutant. La méditation est un exercice qui permet de prendre connaissance de notre intérieur afin de se départir, petit à petit, de ce qui est inutile ou nuisible.

Peu importe la forme de méditation choisie, avec la pratique, elle crée un espace intime qui permet de retrouver et d'entretenir la possibilité de retour à soi.

Le travail intérieur, surtout au début, exige temps et efforts soutenus ; mais qu'est-ce qui est plus précieux que de devenir en contrôle de la situation et de rediriger nos actions vers l'atteinte de nos véritables objectifs ?

Dans mes consultations avec de jeunes aspirants, je suis souvent émerveillé par leur capacité à prendre conscience de leur monde émotionnel et intuitif. Puisqu'ils ne sont pas encore submergés par la logique purement intellectuelle et les interdits sociaux, l'irrationnel ne les effraie pas. Ils peuvent donc constater ce qui est en eux sans se demander si c'est beau, bon ou méchant ; *c'est*, voilà tout. Le retour à soi permet de développer et de maintenir une certaine intimité avec la partie irrationnelle de notre personnalité. Supposons qu'un homme d'affaires vienne de signer un contrat très lucratif. Il est, à la surface, fou de joie. Mais peu de temps après, des craintes s'éveilleront peut-être en lui. Terminer le travail dans les délais prévus ou réunir les ressources humaines et matérielles nécessaires sont des exigences liées au contrat qui peuvent soulever des doutes et des inquiétudes. Cet homme, absorbé par son plaisir de surface et sa course à l'action, peut prendre de mauvaises décisions s'il ne parvient pas à discerner clairement ses propres craintes.

Beaucoup d'aspirants n'ont que deux ou trois petites semaines de vacances remplies de divertissements. Ils passent le reste de leur temps à suivre des horaires impitoyables. Ils ne peuvent donc pas satisfaire leur besoin de retour à soi. C'est ce qui explique leur sentiment de perdre de vue le sens profond de la quête de l'excellence. Les sentiments intimes qui donnaient initialement un sens à leur cheminement sont oubliés, faute de temps pour ressentir la valeur et le privilège de mener une vie basée sur la réalisation de leurs rêves les plus chers.

Mon courtier d'assurances me disait qu'un homme d'affaires très actif lui avait avoué prendre un après-midi complet à ne rien faire quand il se sentait submergé par les problèmes. Il restait devant sa fenêtre à observer ses pensées déambuler dans son esprit. En plus de lui permettre d'éliminer les tâches superflues, ces moments étaient à l'origine de ses meilleures idées pour améliorer le rendement de son entreprise.

Une athlète me priait un jour, la voix remplie d'inquiétude, de lui donner un truc pour annoncer à son entraîneur qu'elle était blessée à l'aine et qu'elle souffrait beaucoup. Je lui demandai pourquoi elle ne lui disait pas simplement ce qu'elle venait de me dire : qu'elle avait mal et qu'elle ne pouvait pas s'entraîner. Elle me répondit que c'était absolument impossible, car il en déduirait sûrement qu'elle ne voulait pas s'entraîner par pure paresse. Je pense qu'un grand nombre de blessures chez les athlètes sont un signal émis par le corps pour signifier un besoin de retour à soi. Dans d'autres domaines, la fatigue psychologique et la baisse de motivation sont des signaux du même ordre. Bien des fois, il suffit simplement de faire le point, de régler un conflit interpersonnel ou de prendre conscience de son intériorité pour que la motivation, la confiance et le progrès réapparaissent.

Il y a quelques années, je me suis aperçu qu'il me fallait plusieurs jours de vacances avant d'atteindre un niveau de relaxation satisfaisant. Mes actions professionnelles me donnant du plaisir et, je dois l'avouer, une forme d'identité, je ressentais une certaine angoisse à l'approche de plusieurs semaines sans travailler. Peu de temps après, j'eus une conversation avec un ami policier, qui me disait ne pas pouvoir rester assis longtemps lors de ses vacances : après quelques minutes, il ne savait plus quoi faire.

Cette conversation me permit de prendre conscience à quel point, dans notre culture, le retour à soi est oublié et associé à l'ennui ou à la dépression. L'habitude d'être agité devient une seconde nature. Le calme est confondu avec la paresse ou une absence de vitalité. C'est une erreur. La vitalité et l'énergie qui circulent en vous, vous pouvez les ressentir autant – sinon plus – en étant assis à regarder un arbre qu'en courant d'une activité à l'autre. Sogyal Rinpoché[1] précise d'ailleurs qu'il existe deux sortes de paresse : la paresse à l'orientale consiste à passer ses journées à boire du thé et à ne rien faire de productif, alors que la paresse à l'occidentale, c'est remplir ses journées d'activités fébriles sans s'accorder de temps pour l'essentiel.

Pour la plupart d'entre nous, le retour à soi nécessite donc un entraînement. Le premier obstacle est l'absence de moyen pour entrer en soi. Ce ne sont pourtant pas les choix qui manquent : tai chi, écriture libre, antigymnastique, différentes formes de yoga. Il y a aussi la simple balade en solitaire dans un effort d'intériorisation. Il suffit d'opter pour une méthode avec laquelle on se sent à l'aise ; le besoin de personnaliser la pratique se précisera avec l'expérience.

Écouter la télévision, aller faire des courses ou suivre un cours de peinture sont des activités agréables ; elles favorisent un certain retour à soi et sont salutaires. Ces activités nous amènent toutefois à nous détourner de nous-même et à oublier ce que nous vivons intérieurement dans les activités principales de notre vie. Pour l'aspirant, les

1. Sogyal Rinpoché, *Le livre tibétain de la vie et de la mort*, Paris, Éditions La Table Ronde, 1993.

distractions ne peuvent pas remplacer le retour à soi visant la prise de conscience de ce qui l'habite durant ses moments d'accomplissement.

Il est donc important pour les parents et tous ceux qui sont responsables de l'éducation des jeunes aspirants de veiller à ce que ceux-ci aient le temps nécessaire pour méditer et se questionner sur les différentes situations auxquelles ils doivent faire face. Par la suite, ils pourront utiliser cette force naturelle pour continuer à progresser vers les objectifs visés. Le développement d'un talent exige du temps et une longue succession de réussites et d'échecs. Il va sans dire qu'une faible propension à l'effort, au courage et à l'action peut être fatale dans la poursuite de l'excellence ; toutefois, une incapacité à faire le point sur une situation donnée, un manque de discernement ou une inaptitude à clarifier ses pensées, ses émotions et ses intentions véritables sont tout aussi nuisibles.

Les maladies dues à l'épuisement, comme le *burnout*, ne sont qu'un aboutissement sain et logique d'un besoin incontournable mais insatisfait de retour à soi. La situation est comparable à quelqu'un qui resterait éveillé très longtemps : tôt ou tard, il devra dormir.

L'intelligence émotionnelle

Dans son ouvrage très étoffé, intitulé *L'Intelligence émotionnelle*, Daniel Goleman discute longuement de l'importance de prendre contact, par le retour à soi, avec ce que j'appelle nos *feelings*. Par ce mot, je désigne l'ensemble des sensations, émotions, intuitions que ressent un individu. En citant Ledoux, un neurologue américain, Goleman explique que les mécanismes émotionnels jouent un rôle prépondérant dans certaines de nos actions :

« Anatomiquement, le système qui gouverne les émotions peut agir indépendamment du néocortex. Certaines réactions et certains souvenirs émotionnels peuvent se former sans la moindre intervention de la conscience, de la cognition. »[1]

C'est grâce à ce genre de « pensées émotionnelles » que les athlètes réalisent des prouesses extraordinaires dans le feu de l'action. J'ai souvent entendu des athlètes, dont le hockeyeur Guy Lafleur, mentionner que lorsqu'ils avaient trop de temps pour penser, ils rataient leur coup. Si la pensée intellectuelle prend le dessus sur la pensée intuitive durant l'action, il s'ensuit que la qualité des gestes s'amoindrit. Le même phénomène de pensées en *feeling* est décrit par des musiciens qui disent ressentir profondément ce qu'ils jouent.

Je ne veux pas dire que la pensée logique et rationnelle n'est d'aucune utilité pour un aspirant. Je pense toutefois que ce genre de pensée devrait surtout être privilégié en dehors des moments d'action, lorsque le compétiteur tente de trouver, par la réflexion méditative, des pistes pour améliorer ses habiletés techniques, tactiques ou psychologiques. Cette pensée peut également l'aider à revoir son approche dans certains aspects de son art. L'important, c'est de ne pas sacrifier le côté émotionnel pour l'aspect intellectuel ou vice versa. Goleman, dans l'ouvrage cité ci-dessus, livre des propos intéressants à ce sujet :

« Le paradigme antérieur avait pour idéal la raison libérée des émotions. Le nouveau paradigme nous enjoint d'harmoniser la tête et le cœur. »[2]

---

1. Daniel Goleman, *L'Intelligence émotionnelle,* Paris, Éditions Robert Laffont, 1998, p. 48.

2. Daniel Goleman, *op. cit.*, p. 48.

Le retour à soi pour se respecter

Chez les athlètes, j'ai remarqué que les blessures graves surviennent souvent à la suite d'un manque d'attention ou d'un refus de respecter leurs limites. Il faut s'entraîner fort, la compétition importante a lieu très prochainement et la peur de ne pas être à la hauteur exerce sa pression maléfique. La petite blessure est alors négligée et se transforme en problème plus sérieux. Michael Bossy est un de ceux qui a dû mettre fin à sa carrière prématurément à cause de maux de dos négligés pendant plusieurs mois.

Les maladies comme la grippe ou le début de bronchite, pour les aspirants d'autres domaines, se développent de la même façon. Il y a surcharge de travail et la petite congestion du matin, négligée, débouche sur un problème de santé plus sérieux, tout comme le troisième *burnout* ignoré peut se terminer par une tumeur maligne... Je répète que le corps fonctionne sur un principe d'équilibre et que si certains signaux indiquant un déséquilibre sont ignorés, des conséquences fâcheuses sont à prévoir.

Avant certains matchs de football, j'ai vécu le difficile dilemme intérieur entre le besoin de soigner une blessure et le désir de participer à cet événement sportif. Je n'arrivais pas à prononcer la phrase : « Non, je ne peux pas jouer. » Cependant, j'étais incapable de marcher sans boiter. Pourquoi risquer d'endommager une partie de mon corps ? Pour jouer une partie de football de plus dans ma vie ? D'autant plus que le plaisir et la concentration intense me feraient défaut à cause de la douleur... Pourtant, malgré ces situations, nous conservons l'obsession d'obtenir un titre de plus, un nouveau contrat ou une reconnaissance sociale plus prestigieuse.

Bien sûr, personne ne doit rater une occasion pour un rhume ou un mal de tête. Un directeur d'entreprise n'annule pas un rendez-vous important parce qu'il est un peu congestionné. Il y a même des moments où nous somatisons nos angoisses devant un événement qui nous fait peur, ce qui ne doit pas entraver la quête de l'excellence. En outre, il ne faut évidemment pas reculer devant des émotions infantiles. Mais quand l'ignorance des besoins physiques se manifeste régulièrement et sur une longue période de temps, le piège du succès se cache derrière cette négligence.

Dans son livre *L'Athlète intérieur*, Dan Millman parle de « l'athlète » qui est en chacun de nous, peu importe la nature de nos entreprises :

« L'athlète intérieur est en harmonie avec les besoins de son corps. C'est pourquoi il ne se blesse presque jamais au cours de son entraînement. Il sait qu'une blessure est le prix de l'inattention et de l'insensibilité. »[1]

La relation entre le corps et l'esprit est l'unique outil de travail qui appartient vraiment à l'aspirant. Il se doit d'apprendre à écouter son corps et à coopérer avec lui plutôt que de s'y opposer. Les malaises physiques sont les limites du corps. Seul le respect de nos limites nous amènera graduellement à les dépasser. Néanmoins, la peur de la paresse et l'obstination à dominer et à dompter le corps continuent à sévir un peu partout. Quand nous serons convaincu que notre corps est plus important que notre réputation, il demeurera en grande forme.

1. Dan Millman, *L'Athlète intérieur*, Montréal, Les Éditions du Roseau, 1997, p. 139.

Yannick Noah, champion de tennis, a lui aussi pris conscience de ces mystérieuses blessures qu'il subissait à tout moment. En suivant un entraînement psychologique en sophrologie, M. Noah en vint à tirer les conclusions suivantes :

« Ces blessures venaient du stress que je m'infligeais. Je vivais sous tension permanente : pressions de l'entraînement, des tournois, sensation d'être coupé du monde, de la réalité... Une contrariété, une injustice et je somatisais (mal de dos, blessure au genou...). En fait, je subissais mes émotions... »[1]

Le retour à soi peut amener des prises de conscience importantes, permettre au compétiteur d'éviter plusieurs situations éprouvantes et ainsi faciliter son évolution. Une saine conception de l'erreur et de l'échec peut en faire autant.

Conception de l'erreur : honte ou apprentissage ?

Beaucoup d'aspirants sont impatients et irritables par rapport au processus d'apprentissage. J'ai fait ce constat chez les débutants comme chez les compétiteurs d'élite.

Je me souviens encore de cette dame qui me racontait qu'elle aurait beaucoup aimé faire du ski alpin. Elle avait tenté l'expérience une seule fois, pour ensuite laisser tomber. Elle avait choisi d'abandonner, me dit-elle, parce qu'elle n'était « vraiment pas bonne ». Or, le ski alpin est une tâche complexe : descendre une montagne les pieds attachés à deux planches n'a rien de facile. Pourquoi une

1. Cécile Dollé, « Yannick Noah : athlète intérieur », *Psychologies*, décembre 1998, p. 112.

débutante âgée d'une quarantaine d'années ne serait pas remplie de joie simplement parce qu'elle a eu le courage de dévaler, tant bien que mal, sa première piste de ski ?

Certains débutants, et ce, dans tous les domaines, ressentent cette crainte de mal paraître qui provoque tension et anxiété. Évidemment, la source de toute cette angoisse est qu'ils redoutent de commettre une erreur. Pourtant, il est absolument impossible qu'un débutant soit en parfait contrôle de ses gestes, surtout quand il s'initie à une activité exigeant une coordination très raffinée entre le corps et l'esprit, comme le sport, la musique, le chant ou la communication interpersonnelle.

La même attitude se retrouve chez les aspirants d'expérience. J'ai vu d'excellents athlètes détruire des performances par leur manque de maîtrise de soi. La plupart du temps, ils n'arrivaient tout simplement pas à se pardonner de simples erreurs. Certains compromettent même la qualité de leur entraînement en refusant d'accepter des erreurs plutôt banales.

Dans l'éducation à la performance – comme dans toute éducation, d'ailleurs –, on a tendance à parler des erreurs comme si elles ne devaient pas exister, comme si c'était grave d'en commettre. Plusieurs expressions populaires en témoignent : « J'en arrache ! » ; « Ça ne va pas bien, mon affaire ! » ; « Je ne vaux rien, là-dedans ! » Voilà quelques exemples d'un langage courant dans les milieux d'excellence. L'objectif, fort louable, qui se profile derrière cette habitude est sûrement de susciter l'effort à corriger les erreurs. Toutefois, cet état d'esprit entretient plutôt la croyance qu'il est honteux de faire des erreurs. Le comble, c'est que cette intolérance face aux erreurs est plus forte dans les milieux de performance, là où elles sont monnaie courante et ne peuvent pas être évitées. L'amélioration et l'évolution impliquent de la part de l'aspirant qu'il reconnaisse ses erreurs une fois qu'il les a commises. En effet, il faut souvent faire l'expérience d'une action ou d'une réaction pour voir comment elle peut devenir plus efficiente.

Les aspirants développent souvent un discours intérieur rempli de phrases et d'images négatives, quand ils posent une action non désirée qui était pourtant inévitable dans la situation. Cette attitude envers les erreurs est justement responsable de plusieurs erreurs. La culpabilité et la honte de l'erreur passée engendrent des tensions diverses, brisent la fluidité des actions et sabotent la technique par la peur de l'erreur éventuelle ; tout cela diminue la concentration sur le moment présent. Cette dramatisation de l'erreur cause aussi un autre problème : le refus de prendre la responsabilité de ses erreurs. J'y reviendrai.

Les erreurs, aussi nombreuses soient-elles, sont des sources nécessaires d'apprentissage et non une maladie honteuse. Vous avez sûrement déjà vécu ce mélange de colère et de honte ou ce vent de découragement à la suite d'une erreur commise dans un moment où vous espériez atteindre la perfection. « Merde ! Qu'est-ce que j'ai fait là ? » « Ah ! Franchement ! Je suis bien stupide ! »

Un enfant de cinq, huit ou dix ans s'adonne de façon enjouée à un sport qu'il apprécie. Imaginez qu'un adulte lui dise, à la suite d'une erreur, une phrase du même type que les exemples donnés ci-dessus, faisant sentir à l'enfant que son erreur était stupide et qu'il devrait en avoir honte. Aussitôt, le plaisir, la confiance et la motivation de l'enfant risquent fort de céder la place à la tension, au doute et au découragement. Lorsqu'un aspirant tombe dans le piège du succès, il vit intérieurement cette situation aussitôt qu'il commet une erreur. Ces phrases lourdes de reproches viennent causer un stress négatif pour une partie fragile de lui-même.

Certains grands athlètes ont compris qu'il est essentiel d'accepter les erreurs. Walter Hagen, un des plus grands joueurs de golf de l'histoire, s'attendait à faire sept mauvais coups durant chacune de ses parties de golf[1]. Il s'aidait ainsi à accepter d'avance les inévitables maladresses qui ponctuent tout parcours. De la même façon, Jack Nicklaus[2], qui avait toutes les raisons d'être exigeant envers lui-même, disait qu'il était très satisfait quand, dans une partie de golf, il frappait six coups de la manière exacte dont il les avait prévus.

Puisque l'erreur et l'échec font partie intégrante de tout processus de développement, lorsqu'un compétiteur les dénigre, c'est une grande partie de son processus d'apprentissage qu'il renie. Son évolution s'en trouve naturellement ralentie. De plus, il se condamne lui-même à vivre des émotions négatives et inutiles.

À force de voir et d'entendre des interventions négatives reliées à une erreur, l'aspirant développe aussi de fausses croyances. En voici une que je portais ancrée au fond de moi au cours de mon éducation sportive : il faut haïr ses erreurs pour être un gagnant. Les phrases humiliantes après une erreur, je trouvais certes cruel de les servir aux autres, mais à mon endroit, je pouvais – et je devais – les utiliser. Alors que j'écris ces lignes, je ris en pensant à ce raisonnement absurde. C'est pourtant en parfait accord avec cette croyance que j'ai vécu plusieurs de mes moments sportifs importants.

Sur le plan affectif, j'ai grandi conditionné par l'intolérance par rapport à l'erreur. Le but de cette insatisfaction était de m'amener à faire des efforts supplémentaires pour

1. Jack Nicklaus, *Nouvelles leçons de golf*, Paris, Éditions Solar, 1983.

2. Jack Nicklaus, *Golf au sommet*, Paris, Éditions Solar, 1989.

commettre moins d'erreurs. Or, cette attitude est absolument injustifiée : en plus d'occasionner des chutes de motivation, d'engendrer la peur de l'échec et d'entretenir une pauvre estime de soi, cette croyance détruit lentement mais sûrement le plaisir associé à l'excellence.

Dans son livre *Couper du bois, porter de l'eau,* Rick Fields cite un certain M. Holt qui parle de l'attitude face à l'erreur en rapport avec l'apprentissage :

« Ce que j'apprends lentement à faire dans mon travail avec la musique, c'est de raviver une partie de l'élasticité du bébé qui explore et apprend. Je dois accepter à chaque instant, comme un fait de la vie, mon habileté, et faire de mon mieux, sans me blâmer de ne pas pouvoir faire davantage. Je dois être conscient de mes erreurs et faiblesses sans en avoir honte. Je dois garder en vue le but éloigné, sans m'inquiéter de ne pas déjà y être. C'est une chose très difficile pour la plupart des adultes. »[1]

Le désir de perfection, une vraie maladie

L'irresponsabilité n'est souvent qu'une peur d'assumer une honte et une culpabilité exagérées. Nous préférons attribuer aux autres la responsabilité de nos erreurs pour éviter ces émotions douloureuses. Or, ces moments de honte et de culpabilité existent bel et bien à la suite d'une erreur. La perfection est la plus belle illusion qui puisse exister dans le domaine de l'excellence. Je le répète : nous évoluons par nos erreurs et nos échecs. Comment progresser, en effet, sans prendre conscience que des aspects de notre talent peuvent être améliorés ?

1. Rick Fields, *op. cit.*, p. 40.

Pourtant, nous continuons de nous blâmer avec sévérité pour nos erreurs. Comment pouvons-nous croire que la sanction est le seul remède définitif à un manque de rendement ? La colère contrôlée et la sanction ont certes un rôle à jouer lorsqu'un aspirant adopte des comportements immatures ou dangereux de façon consciente. Par contre, les punitions sont tout à fait néfastes si elles ont lieu à la suite d'une mauvaise performance ou d'une tentative sincère ayant mené à de piètres résultats. Dans ces circonstances, l'aspirant n'a que peu de temps, souvent, pour effectuer sa tâche. Les punitions l'amènent alors à baser sa motivation sur la recherche de la perfection immédiate. L'aspirant subit naturellement les conséquences de son échec, c'est-à-dire l'échec lui-même. Ce n'est pas indiqué d'ajouter d'autres conséquences, qui découleraient de la déception ou de la colère d'une autre personne.

Il est contraire à la philosophie de beaucoup d'entraîneurs, de directeurs ou de professeurs de rester calmes et confiants devant une baisse de performance ou un mauvais rendement de leurs élèves. Je suis néanmoins convaincu que cette attitude fournit les meilleurs atouts pour clarifier et rectifier la situation. En restant posé et détaché, il devient possible de déterminer les causes réelles du problème, parfois subtiles, et éventuellement de trouver des solutions plus justes pour y remédier. La fermeté face aux comportements infantiles doit également provenir d'intentions justes et s'exprimer dans le respect de l'estime de soi de la personne.

Malheureusement, il existe encore des entraîneurs et des parents qui se vengent d'une mauvaise performance d'un jeune aspirant en le punissant moralement ou physiquement. Par exemple, des athlètes subissent des commentaires humiliants et doivent endurer des entraînements éreintants pour ne pas avoir atteint le niveau de performance exigé.

Peu importe notre âge, une partie sensible en nous possède une capacité illimitée d'apprentissage et d'évolution si nous lui laissons une certaine place pour jouer. Tout au fond de notre être, il y a un appel à considérer l'enjeu de façon plus légère, enrichissante et constructive.

Je me dois ici d'attirer l'attention de certains parents. Puisque le sens populaire de la compétition met l'accent sur la rivalité entre adversaires, bien des parents, sans le savoir, démontrent une perception de l'erreur empreinte de gravité. Or, l'enfant et l'adolescent ne peuvent être entièrement détachés des comportements de leurs parents. Lors d'un match important et chaudement disputé, par exemple, l'athlète qui voit ses parents – et son entraîneur – réagir de façon émotive à ses erreurs sentira une forte pression pour ne pas en commettre.

La vraie valeur d'un aspirant réside dans la qualité de ses efforts pour apprendre. Le maître indien Aurobindo[1] décrivait les erreurs comme des réussites masquées. Aussitôt que nous percevons quelque chose qui cloche, une progression devient possible. Seul ce travail d'amélioration sépare l'aspirant d'un niveau supérieur de performance.

Pour mieux comprendre l'importance de l'erreur et de l'échec, observons le fonctionnement d'une batterie d'automobile. Pour envoyer une charge de courant, la batterie utilise à la fois un pôle positif et un pôle négatif. L'aspect négatif de la batterie n'a rien de nuisible, au contraire, il est essentiel à la création de l'électricité et de la force qu'elle entraîne.

---

1. Aurobindo Ghose, *Métaphysique et psychologie*, Paris, Éditions Albin Michel, 1988.

On pourrait comparer ce fonctionnement à celui de l'évolution d'une personne qui vise l'excellence dans un domaine. Pour progresser, elle a besoin d'être en contact avec les points positifs de son potentiel, qui la gardent confiante et motivée. Elle doit aussi accepter les aspects *négatifs* de ses habiletés pour apprendre et se développer davantage. De cette façon, l'équilibre entre le positif et le négatif est maintenu et l'évolution peut se poursuivre, et ce, dans un climat de détente.

Le sens de la compétition

> « C'est dans l'effort, et non dans la réussite, qu'on puise la satisfaction. Le plein effort, c'est la pleine victoire. »
>
> **Gandhi**[1]

Dans tout cheminement, il arrive qu'une défaite face à un adversaire décourage un aspirant. Pourtant, il a les mêmes habiletés après un échec qu'avant. Pour les vrais compétiteurs, la compétition contre les autres demeure secondaire ; ils savent que c'est par l'apprentissage et l'évolution que le dépassement de soi prend tout son sens. Krishnamurti a dit ceci :

« Le véritable apprentissage vient lorsque l'esprit de compétition a cessé. L'esprit de compétition n'est qu'un processus de dépendance qui n'est pas du tout de l'apprentissage. C'est vrai non seulement de la compétition avec d'autres, mais aussi bien de la compétition avec vous-même. »[2]

1. Gandhi, *Lettres à l'ashram*, Paris, Éditions Albin Michel, 1971, p. 176.

2. Rick Fields, *op. cit.*, p. 42.

L'aspirant trop attaché à la rivalité ressent une insistance intérieure à se méfier de celui ou celle qui pourrait le dépasser. Cette méfiance l'amène à se détourner de son objectif de base, qui est d'exécuter ses tâches le mieux possible dans le respect de ses limites. C'est la focalisation sur les performances des autres qui cause le sentiment de menace associé à un stress négatif et qui pousse l'aspirant à ignorer ses limites. En revanche, lorsque le compétiteur centre son attention sur son propre processus, le stress, sans causer d'angoisse ni de tensions musculaires, lui procure de l'énergie et une intensité de concentration supérieure.

Vers la fin des années 90, David Duval, joueur dominant de la PGA américaine, démontrait une maîtrise de soi vraiment géniale durant les tournois. Il disait un jour à son père, la veille de la partie finale de leur tournoi respectif (qu'ils menaient et qu'ils ont tous deux gagné) : « Tu n'as qu'à jouer, ne t'occupe pas du reste, la seule chose que tu contrôles, c'est ce que tu fais ! »

Pour comprendre ce qu'est une vision juste de la compétition, j'aime bien me référer à la devise de Pierre De Coubertin : « L'important n'est pas de gagner mais de participer. » Longtemps, j'ai cru que cette phrase signifiait qu'il était mauvais d'avoir comme objectif de gagner ; je considérais donc qu'elle était destinée aux perdants. Beaucoup d'athlètes et d'entraîneurs la rejettent pour la même raison.

Aujourd'hui, je comprends autrement le message laissé par le célèbre baron. Peut-être voulait-il dire que la défaite n'a aucune importance si nous avons participé à fond au processus ? Par conséquent, sa devise nous rappellerait que le désir de gagner n'est qu'une motivation à vivre des expériences qui, elles, nous apprennent à devenir plus solide dans un contexte compétitif. Il devient dès lors évident qu'en respectant cette philosophie, on minimise la peur de l'échec. Ce faisant, nous établissons un contact plus étroit avec notre processus, ce qui ne peut que l'améliorer. On peut alors aspirer à de plus grandes victoires.

Vue sous cet angle, la devise énoncée par De Coubertin s'adresse bel et bien aux gagnants. Elle exige de l'aspirant qu'il se voie gagnant, même dans la défaite. La philosophie populaire de la compétition, en séparant de façon drastique le gagnant du perdant, brime ce droit à la valorisation et à la victoire dans la défaite.

Des auteurs remettent en question certains aspects de la philosophie « premier ou rien ». Timothy Gallwey[1] est un de ceux-là. Tout au long de ses œuvres sur le jeu intérieur, M. Gallwey suggère de valoriser davantage la victoire sur nous-même, sur nos peurs, sur nos ambitions irréalistes, sur notre ennui, etc., qui sont souvent nos seuls vrais adversaires. Victoire ou non, ces adversaires auront peut-être été vaincus.

J'ai vécu une partie de mon enfance et de mon adolescence dans le milieu sportif. J'ai appris à être très déprimé après une défaite, et jamais on ne m'a enseigné à percevoir la richesse d'une expérience sportive qui n'avait pas été couronnée par une victoire. C'était très difficile, pour ne pas dire impossible, de ressentir une certaine fierté d'avoir perdu une finale de tournoi, même si cela signifiait que j'étais deuxième.

Lors des jeux de Sydney, en 2000, Bruny Surin fut critiqué parce qu'il n'avait pas l'air dévasté en déclarant forfait à cause d'une blessure. Je me demande ce

1. Timothy Gallwey, *Tennis et concentration*, Paris, Éditions Robert Laffont, 1977.

qu'une mine dépressive aurait changé. En plus de ne pas pouvoir courir, M. Surin aurait tout simplement passé des moments difficiles, et ce, inutilement. Il n'est pas rare que l'on dise, à la télévision ou dans les journaux, qu'un athlète qui prenait part à un événement impliquant cent cinquante concurrents a *perdu* la compétition en terminant deuxième. On agit peut-être ainsi pour pousser à la victoire, mais je doute qu'on y parvienne de façon enrichissante en utilisant cette méthode.

Une entrevue du grand champion de plongeon Greg Louganis[1] me revient en mémoire. Il racontait que lors de sa première expérience olympique, à l'âge de seize ans, il bataillait contre un Italien qui était déjà champion olympique. S'il voulait remporter la médaille d'or contre le jeune Louganis, le champion en titre devait obtenir d'excellentes notes à son dernier plongeon. Immédiatement avant le plongeon de l'adversaire, l'entraîneur de Louganis était visiblement angoissé et, de son propre aveu, souhaitait que l'Italien glisse et rate son plongeon. Cela n'arriva pas. Louganis remporta donc la médaille d'argent et rentra chez lui complètement démotivé – *feeling like a failure*[2] pour employer ses propres mots. En somme, il avait honte de sa médaille d'argent. On sait maintenant qu'il a persévéré et qu'il est devenu le champion qu'on connaît. L'entrevue dont je parle a été enregistrée alors que Louganis avait déjà pris sa retraite du sport. Il avait alors pris conscience que cet épisode de sa vie aurait pu être vécu de façon moins douloureuse, en lui permettant malgré tout de rebondir comme il l'a fait.

1. Dans le film *100 years of olympic glory*, Turner Home Entertainment, 1996, Cappy Productions Inc.

2. En se sentant comme un perdant.

Pourtant, la dramatisation de la défaite continue à sévir un peu partout. J'ai vu des joueurs professionnels en larmes et complètement déprimés parce qu'ils venaient de terminer un match dont l'issue proclamait qu'ils faisaient partie de la deuxième meilleure équipe au monde. Il est normal et sain d'être déçu après un échec, encore faut-il pouvoir distinguer déception et dramatisation.

Il y a quinze ou vingt ans, je venais de jouer mon premier match de football à vie, en compagnie d'une vingtaine de coéquipiers qui étaient, comme moi, de parfaits débutants. Nous étions dans l'autobus et nous discutions du match dans une atmosphère de détente quand tout à coup : BANG ! L'entraîneur, qui avait été joueur professionnel, donna un coup de poing dans le plafond de l'autobus en disant sur un ton sévère : « Là, ça suffit, je ne veux plus entendre un mot. Moi, je n'aime pas perdre ! » Un silence de mort régna dans l'autobus pour le reste du voyage.

Toute cette dramatisation dont le jeune est témoin pendant son éducation l'amène à adopter des attitudes nuisibles pour sa motivation et son plaisir, qui deviennent alors conditionnels à la victoire. La joie de la performance et du processus devient de plus en plus rattachée à des instants hors de l'action, et ce, seulement si la victoire est acquise. Durant l'action, l'aspirant est davantage préoccupé par la poursuite de la victoire et par la fuite de l'échec, ce qui le distrait de sa tâche.

Voici quelques exemples de comportements démontrant un grand niveau d'anxiété chez celui qui encadre un aspirant : rappeler plusieurs fois à l'aspirant de ne pas oublier telle pièce de son équipement, énumérer plusieurs fois les erreurs techniques qu'il ne faut pas commettre, hurler d'excitation quand il est impliqué dans une situation de jeu, répéter à l'aspirant, de façon compulsive, qu'il est capable, qu'il doit se calmer et avoir confiance... Tous ces comportements ne communiquent qu'une seule et même chose : « J'ai peur que tu échoues ! »

Je suggère plutôt de simplement dévoiler vos émotions à l'aspirant, pour lui en retirer la responsabilité. Par exemple : « Je me sens nerveuse pour ta compétition, Isabelle, mais ni toi ni ta performance n'êtes responsables de mon anxiété. Je vais m'en occuper moi-même et à ma façon, comme tu auras à faire face à tes propres émotions. Bonne chance ! »

Les parents qui ne sont pas tombés dans le piège du succès (ils sont rares !) savent que même si le résultat de la compétition est négatif, l'enfant aura dû affronter une situation exigeante. Dans ce contexte, il est possible d'apprendre plusieurs choses nécessaires pour s'accomplir dans la vie. L'important est de développer une capacité à faire face aux obstacles, surtout ceux qui se dressent à l'intérieur de soi. En s'appliquant à s'accomplir de plus en plus et à déjouer l'adversité, la réussite viendra un jour ou l'autre, c'est inévitable. Une autre phrase de Gandhi illustre bien cette idée :

« La définition, si claire soit-elle, du but que nous voulons atteindre, et notre désir d'y parvenir, ne suffisent pas à nous y conduire, tant que nous n'utiliserons pas les moyens nécessaires. »[1]

1. Gandhi, *op. cit.*, p. 135.

Les comparaisons

Un autre facteur qui rend menaçant le piège du succès et qui diminue la qualité d'un processus d'accomplissement, c'est le besoin de comparer les compétiteurs. La comparaison est possible et même utile dans certaines circonstances, lorsqu'il y a un dénominateur commun. Si, pour sélectionner trois candidats sur vingt, j'utilise le poids et la grandeur, j'ai des mesures objectives : le kilogramme et le mètre. Mais si un professeur de mathématiques se dit meilleur qu'un autre, cette comparaison est sans fondement et elle n'a aucune valeur, car elle ne s'appuie sur rien de précis ni d'objectif.

Il n'y a aucun critère d'évaluation qui puisse permettre la comparaison d'une personne en cheminement avec une autre personne en cheminement. Cette comparaison ne peut pas refléter la vérité, parce que pour y parvenir, elle devrait tenir compte d'une multitude de facteurs impossibles à recenser de façon exhaustive, à moins d'un écart si grand qu'il rende la comparaison encore plus inutile. L'aspirant qui se compare avec un compétiteur semblant mieux réussir pour l'instant ne fait qu'attiser sa jalousie et se nuire à lui-même. Selon le même principe, celui qui compare ses ventes du mois courant avec celles du mois passé, qui étaient mirobolantes pour des raisons bien précises, gaspille son temps et son énergie. À moins de retirer de l'information constructive de la comparaison, cet aspirant fait ce qu'il faut pour briser sans raison valable sa confiance et sa motivation.

Les comparaisons incitent les aspirants à croire que la qualité est en quantité limitée. Bien sûr, ce n'est pas le cas. Elles sont également utilisées pour augmenter la valeur d'un accomplissement et de celui qui l'a réalisé par rapport à d'autres accomplissements et à ceux qui les ont réalisés.

Pourtant, la qualité d'un accomplissement, le talent et la valeur d'une réussite ne sont pas des choses comptées ni limitées : tout cela existe à l'infini, il y en a pour tout le monde et même plus. C'est donc absolument inutile pour un aspirant d'attiser son envie et sa jalousie et de juger de la valeur de ses accomplissements au moyen de comparaisons qui ne modifient en rien la valeur intrinsèque des réussites.

Il y a aussi une autre façon de se comparer, celle qui est issue d'un idéal fictif inventé par l'aspirant. Plusieurs aspirants, sans même en être conscients, vivent le processus d'accomplissement comme si les objectifs qui leur tiennent à cœur devaient être déjà atteints. Des voix intérieures, dont je reparlerai plus tard, répètent que telle action aurait dû être faite comme ceci plutôt que comme cela, que cette technique devrait être maîtrisée alors que, de toute évidence, elle ne l'est pas, ou que certains faits auraient dû être considérés avant de prendre telle décision.

Parce qu'une réalité fausse (ce qui aurait dû ou devrait être) est en opposition avec la seule réalité qui existe, l'aspirant se trouve culpabilisé ou accuse les autres parce qu'il refuse la vérité.

Ce qu'il faut comprendre, c'est que *la réalité fut ce qu'elle fut parce qu'elle ne pouvait pas être différente,* compte tenu de nombreuses causes qui étaient en jeu et de leurs effets. En éliminant cette attitude de comparaison, l'aspirant simplifie son chemin, puisqu'il se retrouve en contact avec la seule et unique réalité : celle qui est. Supposons qu'un aspirant n'ait pas décroché le contrat sur lequel il avait longtemps travaillé. Se répéter qu'il aurait dû faire autrement entraîne des regrets inutiles. Évidemment, il est parfois nécessaire de tirer des conclusions qui pourraient s'avérer utiles dans une situation similaire future, mais les expressions « j'aurais dû », « j'aurais pu si », « je devrais » ou « il aurait fallu que » ne devraient jamais être employées.

Ce mécanisme de comparaison est à l'œuvre presque tout le temps dans les milieux où l'on vise l'excellence... Je demeure toutefois convaincu que le fait de se trouver impliqué à moitié dans un cheminement idéal fictif et à moitié dans la réalité ne peut pas faire progresser l'aspirant aussi efficacement que s'il était engagé à cent pour cent dans son propre processus.

Que les gens qui s'intéressent aux performances de l'aspirant s'adonnent au jeu des comparaisons s'ils le veulent, mais j'invite l'aspirant lui-même à se départir progressivement de cette habitude.

Partie II

VOIR ET COMPRENDRE LES CONSÉQUENCES DU PIÈGE DU SUCCÈS

CHAPITRE V

Le jeu de Martin : l'approche

Il ne restait que le 18e trou. Martin était tout près de gagner son premier tournoi provincial. Ce trou, plutôt court pour une normale 5[1], était un des préférés de Martin. Il aimait la petite chute près de l'allée et les arrangements floraux qui bordaient le vert. Il appréciait aussi la possibilité d'atteindre le vert en deux coups (et avoir de fortes chances de jouer 4), ce qu'il tentait chaque fois que son coup de départ le lui permettait.

Il monta sur le tertre avec le même calme mêlé de volonté qui l'avait habité tout au long du tournoi. Avant de frapper son coup, Martin observa le paysage que lui présentait ce dernier trou. Il prit conscience que, bien qu'il ressentait un certain stress parce qu'il menait par deux coups et qu'il pouvait gagner, ce stress lui donnait une intensité de concentration grisante. Il entendit le vent, suivi d'un bruissement de feuilles : la situation était simplement parfaite.

Lors de son coup de départ, Martin eut l'impression de ne pas avoir frappé la balle. Il avait ressenti la même chose pour la plupart de ses coups cette journée-là. Au

---

1. La normale, au golf, représente un excellent résultat. Un trou normale 5 signifie que, pour réussir la normale, vous devez prendre cinq coups pour caler la balle dans la coupe.

moment de l'impact, il avait l'impression qu'il cueillait la balle sans avoir à la toucher, comme si la tête de son bâton avait été recouverte d'un coussin qui amortissait la violence du choc. Lorsque cette sensation était présente, la balle s'immobilisait généralement à peu près là où Martin l'avait voulu.

En s'approchant de la balle pour son deuxième coup, Martin sut qu'il aurait à prendre une décision difficile : jouer prudemment avec un fer court ou bien, comme son coup de départ parfait semblait le lui suggérer, prendre un fer long et tenter d'atteindre le vert dès le deuxième coup.

Dans une pareille situation, il savait que son père et son entraîneur auraient voulu le voir choisir la première option. En saisissant dans son sac un fer 7 (fer court pour jouer prudemment)[1], une image lui vint à l'esprit : durant un de ses nombreux entraînements au parc des Fous, M. LeSage lui disait que, pour choisir le bâton approprié, il devait se fier à ce que le terrain, le jeu et son intuition lui dictaient. Il remit le fer 7 au fond du sac et prit son fer 4 (fer long pour tenter d'atteindre le vert). Quand il fit valser le bâton dans ses mains en ressentant une grande confiance, il entendit des réactions s'élever de la centaine de spectateurs qui assistaient au tournoi. Martin perçut ces murmures comme des doutes quant à son choix. Il ne put retenir un coup d'œil vers son père, qui ne manquait jamais de venir le voir jouer. Il ne vit que deux yeux remplis de colère. Martin faillit s'empresser de reprendre son fer 7, mais quelque chose en lui le retenait. Il prit plutôt son fer 3 pour s'assurer que son coup ne serait pas trop court et pour s'assurer ainsi que sa balle n'aboutirait pas dans la rivière devant le vert.

1. Plus le chiffre du bâton est élevé, plus le coup joué est court et en hauteur ; au contraire, plus le chiffre est petit, plus le coup joué est long et en flèche.

Juste avant de frapper, il ressentit le sentiment de menace et de doute qui l'avait si souvent habité dans le passé. Il avait brièvement renoué avec cette détresse après le 14e trou, lorsque son entraîneur lui avait dit que c'était *son* tournoi et qu'il ne devait pas rater sa chance, mais il avait réussi à oublier tout cela pour revenir à son jeu et l'axer sur l'instant présent.

Il prit une minute pour écouter le bruissement des feuilles, mais il n'entendait plus rien. Il tenta en vain de retrouver l'état d'esprit enseigné par M. LeSage. Il frappa tout de même un coup satisfaisant ; la balle roula au-delà du vert, s'arrêtant dans l'herbe longue près des fleurs.

À partir du *rough* (herbe longue), il fit un coup d'approche plutôt réussi, mais il dut prendre deux coups roulés pour jouer 5, la normale. Le joueur qui le talonnait réussit à placer sa balle sur le vert en deux coups, à trois ou quatre mètres de la coupe. Au moment où son rival calait son coup roulé pour un aigle 3, Martin entendit un juron prononcé par son père. Les deux joueurs étaient maintenant à égalité, il ne restait que la supplémentaire pour déterminer le vainqueur du tournoi. Alors qu'il se rendait au premier trou supplémentaire, Martin fut rejoint par son père qui fulminait :

– Je ne comprends pas pourquoi tu as visé le vert en deux, c'est complètement stupide... Veux-tu gagner, oui ou non ? Si tu n'avais pas fait cette erreur, tu aurais déjà le trophée dans les mains !

– Papa, même en jouant prudemment, j'aurais sûrement joué 5 !

– La question n'est pas là. On ne joue pas comme tu le fais quand on veut gagner. Tu as encore une chance de montrer à tout le monde que tu es le meilleur, tâche d'en profiter !

Lorsqu'il monta sur le tertre de départ pour le premier trou supplémentaire, en plus d'être angoissé à l'idée de perdre, Martin était maintenant en colère contre son père. Le cœur rempli de doute, il ne put retrouver l'état d'esprit qui avait été le sien presque toute la journée. Il joua le premier trou de façon désastreuse et ses chances de remporter le tournoi s'envolèrent comme elles étaient venues. En plus de l'échec, il dut aussi subir un interminable sermon de la part de son père à propos de la façon de jouer en « gagnant ».

Trois jours plus tard, avant de s'endormir, Martin put enfin mettre de côté sa déception et visualiser son tournoi en prenant des notes, comme M. LeSage le lui avait conseillé. En se remémorant sa journée de golf, il reconnut avec émerveillement tous les bons aspects de ce tournoi. Sa relation avec M. LeSage, qui durait depuis presque trois ans, avait nettement fait progresser son jeu. Ce n'est pas qu'il avait amélioré sa technique ; plutôt, sa relation avec le golf s'était modifiée. Le progrès venait surtout du fait qu'il ne se laissait plus influencer par n'importe quelle pensée ou émotion qui passait en lui. Grâce à la méditation, que M. LeSage lui avait enseigné à pratiquer dans n'importe quelle situation, il pouvait discerner les pensées qui avaient de la valeur de celles qui relevaient de l'orgueil. Cette habileté engendrait une régularité impressionnante dans son jeu.

Durant ce dernier tournoi, il avait expérimenté un état d'esprit qui lui permettait d'allier concentration profonde et légèreté. C'était un peu comme s'il pouvait unir le plaisir qu'il ressentait quand, tout petit, il frappait des balles sur le grand chêne et le plaisir que provoquait en lui la lecture des exploits des grands champions de l'histoire du golf. Ces deux plaisirs réunis lui procuraient une forte confiance, à laquelle il s'abandonnait lors de chacun de ses coups, même ceux dont il doutait habituellement de la technique.

Martin se rappela aussi que cet état d'esprit bénéfique était très fragile aux commentaires des autres : un seul mot pouvait ramener le doute, surtout s'il était prononcé par son père... Le seul fait d'y penser lui faisait remonter la colère à la gorge. Il décida d'en parler à M. LeSage. Lui seul pouvait l'aider.

Quelques jours passèrent, puis Martin se rendit au parc des Fous sans son équipement de golf. Il savait que l'aspect de son jeu qui avait le plus besoin d'amélioration ne concernait en rien sa technique. Comme à son habitude, M. LeSage était là tôt le matin et s'entraînait à frapper ses petits coups. Cette fois, il était occupé à « s'entraîner dans le beurre », comme il disait. L'exercice consistait à faire exactement la même préparation et le même coup que durant un match, mais sans la balle. M. LeSage affirmait qu'on sentait beaucoup mieux l'élan et qu'on pouvait trouver une foule de détails à améliorer quand on s'élançait sans balle. L'absence du précieux objet, selon lui, permettait de mettre de côté l'orgueil du résultat, cette plaie qui prive le golfeur de ses sensations subtiles.

– Bonjour ! C'est l'heure du beurre ? plaisanta Martin.

– Non ! Il y a une balle, mais tu ne peux pas la voir, répondit l'homme avec un air sérieux.

Cette réponse inquiéta Martin. Il lui était arrivé plusieurs fois déjà d'avoir peur de constater que son mentor n'était qu'un excentrique qui se donnait de l'importance en inventant des théories farfelues. Cela aurait profondément déçu Martin, parce qu'il sentait sa confiance en cet homme grandir à chaque expérience qu'il vivait en sa compagnie.

– Pourquoi est-ce que je ne pourrais pas voir la balle, si vous la voyez ? demanda prudemment Martin.

– Parce qu'elle est cachée par la graisse cosmique.

– Euh... Je ne comprends pas. Pourriez-vous m'expliquer ?

Martin n'y comprenait plus rien. M. LeSage se tourna vers lui et se mit à rire de bon cœur devant la mine déconfite du jeune homme.

– Bonjour, Martin, ça va ? le salua-t-il quand il put cesser de rire.

– À part le golf, ça va, fit Martin en constatant qu'une fois de plus, son mentor s'était payé sa tête.

– Le tournoi de vendredi ne s'est pas déroulé à ton goût ? Je suis surpris, ta préparation était excellente.

– Non, ce n'était pas mal, j'étais à deux doigts de gagner, mais j'ai perdu. Nous étions deux pour la supplémentaire et j'ai perdu au premier trou.

– Si je comprends bien, terminer second, pour toi, c'est perdre ? Tu devrais peut-être téléphoner à celui qui a terminé dixième, il pense probablement au suicide. Que s'est-il vraiment passé ?

Martin fit le récit de son tournoi.

– Je pense que j'en veux à mon père de m'avoir fait per... terminer deuxième, avoua Martin.

– Tu ne m'avais pas dit que ton père avait joué à ta place.

– Mais... bien sûr que non ! Pourquoi dites-vous cela ?

– Martin, personne d'autre que toi ne peut nuire à ton golf. Les obstacles extérieurs sont parfois coriaces, mais tu as toujours la possibilité de les surmonter. Ton père a voulu t'aider, mais tu n'as pas pu le percevoir, répondit M. LeSage.

– Comment pourrait-il m'aider avec des reproches et des sermons ?

– Je ne sais pas. Peut-être n'a-t-il jamais reçu autre chose lui-même ? Peut-être n'a-t-il jamais été encouragé par son père ? Peut-être n'a-t-il même jamais eu la chance de jouer ?

Martin se rappela soudain que son père et son grand-père étaient restés à couteaux tirés pendant plusieurs années, jusqu'à la mort du second. Martin n'avait jamais su pourquoi. Là résidait peut-être l'explication des difficultés qu'éprouvait son père pour communiquer.

– À quoi ressemble ta communication lorsque vous discutez de golf ? lui demanda M. LeSage.

– La mienne ? Euh... j'essaie de lui faire comprendre que ce qu'il me dit est inutile et stupide, avoua Martin sans réfléchir.

– Ton père ne te dit jamais quoi que ce soit qui puisse te servir dans ton jeu ?

– Euh... Oui, parfois, évidemment.

– Il serait important que ton père sache que certains de ses conseils t'aident. Il sera probablement plus ouvert ensuite pour que tu lui expliques que d'autres interventions ne te sont pas utiles, en lui précisant lesquelles. Ton père te donne ce qu'il pense être le mieux pour toi, ou simplement ce qu'il a reçu. Il ne sait probablement pas ce que toi, tu veux.

Martin resta songeur quelques instants. Il n'avait jamais pensé avoir une quelconque responsabilité dans les discussions qu'il avait à propos du golf avec son père. Pour lui, son père *devait* savoir quoi dire à son fils. Soudain, un éclat de rire fit sursauter Martin. Il se tourna vers M. LeSage.

– Je viens de me rappeler une anecdote avec mon propre père, expliqua-t-il. À cette époque, j'avais à peu près ton âge et je faisais partie d'un orchestre plutôt renommé composé de quarante musiciens. Toutefois, je doutais constamment de mes habiletés en tant que trompettiste. J'avais besoin que mon talent de musicien soit reconnu par mon père. Je voulais savoir s'il pensait que j'étais un bon musicien. Le plus beau compliment que mon père se permettait était de dire que quelqu'un était « pas pire ». Pendant deux semaines, chaque fois que mon père me parlait, je me suis évertué à trouver des occasions de glisser le fameux « pas pire » afin qu'il se questionne sur cette expression qui me mettait en colère parce que je la trouvais trop tiède. J'aurais voulu qu'il me trouve grandiose ou épouvantable, mais dans tous les cas, je voulais plus de couleur. Après ces deux semaines, mon père, quinquagénaire tellement ancré dans ses vieilles habitudes, n'avait toujours rien remarqué. J'étais en rogne contre son indifférence et je lui dis alors que ses

« pas pire » me tombaient sur les nerfs et que j'avais besoin de savoir s'il me trouvait bon. Il me répondit le plus sérieusement du monde : « Oui, oui, tu es pas pire bon ! »

– Est-ce que votre père a changé, par la suite ? s'enquit Martin.

– Peut-être un peu, je ne me rappelle plus, mais ma perception de notre relation a évolué à partir de ce moment, tout simplement parce que j'avais eu le courage de parler franchement de mes besoins. J'avais compris que mon père avait le droit d'être l'homme qu'il était, ce qui me donna le courage de reconnaître que j'avais le droit d'être le trompettiste que j'étais.

– Seriez-vous d'accord pour parler à mon père ? demanda Martin.

– Oh ! non. Tous les fils doivent apprendre un jour à laisser tomber le passé et discuter avec papa sans façade ni colère enfantine, trancha l'homme.

Ils restèrent assis tous les deux et discutèrent longuement des détails d'un plan de communication qui pourrait aider le jeune golfeur.

Martin prit plus d'un mois pour se décider à parler à son père de leur relation en rapport avec le golf. Chaque fois qu'il voulait passer à l'action, il trouvait curieusement quelque chose d'autre à faire. L'événement qui le décida fut un tournoi pour lequel son père avait décidé d'être son caddie[1]. Martin avait bien essayé d'exprimer son désaccord à son père, mais sa peur de le décevoir avait finalement pris le dessus.

1. Le caddie est celui qui porte le sac de bâtons du joueur et lui donne certaines indications sur les particularités du terrain.

Le pauvre golfeur fut impatient et tendu pendant tout le tournoi. Son père lui donnait des conseils avant chaque coup et lui répétait, tout au long du parcours, qu'il aurait dû faire ceci ou aurait pu faire cela. Évidemment, les résultats du match furent médiocres ; son père conclut donc qu'il avait raison de dire à Martin que sa façon de jouer n'était pas la bonne. Cette fois, Martin en avait assez, il devait parler à son père. Il prit soin de préparer sa conversation selon les règles de communication que M. LeSage lui avait enseignées, tout en adaptant la théorie à sa façon de parler habituelle.

Deux jours après le tournoi, Martin savait que son père se rendait chez un de ses oncles, ce qui nécessitait un trajet d'environ une heure et demie en auto. Il décida de l'accompagner : ils auraient suffisamment de temps pour bavarder tranquillement. Après quelques minutes de route, Martin, qui sentait la nervosité l'envahir, aborda le sujet qui le préoccupait :

– Tu sais, papa, je me considère chanceux d'avoir ton soutien en tant que golfeur. Je sais que tu prends beaucoup de ton temps pour m'encourager.

– Moi aussi, je te trouve chanceux, répondit le père en ricanant.

– Je trouve ça difficile que nos conversations sur le golf nous mettent aussi souvent en colère. Je sais que tu veux m'aider, mais ce n'est pas toujours ce qui se produit, continua calmement Martin.

– Moi aussi, j'ai remarqué qu'on ne prend pas toujours le temps de se comprendre, mais je ne peux pas en faire plus, je n'ai pas le temps.

– Justement, je préférerais qu'à certains moments, tu en fasses moins.

– Je ne comprends pas... Malgré ce qu'on pense, un jeunot comme toi a encore besoin d'aide pour réussir dans un monde compliqué comme celui du golf, remarqua le père.

– Oui, je suis d'accord, je sais que tu peux m'aider. Mais en changeant certaines petites choses, je serais plus à l'aise. Je joue mieux au golf quand je ne pense pas trop à mes résultats ou à ma technique. Dans les derniers tournois, je me suis simplement appliqué à me sentir détendu et à laisser mon corps jouer. C'est comme ça que je joue le mieux. Donc, j'aimerais mieux porter moi-même mon sac durant les tournois, dit Martin en sentant une goutte de sueur froide lui couler sur un flanc.

– Si je comprends bien, le caddie est congédié ? fit le père sur un ton de plaisanterie qui rassura Martin.

– Je te demanderais aussi, si c'est possible, que nous attendions un jour ou deux avant de reparler d'un tournoi. Tous les deux, nous serions plus loin du feu de l'action et plus détendus pour rendre les évaluations moins négatives, plus constructives. J'aimerais que nous trouvions ensemble des points positifs à un tournoi, pas seulement du négatif, même quand mon jeu n'était pas à son meilleur.

– Ouais... Il ne faudrait tout de même pas que tu penses que tu joues bien quand tu joues mal !

– Je vais travailler aussi fort sur mes erreurs, je voudrais juste me sentir moins honteux, tu comprends ? De toute façon, tous les joueurs font des erreurs.

– Tu te sens coupable ? Pourquoi ?

– Puisque tu t'impliques et que tu m'encourages autant, j'ai l'impression de te décevoir. J'aime bien jouer, papa, et je sais que toi aussi tu apprécies quand mon jeu est solide.

– C'est vrai que je m'enflamme peut-être un peu trop à certains moments, je voudrais que tout soit parfait, dit l'homme en baissant brièvement les yeux. Je veux bien essayer tes nouveaux trucs, mais je ne sais pas si je vais pouvoir les appliquer comme ça, tout d'un coup.

Martin sentit sa gorge se serrer devant l'humilité de son père.

– Il va sûrement nous falloir un bout de temps, à l'un comme à l'autre, pour que ces nouveaux principes nous deviennent familiers. Nous devrons nous exercer, c'est comme un entraînement. Nous allons nous entraîner ensemble à mieux communiquer, précisa Martin.

Il poursuivit ses suggestions :

– Je pense que cela m'aiderait si nous faisions un effort, tous les deux, pour parler des mauvais coups en les considérant comme des outils pour apprendre, pas comme des grosses gaffes honteuses. Je voudrais sentir que je suis encore un bon golfeur, même après avoir commis des erreurs. Ainsi, j'aurais moins peur de faire des bêtises et je pourrais rester détendu. Nous pourrions laisser tomber les expressions comme : « Tes coups roulés ne valaient rien ! » ou bien « Tu avais des coups de départ de femme ! » pour les remplacer, par exemple, par : « Ce serait bon de vérifier ta technique sur les coups roulés... » ou bien « Cette semaine, à l'entraînement, demande à M. Gagner de te faire travailler la puissance de tes coups de départ. » Qu'est-ce que tu en penses ?

– Je peux toujours essayer, mais je te répète que je vais avoir de la difficulté. C'est du chinois, pour moi, ce que tu me dis là, s'inquiéta le père.

– Moi aussi, je vais avoir de la difficulté, papa. L'important, c'est que nous apprenions progressivement à nous parler.

– Où as-tu trouvé toutes ces idées de psy ? As-tu lu un livre sur le mental dans le sport ? s'informa M. Meilleur.

– Non, non. J'ai un ami qui s'y connaît...

CHAPITRE VI

Les lois du rendement

Dans les milieux où la performance est valorisée, la communication véhicule des croyances qui doivent être clarifiées, autant pour la personne qui les utilise pour diriger l'aspirant que pour l'aspirant lui-même. Ces croyances engendrent des attitudes et des comportements qui mènent tout droit au piège du succès. S'il en prenait conscience, l'aspirant serait plus à même de voir comment il resserre lui-même l'emprise du piège sur son cheminement.

La danse de Shiva

L'hindouisme, principale religion de l'Inde, considère que le cycle de la vie relève de la responsabilité de trois dieux : Brahma le Créateur, Vishnou le Préservateur et Shiva le Destructeur. On dit que le rôle de Shiva est de détruire ce qui doit mourir afin de permettre à Brahma de recommencer le cycle de la création, que Vishnou doit préserver.

Tout apprentissage exige une forme de destruction. Dans nos vies axées sur le rendement, nous refusons le rôle destructeur de Shiva, parce que nous nous accrochons de toutes nos forces à nos acquis. Or, nous devons comprendre que, pour faire place à autre chose, les vieux acquis doivent mourir ou, du moins, s'adapter aux nouveaux apprentissages.

Plusieurs entreprises ont fait faillite pour avoir réagi trop lentement aux innovations du marché. En outre, combien de couples furent brisés à cause d'un refus des changements nécessaires en matière de communication, d'éducation, de loisir ou de sexualité. Dans ces deux exemples, même si le temps était venu de rompre avec de vieilles habitudes, on a craint de le faire. Sans arrêt, l'œuvre de Shiva est ainsi repoussée, parce que l'angoisse de l'inévitable changement paralyse la plupart des gens.

D'où nous vient cette peur du changement ? Elle est presque toujours causée par le risque de perdre notre estime de soi en n'étant pas à la hauteur. À la base de tout, c'est la peur d'être rejeté qui nous guide, qui relève directement de la peur de l'échec, un des symptômes du piège du succès. Nous n'osons pas affronter cette question insidieuse : « Qu'est-ce que je vais devenir si... ? »

À plusieurs reprises dans mon cheminement d'athlète ou d'enseignant, j'ai dû me rendre à l'évidence que je devais modifier – parfois sérieusement – certains aspects de mon jeu ou de ma personne si je voulais m'améliorer. Ces décisions ont toujours été difficiles à prendre, cependant, parce que mes résultats pouvaient en souffrir pendant un certain temps.

Avec les années, je m'aperçois que moins je m'inquiète d'avoir à changer, plus la transition se fait avec aisance et rapidement. Les aspirants qui s'entêtent à repousser le changement, parce qu'ils refusent la baisse de résultat momentanée qui en découle, bloquent leur évolution. Cela ne pose aucun problème si l'aspirant est prêt à se contenter du niveau d'excellence qu'il a atteint, et ce, pour le reste de son cheminement. Pourtant, plusieurs compétiteurs, qui veulent sincèrement évoluer, attendent malgré tout d'être vraiment déçus par leur rendement avant d'accepter leur inévitable besoin de changer. Pour faire reculer nos limites, peu importe le domaine dans lequel nous évoluons, nous devons régulièrement renoncer à certaines façons de faire pour en choisir d'autres, plus adéquates.

Dans son livre *The Inner Game of Tennis*[1], Timothy Gallwey mentionne que l'apprentissage et l'amélioration deviennent naturels quand nous arrivons à nous concentrer sur les qualités que nous possédons déjà. Si l'aspirant constate qu'il a tout ce qu'il faut pour réussir le changement qui s'impose, celui-ci s'effectue presque de lui-même. M. Gallwey constate qu'il est plus facile d'atteindre un niveau supérieur en laissant faire notre confiance et notre concentration, tout en travaillant nos habiletés sans les forcer. Bien souvent, l'angoisse du changement est bien pire que le processus lui-même ; en fait, la peur est probablement la seule source de souffrance associée au changement. L'impatience seule peut même entraver l'évolution. Je m'explique par un exemple.

Il y a quelques années, lors de mes entraînements à la course à pied, j'étais profondément déçu de mon incapacité à maintenir une vitesse moyenne de 4 minutes 30 secondes au kilomètre sur une distance de quinze kilomètres. Ma déception provenait surtout du fait qu'un an auparavant, je réussissais régulièrement cette performance. Pendant quelques mois, à l'approche de chaque séance d'entraînement,

1. Timothy Gallwey, *The Inner Game of Tennis*, New York, Random House, 1974.

je m'inquiétais à l'idée de ne pas atteindre cet objectif, qui finit par m'obséder sans arrêt. Pendant que je courais, je regardais ma montre à tout moment, et cette manie m'imposait l'obligation fort désagréable d'accélérer. Mon entêtement relativement à mon objectif inhibait complètement mon plaisir de courir et sapait ma confiance d'arriver à mon but dans un avenir rapproché.

Un jour où ma motivation était au plus bas et que je me préparais pour un autre calvaire – un entraînement d'un peu plus d'une heure –, je décidai de modifier mon processus interne qui était rempli de négativisme. Je choisis d'oublier mon objectif. Pour cette séance, je me concentrerais sur le fait que j'accomplissais déjà beaucoup en maintenant une vitesse moyenne d'environ 4 minutes 45 secondes sur une quinzaine de kilomètres. C'était tout de même une performance que peu de gens peuvent réussir, pas vrai ? Je pris aussi la résolution de ne pas regarder mon chronomètre durant le parcours. Je sentis avec une sincérité profonde la valeur de ce nouvel objectif, même si je l'atteignais déjà régulièrement.

Lors de cet entraînement, je retrouvai la joie de la course à pied. J'avais l'impression d'avoir des ailes. Tout au long du trajet, je souriais à l'idée de cette obsession stupide qui m'avait coupé du sens profond de ma pratique durant tout ce temps. Je fus stupéfié, en terminant ma course, lorsque le chronomètre m'indiqua que j'avais maintenu une vitesse moyenne de 4 minutes 17 secondes au kilomètre ! Je pris alors conscience, avec émerveillement, que mon obsession provenait d'une mauvaise relation avec moi-même. Avec mon approche extrémiste de l'entraînement, j'avais pensé devoir m'imposer quelque chose qui était au-dessus de mes forces.

L'obligation de l'amélioration immédiate, en plus de gâcher mon plaisir, m'avait empêché de voir que, si je m'étais déjà amélioré dans le passé, cette fois-ci n'était pas différente des autres : pour évoluer, je n'avais qu'à courir en laissant ma passion faire son œuvre.

Dans tous les domaines, l'obligation de devenir meilleur et, pire encore, celle d'être meilleur immédiatement, bloque les mécanismes d'évolution naturelle de la personne. Pourquoi ? Parce que la recherche de l'excellence implique très clairement l'amélioration de l'aspirant ; il devient alors nuisible de s'imposer quelque chose de naturel.

Comment l'adepte de la course à pied pourrait-il oublier que sa tâche est de franchir la distance choisie dans le moins de temps possible ? Cet objectif est inscrit profondément en lui. Pour sa part, le golf prend tout son sens dans le but, fort simple, de faire pénétrer la balle dans la coupe en frappant le plus petit nombre de coups. De la même façon, celui qui est responsable de distribuer un produit doit le rendre utile et attrayant aux yeux de ses clients.

Cette tâche propre à chaque domaine plonge l'aspirant qui la comprend et l'accepte totalement dans une recherche constante, naturelle et même inconsciente de l'amélioration. Ce qui bloque le processus d'évolution, c'est bien souvent l'impatience de progresser. Prenons un exemple simple. Si, pour me rendre à l'étage supérieur, je tente d'atteindre tout de suite la cinquième marche de l'escalier, j'ai toutes les chances de tomber et de compliquer les choses, alors que gravir les marches progressivement, d'abord la première, puis la deuxième, et ainsi de suite, reste simple et possible.

Il existe pourtant des athlètes qui se sont hissés parmi l'élite sportive en utilisant la mauvaise énergie (l'anxiété provoquée par l'impatience et les menaces). Certes, la peur, la honte et la culpabilité engendrent une grande énergie en nous ; pour éviter les conséquences négatives, l'aspirant fera de grands efforts... pendant un certain temps. Cette énergie, à moyen ou long terme, cause néanmoins de sérieux dommages à l'intérieur de la personne. La bonne énergie (celle qui provient de la confiance, du calme et de la joie) offre de plus grandes possibilités pour la réalisation d'un potentiel.

Jim Loehr, dans son livre *Mental toughness training for sports*[1], tient le même raisonnement. Les dangers de l'énergie négative sont à considérer, puisqu'elle risque de forcer l'aspirant à cesser sa pratique par perte de motivation, et ce, longtemps avant d'avoir atteint son apogée.

Je me rappelle encore cet article de journal sur lequel j'étais tombé par un apparent hasard ; un ancien joueur de tennis disait qu'il s'était dégoûté du tennis malgré un avenir prometteur. Sa perte de motivation provenait, disait-il, de l'obligation à gagner qui s'emparait de lui chaque fois qu'il mettait le pied sur un court. Il précisait que, même après plusieurs années de retrait de la compétition, cette soif de victoire venait encore étouffer son plaisir quand il jouait. Cet athlète aurait dû changer les bases psychologiques de sa conception de la compétition.

Le piège du succès était accroché à lui comme un boulet...

1. Jim Loehr, *Mental toughness training for sports : achieving athletic excellence*, Lexington, Mass., 1986.

Pourquoi séparer plaisir et performance ?

Certains milieux où le rendement est important sont empreints d'une atmosphère très lourde, comme si la joie était incompatible avec la performance. Plusieurs d'entre nous ont cette habitude de travailler en étant sérieux et tendus, ce qui les pousse à vivre les journées de travail dans l'impatience de les terminer. Pourtant, leur rendement n'est en rien amélioré si leurs tâches sont accomplies dans un état d'empressement et de tension.

J'enseigne depuis une quinzaine d'années, et je me rends compte régulièrement qu'il existe une crainte de la joie et du plaisir dans le milieu de l'enseignement. Plusieurs enseignants disent redouter l'opinion d'autrui (confrères et supérieurs) quand leurs élèves bougent et s'amusent durant les activités pédagogiques. Cette peur est présente même si nous savons par expérience que le rendement des élèves monte en flèche quand les activités leur semblent plaisantes.

Les athlètes avec qui je m'entretiens me disent aussi que leurs meilleures performances surviennent quand ils se sentent enjoués et détendus – donc quand ils *jouent*.

J'ai malheureusement remarqué chez plusieurs sportifs que les notions de rendement et de plaisir sont très éloignées l'une de l'autre dans leur esprit. Ceux qui décident de jouer pour le plaisir ne portent pas vraiment attention à ce qu'ils font durant le jeu et lancent des farces sans arrêt. En revanche, s'ils décident d'y aller pour la performance, les plaisanteries cèdent la place à l'anxiété, à la tension et à la colère.

Pour ces compétiteurs, la conception de la compétition est manifestement caractérisée par une séparation entre plaisir et performance. Voilà une lacune à laquelle les aspirants et ceux qui les dirigent devront remédier afin de retrouver le sens naturel de la performance. La joie augmente la motivation, la confiance et même l'endurance dans l'accomplissement. Vous savez combien d'heures peut jouer un enfant qui a du plaisir et qui en oublie le temps qui passe ?

Par joie, je n'entends pas nécessairement l'humour et le plaisir factuel. Je parle plutôt de réussir à vivre le quotidien dans un état d'acceptation et de détachement, le cœur libéré de ses grognements habituels. Vous me direz que ce n'est pas facile de ressentir de la joie quand il y a tous ces papiers à classer, ce client qui n'est jamais satisfait ou ce patron qui en demande sans cesse davantage ; mais tout ça n'est pas vraiment responsable de notre malheur, puisque certaines personnes, dans les mêmes situations, ont le sourire aux lèvres et un regard qui exprime le contentement.

Le manque d'entrain relève tout simplement d'une incapacité à adopter et conserver une attitude qui accepte ce qui est, plutôt que de le nier. Malgré le fait qu'elles aient elles-mêmes choisi leur mode de vie, plusieurs personnes n'assument pas ce qui ponctue leur quotidien. Celui qui rétorque qu'il n'a pas choisi telle tâche n'est pas encore près de vaincre le piège du succès. Avant d'aspirer à cette victoire, en effet, il faut prendre la responsabilité de notre cheminement en acceptant qu'en tant que femme d'affaires, par exemple, l'angoissant risque financier fait partie du jeu. Devenir maman implique de s'exposer aux éventuelles difficultés scolaires de l'enfant ; le métier de réceptionniste implique automatiquement de nombreux appels téléphoniques simultanés. Dans toutes ces situations, il est normal de se sentir débordé. Ce qui est anormal pour beaucoup de gens, toutefois, c'est la merveilleuse possibilité de conserver en toute circonstance la joie du moment présent...

Célébrer une fois tout accompli

Je veux ici faire la distinction entre la joie du moment présent et le plaisir de célébrer une réussite. Bien des aspirants doivent développer leur capacité à retarder la récompense de la réussite tant que celle-ci n'est pas complètement acquise. Ils ont tellement hâte de connaître le succès qu'ils ne peuvent attendre que l'événement soit complètement terminé pour s'en couronner avec fierté.

Beaucoup d'aspirants laissent ce vent de plaisir s'emparer d'eux quand les événements leur semblent favorables au milieu ou vers la fin d'un événement. Le mental commence alors à construire des images de réussite et à imaginer les conséquences heureuses qui en découleront. Inconsciemment, l'aspirant adhère à la réalité victorieuse fictive qu'il s'est créée. Aussitôt que des difficultés surviennent et que l'échec redevient possible, la panique s'installe, parce que les deux réalités (la « vraie » réalité, où rien n'est encore acquis, et la réalité inventée par le mental) sont maintenant en contradiction.

J'ai vu plusieurs joueurs de tennis perdre leur concentration à cause de la colère et de la peur, parce qu'ils avaient commencé à jouir de leur victoire après le premier set d'un match où il fallait en gagner deux. Ils amorçaient le deuxième set avec une intensité plus faible, provenant du relâchement naturel associé au sentiment du devoir accompli. Pourtant, si la victoire finale était leur point de mire, ils n'avaient encore *rien* accompli.

Je n'entends pas nécessairement, par célébration, l'euphorie des festivités. Quelques images, une ou deux phrases dont nous ne prenons pas conscience peuvent facilement nous faire perdre la fluidité de notre processus interne qui est embrouillé par le plaisir hypothétique. Par la suite, notre attention ne cesse de dévier pour se porter sur la crainte de perdre le résultat positif que nous pensions avoir déjà atteint. Il nous faut être vigilant : si notre rendement s'appauvrit parce que nous tenons pour acquis ce qui ne l'est pas, les risques d'échec augmentent considérablement.

Les prédictions de résultats sont tout aussi futiles. Au moment d'un affrontement entre deux aspirants ou entre deux équipes, par exemple, toutes sortes de prédictions sont généralement faites sur l'issue de la rencontre. Un tel devrait gagner parce que... Pourtant, ces prédictions sont basées sur des données passées et ne sont en rien valables pour juger du résultat d'un nouvel événement, à moins que l'écart entre les deux adversaires soit vraiment énorme. Chaque rencontre entre deux parties se déroule sous l'influence d'une foule de facteurs qui la rendent imprévisible. Il suffit que l'un des adversaires soit un peu plus solide cette journée-là et que l'autre ne soit pas tout à fait en forme pour que les données passées poussent à faire des prévisions complètement erronées.

Le réflexe de faire des prédictions naît d'un besoin d'être rassuré, parce que l'aspirant pris au piège du succès refuse et craint les possibilités d'échec. Puisque ce doute le ronge, il tente de se rassurer en repérant chez l'adversaire des failles qui ne seront pas nécessairement en jeu lors de la compétition. Cette attitude ne fait qu'alimenter la peur de l'échec de l'aspirant, en le faisant se concentrer sur une variable qu'il ne peut pas contrôler : l'autre. L'entourage de l'aspirant, qui veut combler son besoin d'assurance, fait parfois la même erreur. On lui dira, par exemple : « Ton adversaire a perdu contre Julie et tu as déjà battu Julie, tu devrais gagner. » Ou bien : « La vente est faite, il reste seulement à signer. » Même si ces paroles peuvent rassurer et encourager momentanément, elles augmenteront la peur de l'échec de l'aspirant et il vivra une tension nocive aussitôt qu'il sentira le vent tourner en sa défaveur.

Le piège du succès prive ici l'aspirant du côté aventureux de sa recherche de la performance. Or, le doute quant à la réussite et à l'échec a un rôle à jouer dans le processus de maturation d'une personne ; la vie elle-même comporte un degré d'incertitude avec lequel nous devons tous apprendre à composer. De plus, personne ne devrait être protégé de la défaite, puisque celle-ci est nécessaire dans tout cheminement. L'échec n'est pas un aspect de la quête à éviter, c'est plutôt une expérience à faire pour espérer ensuite le dominer de plus en plus habilement. Un aspirant qui est prêt à affronter tant l'échec que la réussite a la liberté de concentrer toute son attention sur sa tâche : c'est ce qu'on appelle « donner son maximum ».

CHAPITRE VII

Le jeu de Martin : l'enseignement

Après leur conversation, la relation entre Martin et son père prit du mieux, mais ce fut difficile. Le père avait tendance à reprendre sans cesse ses vieilles habitudes. Quand il était contrarié, il avait tendance à bouder la pratique sportive de Martin en s'isolant dans une série de tâches qui le tenaient occupé du matin au soir. Il revenait ensuite et faisait alors des efforts, jusqu'à la difficulté suivante. Doucement, cependant, les choses changèrent et quelques conversations se terminèrent sur une entente mutuelle. Chacun commença à accepter l'humour de l'autre et des stratégies de communication furent mises en place durant les tournois.

Martin s'entraînait davantage avec M. LeSage et beaucoup moins avec M. Gagner. Il passait des heures avec son guide pour expérimenter toutes sortes de coups et pour discuter des pensées et des émotions qu'il devait éliminer aussitôt qu'il s'approchait d'un bâton de golf.

Même si l'enseignement de M. LeSage lui procurait une grande joie, Martin s'aperçut que cette joie exigeait de lui une discipline intérieure importante, qui le faisait parfois hésiter à s'engager définitivement dans la philosophie de son mentor. Il devait créer et garder une vigilance intérieure, que ce soit pendant ses entraînements ou pendant les matchs, afin d'éliminer les fausses perceptions que ses pensées profondes lui murmuraient presque sans cesse.

Il devait atteindre, par une méditation toute simple, ce que M. LeSage appelait *l'équilibre de l'esprit*. Il travaillait aussi à approfondir sa respiration, ce qui lui valut des étourdissements et des nausées qui faisaient rire M. LeSage. Ce dernier lui expliquait qu'une respiration profonde et aisée aidait à dissoudre les pensées inutiles qui montaient de son ventre, et qu'un coco de dix-sept ans préférait sans doute souffrir de nausées que de se détacher de ses pensées.

Presque un an passa et la relation entre Martin et Jaëlle devenait plus sérieuse. Les entraînements avec M. LeSage, bien que réguliers, n'étaient plus aussi fréquents. Martin avait tendance à se reprocher son manque d'intensité à l'entraînement. Il faut dire que son père, malgré tous ses efforts pour ne rien laisser paraître, laissait entendre quelques soupirs quand Martin annonçait qu'il sortait avec Jaëlle. Le jeune sportif se sentait constamment tiraillé entre sa relation amoureuse et le golf. Il décida d'en parler à M. LeSage, qui avait fait semblant de ne pas remarquer que le golfeur était moins présent au parc des Fous depuis quelque temps.

L'occasion se présenta lors de l'entraînement suivant. Ils étaient tous deux assis au sol et leur entretien sur le golf venait de prendre fin. Martin voulut aborder le sujet, mais M. LeSage le devança :

– Qu'est-ce qui te chicote, Martin ? Tu sembles préoccupé.

– Oui, d'une certaine façon. Je me demande constamment si ma relation avec Jaëlle nuit à mon golf ou si mon golf nuit à ma relation avec elle.

– Comment ta relation avec Jaëlle pourrait-elle nuire à ton golf ? Tu as le cœur ouvert comme un gamin, depuis des mois !

– Vous vous êtes sûrement aperçu que je suis moins présent au parc, depuis un bout de temps.

– Le golf implique toute la personne, Martin. Ce n'est pas parce que tu n'as pas de bâton dans les mains que ton golf régresse. Si l'individu trouve une activité qui l'amène à entrer dans la caverne de son cœur et à y faire de la lumière, toute sa vie s'en trouve éclairée. Je ne vois pas en quoi cela peut nuire à ton golf, si tu continues à t'entraîner régulièrement, et je vois bien que tu le fais. Je crois même que ton jeu est excellent depuis que tu t'intéresses aussi à autre chose... sauf peut-être quand cette culpabilité te ronge.

– C'est vrai que mon jeu se porte bien, mais je me demandais si...

– Cesse de te demander, et ne te prive pas d'une relation qui te tient à cœur pour grimper sur un piédestal, ce serait une grande erreur. J'ai moi-même failli le faire et...

M. LeSage s'interrompit. Martin sentit que son mentor avait choisi de ne pas continuer sur le sujet qu'il venait d'amorcer, mais sa curiosité était tellement forte qu'il ne put s'empêcher d'insister.

– Qu'est-ce que vous avez failli faire ?

L'homme le dévisagea quelques secondes. Il semblait hésiter à poursuivre, mais il continua tout de même :

– Je me suis marié plutôt jeune, Martin, et j'étais aussi amoureux du golf. Je rêvais d'une famille depuis longtemps, et ma femme et moi avons eu trois enfants dans les quatre années qui ont suivi notre mariage. Tout ça était merveilleux, jusqu'au moment où je pris conscience qu'une telle famille exigeait beaucoup de mon temps. Je ne voulais pas le voir, mais je n'arrivais pas à être assez présent pour incarner le père que je m'étais juré de devenir et pour maintenir une vie de couple intéressante, ce que mon épouse me reprochait souvent. Je n'arrivais pourtant pas à restreindre mes heures de golf. Un mal mystérieux s'emparait de tout mon être si je passais trois jours sans jouer. J'avais discuté plusieurs fois de ces problèmes avec ma femme, mais chaque fois la conversation tournait au vinaigre et se terminait par une dispute.

– Qu'est-ce qui est arrivé ?

– Nous avons fini par éviter le sujet en continuant notre vie chacun de notre côté. Je jouais le rôle du père toujours pressé en perfectionnant mes excuses pour justifier mes retards et mes absences ; mon épouse s'enfonçait doucement dans celui de la mère débordée et de la femme insatisfaite. Vers la fin de la huitième année de notre mariage, ma femme se préparait à partir avec les trois enfants. Dieu merci, elle avait le courage de refuser que sa vie ressemble à une course aux tâches quotidiennes. Elle n'en avait encore parlé à personne quand elle me donna un ultimatum : ou bien je passais avec eux les trois semaines de vacances qui arrivaient, sans jouer au golf une seule fois, ou bien je n'avais plus de famille. Il suffisait de voir son regard pour comprendre qu'elle ne blaguait pas... Elle avait dressé une liste de choses à réparer à la maison, un nombre incalculable d'arrangements à prendre et plusieurs activités familiales pour remettre notre vie en ordre et faire de moi un père et un conjoint dignes de ce nom.

– Comment vous en êtes-vous sorti ? demanda Martin, suspendu aux lèvres de M. LeSage.

– J'ai passé les deux dernières semaines de travail en complète dépression. Je passais la plus grande partie de mon temps à fixer la fenêtre de mon bureau en laissant mes pensées déambuler, incapable de me sortir de cette torpeur et d'accomplir mes tâches. J'étais même incapable de jouer au golf. En moi, sans que j'en sois tout à fait conscient, les différentes phases de ma vie défilaient. Pendant les trois derniers jours de cette dépression, le golf revenait constamment à mon esprit.

« Je fis un effort pour porter attention à mes pensées, question de voir si elles pouvaient me fournir des indices pour prendre mes décisions. Au cours de la dernière journée de travail avant les vacances, je pris conscience que, depuis mon mariage, mon jeu n'avait que très peu évolué ; j'étais tellement occupé à fuir mes conflits intérieurs que je frappais les balles comme une machine, sans joie réelle et sans conviction profonde.

« Ce ne fut pas une prise de conscience ordinaire. Cela ne ressemblait en rien à un dérapage de mon imagination ni à un jugement de mon mental. C'était une conviction personnelle incontournable, cette vérité qui me frappait tel un coup de foudre : il était absolument inutile de croire à une progression de mon jeu tant que ma vie ne serait que la poursuite du moment futur. Si j'étais incapable de changer dans ma vie personnelle, pourquoi en aurais-je été capable dans ma pratique sportive ? »

– Comment se sont passées les vacances ?

– La première semaine, ce fut l'enfer. Je n'avais presque pas d'énergie et, quand je me sentais le moindrement d'attaque, c'était avec une impatience aiguë envers tout ce qui m'entourait. Toutefois, je réussis tant bien que mal à affronter une à une les tâches de l'impitoyable liste de mon épouse.

« Au début de la deuxième semaine, Zoé, ma fille, qui avait alors cinq ans, monta me voir dans ma chambre. Nous avions passé la journée à la plage et j'étais mal à l'aise parce que j'avais eu à faire de gros efforts pour ne pas m'impatienter quand elle échappait le ballon pendant nos jeux de l'après-midi. Elle vint simplement s'asseoir près de moi, m'embrasser et me dire qu'elle passait les plus belles vacances de sa vie. Elle redescendit aussitôt se coucher. J'éclatai en sanglots et pleurai à chaudes larmes durant une bonne heure. Des souvenirs de mon enfance refaisaient surface. Les longues absences de mon père... Ma femme resta bouche bée et me regarda sangloter. Je me sentis plus léger par la suite, et mon impatience diminua d'un cran.

« Le lendemain fut la journée où tout bascula. Nous jouions une partie de baseball avec des amis et j'étais dans la même équipe que Benoît, mon fils aîné, qui avait alors huit ans. Immédiatement après qu'il fut retiré sur trois prises, pour une deuxième fois, je le sermonnai sur la technique et la concentration que devait avoir un bon frappeur. Mon fils se mit en colère et me dit que je ne l'aidais pas avec mes réprimandes et mes conseils de « pro manqué ». Je fus cloué sur place, non seulement à cause de la colère de mon fils, mais surtout parce que j'avais reconnu dans son discours les phrases que je me servais moi-même quand je ratais des coups au golf. C'était, à peu de choses près, la réplique exacte de mon dialogue interne quand l'anxiété et la colère venaient détruire mes espoirs de jouer une bonne partie.

« Je commençai alors à observer attentivement mes comportements et leur relation avec mes pensées et mes émotions. Ce dont je pris conscience dans les trois jours qui suivirent changea complètement ma vie d'homme et de golfeur. Je m'aperçus, avec une certitude nouvelle, que les améliorations que j'avais à opérer en tant que golfeur étaient exactement les mêmes que je devais réaliser dans mes relations avec autrui et dans ma vie en général. Dans toutes les sphères de mon existence, je vivais les mêmes peurs, les mêmes jalousies, les mêmes impatiences, le même manque d'estime de moi : tout était exactement pareil. Mes états d'esprit négatifs se trouvaient en moi, ils me suivaient donc partout. Je ne pouvais plus continuer à les ignorer.

« Je fus dès lors convaincu qu'il n'était pas nécessaire d'être sur un terrain de golf pour évoluer. Je pouvais m'entraîner quand je le voulais. J'en conclus que je n'avais qu'à me donner des objectifs d'amélioration concernant mes pensées, mes émotions et mes attitudes et à travailler sur ces points précis dans mon quotidien pour que mon golf progresse. De toute manière, cela ne pouvait pas être pire que de frapper des balles comme une machine. »

– Est-ce que cette découverte a finalement aidé votre golf ? interrogea Martin, qui ne perdait pas un mot de l'histoire.

– Aidé ? Le mot est faible ! En deux ans, l'entraînement intérieur dans lequel j'avais persévéré m'a apporté un état de joie et de légèreté dans la plupart des situations de mon quotidien. Ma technique de golf se transforma sous mes yeux, mon handicap passa de 9 à 0[1] sans même que j'en

1. Cette progression signifie que M. LeSage jouait en moyenne 9 coups de moins par partie. Un handicap de 0 signifie qu'il réussit régulièrement la normale sur une partie complète (18 trous).

sois excité, parce que cela me semblait naturel. Toute mon attention, du matin jusqu'au soir, était tournée vers mon travail intérieur. Le golf n'était plus cette activité à laquelle je m'adonnais de façon compulsive dans le but de devenir bon au plus vite ; c'était devenu un cercle sacré où je perfectionnais la relation entre mon corps et mon esprit. Mon handicap avait dès lors très peu d'importance, sa diminution n'étant qu'une conséquence inévitable de mon cheminement. D'ailleurs, ce progrès survenait alors que j'avais diminué de presque la moitié le temps que je passais à frapper des balles ou à jouer des parties de golf. Je m'en tenais à un horaire équilibré, qui me permettait à la fois de prendre soin de mes proches, de mon travail et de mon golf.

– Avez-vous gagné des tournois importants ? s'enquit Martin.

– J'ai connu certains succès comme joueur, mais je ressentais un urgent besoin d'enseigner et de transmettre cette nouvelle approche, après avoir constaté combien de gens étaient aux prises avec la même maladie que moi.

La tête de Martin bouillonnait. Après le récit de M. LeSage, il se prit à penser à la relation entre ses comportements au golf et ceux qu'il adoptait dans ses relations interpersonnelles et dans la vie en général. Il devint évident pour lui que la constatation qu'avait faite M. LeSage était également vraie dans son cas : ses attitudes négatives de golfeur étaient un parfait reflet de sa personnalité dans les autres sphères de sa vie. Maintenant, il ne pouvait plus douter. Il était prêt à se consacrer entièrement à l'enseignement de son mentor.

CHAPITRE VIII

La quête du moment présent

Un homme âgé s'approcha d'un jeune homme qui cherchait quelque chose :

– Que cherchez-vous, jeune homme ?

– Je cherche ma joie, depuis déjà plusieurs années.

– Pourquoi la cherchez-vous là-bas, si loin, plutôt que là où vous l'avez perdue ?

– Mais... où est-ce ?

– Juste ici et maintenant, en vous. En cessant votre recherche, vous trouverez.

Conte de la vie

L'art de jouer

Le champion espère le meilleur de son adversaire.
Le véritable chef reste humble devant ses hommes.

Non pas qu'ils refusent la compétition, mais ils la vivent dans un esprit de jeu. En ceci, ils sont comme l'enfant.

Stephen Mitchell[1] pour Lao Tseu
(traduction française par M. B.)

Dans cette partie de l'ouvrage, je tenterai de jeter un regard sur les obstacles qui nous séparent du moment présent. Ce point de vue permettra sans doute au lecteur – du moins, je l'espère – de trouver des indices pour

1. Stephen Mitchell, *Tao Te Ching, a New English Version*, New York, Harper Collins Publishers, 1991.

comprendre la cause de sa perte de contact avec sa vigilance intérieure et son esprit ludique. Dans ce chapitre, je continue à cheminer vers les moyens de desserrer l'étau du piège du succès et d'arriver un jour à être plus libre. À ce stade, si l'aspirant se contente d'une compréhension intellectuelle, le but premier de ce livre ne sera pas atteint. L'aspirant doit voir et expérimenter, dans son quotidien, les obstacles dont je parle. En somme, il doit se prendre en flagrant délit.

Pour les petits enfants, tout est un jeu. Ils explorent cet immense bac à sable qu'est la vie. Toutefois, il ne faut pas confondre le jeu avec la plaisanterie, ni identifier le jeu au simple fait de passer le temps en s'amusant. Je réfère plutôt au jeu en tant que joie d'expérimenter et de découvrir en gardant un cœur léger. Vous êtes-vous déjà demandé pourquoi et comment nous perdons cette capacité à jouer en grandissant ? Un événement m'a amené à réfléchir à cette question.

C'était le temps des fêtes et Stéphane, le garçon que nous accueillons dans notre famille, avait reçu un casse-tête pour Noël. Nous nous préparions pour notre première séance de casse-tête, à laquelle il m'avait invité, et je remarquai avec quel plaisir il attendait de s'y mettre. Pourtant, après dix minutes, il avait cessé de placer des morceaux et sa joie s'était dissipée.

Après réflexion, je m'aperçus que ma communication n'avait pas respecté son sens du jeu. En adulte perfectionniste, je lui avais dit de ne pas forcer les morceaux, de commencer par le tour... J'avais aussi répété deux ou trois fois : « Non, celui-là ne va pas là » sur un ton très calme. Ma communication n'avait rien de colérique ni d'humiliant ; j'avais seulement voulu lui donner quelques conseils que je considérais utiles à la réussite. Toutefois, j'avais bousculé son estime de soi et son goût de jouer avec moi. Mon discours, même si je l'avais voulu constructif, avait discrètement fait comprendre à Stéphane qu'il n'était pas « assez bon ». Son esprit de jeu avait donc été remplacé par un dialogue interne négatif.

Après cet événement, j'examinai les actions quotidiennes que j'effectuais sans joie : les tâches ménagères, certaines tâches routinières de mon travail, les discussions professionnelles machinales, entre autres, et je pris conscience que j'avais effectivement un dialogue interne négatif quand je vivais ces situations. Des voix en moi utilisaient des phrases de mon passé qui suscitaient une émotion désagréable : ennui, colère, impatience d'avoir terminé... Mes tâches ménagères, par exemple, étaient ponctuées de phrases de ma mère qui, en tant que reine du foyer, en avait souvent assez de sa couronne. Je compris pourtant que ce n'était pas la tâche qui engendrait le dialogue négatif, mais bien le dialogue négatif qui rendait la tâche ennuyeuse, voire même désespérante.

Je suis convaincu que si le sens du jeu était davantage respecté, le sens du travail et du rendement se développerait de façon naturelle. Les enfants ne savent même pas distinguer ce qui appartient au jeu et ce qui lui est étranger.

Dans mon enseignement, j'amène souvent les adolescents à s'adonner à des jeux simples de concentration pour illustrer certains aspects de la performance. Ils raffolent de ces jeux. Avant les cours, certains me demandent : « Est-ce qu'on joue, aujourd'hui ? » Parfois, je leur réponds : « Bien sûr... on joue à l'école ! » Automatiquement, ils pensent que je blague (et ils ont un peu raison). Ils ont aussitôt une réaction de déception. Je leur rappelle alors qu'il y a à peine quelques années, ils passaient des heures entières à jouer à l'école. Lorsque je les fais effectivement jouer, ils ont toujours l'impression que tout ce qu'ils font, c'est s'amuser. Ils ne s'aperçoivent même pas qu'ils restent intensément concentrés sur leur tâche durant trente ou quarante-cinq minutes, ni qu'après l'activité tout le monde sourit et a le cœur léger. Ils me disent ne ressentir qu'un stress très minime pendant ces périodes. Il est facile de voir que cet état d'esprit pourrait s'avérer bénéfique dans leurs tâches d'accomplissement.

Il faut bien comprendre que le jeu est un *état d'esprit*. Ce n'est pas une activité particulière, c'est plutôt une façon de vivre une activité. Nous pouvons jouer à n'importe quoi. Si on fait table rase des « C'est bien long ! », « C'est ennuyeux ! » ou « Je suis fatigué ! », le goût de jouer se retrouve intact, même après plusieurs années de « jeûne ludique ». L'esprit du jeu n'est pas nécessairement un état d'exubérance ; il s'agit simplement d'avoir l'esprit tranquille et d'apprécier le moment présent.

Ce qui permet à l'enfant de jouer, c'est le fait d'être complètement abandonné à l'instant qu'il est en train de vivre. Il ne regrette jamais le passé et ne prépare pas l'avenir. Il se trouve entièrement dans le seul temps qui existe vraiment : le présent. Le passé et l'avenir sont des créations de notre cerveau. Avez-vous déjà vécu un moment passé ou un moment futur ? Impossible, puisque chaque moment vécu est présent et unique. L'avenir et le passé n'existent que dans notre réalité intérieure. Nous inventons ces notions à partir de souvenirs et de projections, ce qui est parfois bien utile, d'ailleurs. Puisque les mécanismes qui produisent les souvenirs et les projections sont encore faibles chez le tout petit enfant, il peut s'enivrer de présent. Chez l'adulte, en revanche, ces mécanismes sont solides et, malheureusement, ils sont souvent complètement incontrôlés. Nous sommes donc sans cesse harcelés par des pensées et des émotions qui nous masquent le moment présent.

La communication intrapersonnelle

Je me suis rendu compte de l'importance de la concentration il y a une quinzaine d'années. Je lisais Timothy Gallwey[1] et, au fil de ma lecture, je m'emballais à l'idée de faire silence en moi, comme l'auteur le suggérait, afin d'exprimer le potentiel sportif qui m'échappait sans cesse.

Pour créer le silence, le livre proposait d'apprendre à taire les pensées qui dérangent sans cesse nos habiletés naturelles. Même si M. Gallwey précisait qu'il était difficile d'arriver à la maîtrise de cette voix intérieure, j'étais convaincu que je savais maintenant me concentrer dans le silence durant ma pratique sportive. Malheur ! Plus je tentais de taire cette voix, plus elle était présente... omniprésente, même.

À ce moment, je compris pourquoi les gens qui sont aux prises avec le piège du succès ne peuvent pas s'arrêter de penser : ils sont incapables de se séparer des autres, surtout de ceux qui sont en eux. S'ils s'accomplissent, c'est souvent pour venger ces mots, ces phrases et ces images qui ont blessé leur estime de soi et qui sont dorénavant solidement ancrés en eux. Ils s'entêtent à vouloir changer le passé. Leur esprit répète des phrases ou des images de souvenirs et ils ressentent les mêmes émotions que lors de ces situations passées. Les émotions et la tension reliées aux mauvais souvenirs deviennent alors le moteur de leur accomplissement.

1. Timothy Gallwey, *op. cit.*

Les mots sont surtout utiles pour la communication entre deux personnes. Pour la vie intérieure, il existe une communication sans mots. Quand les pensées cessent d'éveiller des émotions et des tensions musculaires, nous devenons entièrement disponible à nous-même et à notre environnement extérieur. Dès lors, une communication directe entre nos *feelings*[1] et l'environnement s'établit. Nous avons alors accès à l'intelligence du cœur : une relation directe entre le sentiment, les sensations, les sens et l'environnement. Grâce à cette intelligence, les réponses justes à une situation nous apparaissent de façon évidente.

La recherche sur le cerveau humain nous apprend que le cerveau droit, responsable des sentiments et de la vision globale, permet de percevoir l'environnement quatre-vingt mille fois plus vite que le cerveau gauche, chargé de la réflexion logique et intellectuelle.

Lorsque je suis en forme et que je donne une conférence, je m'aperçois qu'il m'est très facile d'alimenter mon discours de ce que je ressens chez l'auditoire. Lors d'une pause d'une ou de deux secondes, je peux ressentir l'apathie chez les gens qui m'écoutent, accélérer le débit de mes paroles, me remémorer une blague qui pourra dynamiser le groupe et même prévoir à quel moment de ma présentation je pourrai la glisser. Tout cela sans réfléchir. Ce que je ressens vient bien avant toute réflexion.

Voyons un autre exemple qui démontre l'efficacité des *feelings* quand ils ne sont pas accaparés par les pensées et les émotions. Chacun sait que la transmission manuelle d'une automobile peut donner du fil à retordre à un

1. J'utiliserai l'anglicisme *feeling* pour désigner l'ensemble de ce qui peut être ressenti par une personne. À ma connaissance, aucun terme français ne peut remplir ce rôle.

conducteur qui ne connaît pas le point exact qui permet l'embrayage, surtout lors du démarrage. Je conduis un véhicule à transmission manuelle depuis plusieurs années et le point d'embrayage de ma voiture m'est familier. Je peux effectuer un grand nombre d'embrayages sans provoquer la moindre secousse de la voiture. Évidemment, lorsque j'effectue cette manœuvre, je n'ai aucune pensée. Je ne reçois aucune information à l'intérieur qui me dirait, par exemple, de pousser la pédale un peu plus bas ou de ralentir ma poussée sur l'accélérateur. Je le fais de façon spontanée, dans le plus grand silence, sans même me rendre compte de l'habileté que j'utilise. Je ne ressens naturellement aucune peur de l'échec. Pourtant, je tentai un jour d'effectuer la même manœuvre en guidant mon geste avec des indications verbales : on le devine, la qualité de l'embrayage fut nettement diminuée. Même après plusieurs tentatives avec cette méthode, je n'atteignais pas la qualité habituelle.

Avant de m'entraîner à la méditation, j'avais peine à rester trois secondes sans penser. Pour la plupart des gens, il est difficile de rester sans mots ou sans images à l'intérieur, parce que nous apprenons très jeune à associer des formes (des mots ou des images) à tout ce que nous ressentons. Il devient donc difficile de ressentir sans juger ni interpréter.

La relation intérieure : M. Pensée et M. *Feeling*

Qu'est-ce qui obstrue notre contact avec le moment présent ? Puisque la concentration, la paix de l'esprit et la joie immuable dépendent de ce contact, la réponse à cette question mérite qu'on lui accorde une attention particulière. En me basant sur mes études, mes lectures, mes activités professionnelles et mon expérience intérieure, je pense que cette privation du moment présent vient d'une division intérieure, c'est-à-dire d'un refus personnel de voir la réalité telle qu'elle est. Plus précisément, c'est une relation intérieure qui occasionne ce refus, un dialogue presque incessant sur lequel, la plupart du temps, l'aspirant n'a aucun contrôle.

Quand je regarde quelqu'un de l'extérieur, je vois *une* personne. Mais si je pouvais regarder à l'intérieur, je verrais *plusieurs* personnes, plusieurs sous-personnalités, comme le dit si bien Guy Corneau[1]. À cause de la relation entre les pensées et les émotions, la vie intérieure d'un individu est multiple. Sans pour autant présenter un dédoublement de la personnalité, chacun de nous est possédé tantôt par un aspect de lui-même, tantôt par un autre : le matin joyeux et détendu, le midi impatient, le soir angoissé, le lendemain matin rageur, etc.

Ces changements peuvent être déclenchés à tout moment de la journée par un événement quelconque. L'aspirant est manipulé telle une marionnette par ses pensées et ses émotions, qui l'empêchent d'être unifié dans le présent.

Si les poubelles sont ramassées à 10 h 30 et qu'il est 10 h, la réalité m'impose, si je veux que mes déchets soient pris par les éboueurs, de sortir mes sacs à ordures dans les trente minutes qui viennent, sans dire un mot et en étant totalement d'accord pour faire cette action. Dans l'acceptation totale, l'esprit ludique devient possible. Si l'être est unifié, la moindre petite action peut être agréable. Au contraire, si je laisse mes émotions et mes pensées juger cette action, le contact avec le moment présent est rompu. Supposons qu'une partie de moi fasse l'action de sortir les

1. Guy Corneau, *Victime des autres, bourreau de soi-même*, Montréal, Éditions de l'Homme, 2003.

ordures, tandis qu'une autre partie se plaint du fait que les éboueurs passent trop tôt, qu'ils ne savent pas travailler, que je vais me plaindre à la municipalité, que je veux terminer de regarder ce film en paix, etc. Dans les faits, les éboueurs qui passeraient dans soixante-quinze minutes pour me permettre de voir la fin du film que j'écoute sans avoir à arrêter la projection pour sortir les ordures n'existeront jamais.

Je répète que les événements extérieurs ne sont pas la cause de ces pensées et de ces émotions qui entravent l'esprit du jeu. La cause de ces perturbations doit être recherchée dans notre passé, c'est-à-dire dans notre mental. Ce sont les mêmes vieilles habitudes de colère, de peur ou de culpabilité qui ont été acquises il y a dix, vingt, trente ou même cinquante ans. Il est toutefois possible, par un entraînement intérieur, de diminuer progressivement cette souffrance inutile.

Ce qui nous permettrait de vivre chaque moment intensément, ce serait de ne plus être aux prises avec ces émotions. Nous poserions alors un regard neutre sur chacune des situations de notre existence, qui sont sans cesse nouvelles. Ceux qui croient que la vie deviendrait alors morne et ennuyeuse sont dans l'erreur : l'élimination des émotions et des pensées inutiles est la condition *sine qua non* pour atteindre et faire durer la joie, le calme et la confiance. Le livre de Guy Corneau que je viens de citer est une œuvre magnifique sur ce thème.

La relation intérieure que nous entretenons avec nous-même donne naissance à des personnages qui sont responsables de nos états d'esprit, lesquels déterminent nos décisions et nos actions. Pour des raisons pratiques, je les nommerai M. Pensée et M. *Feeling*.

Quand ces deux personnages s'éveillent – c'est-à-dire quand les pensées incontrôlées et les émotions prennent possession de nous –, il nous est impossible de voir la réalité telle qu'elle est, parce que nous la colorons alors avec nos tendances personnelles.

Si j'ai une propension à la jalousie, je suis incapable de voir un compétiteur qui vient de réussir une performance digne de mention comme une simple personne qui pratique la même activité que moi. Je vois plutôt quelqu'un qui s'habille mal, qui a un nez horrible et qui devrait apprendre à mieux communiquer, tout en m'efforçant d'ignorer ses résultats impressionnants. En tout temps ou presque, nous ne voyons pas la réalité, mais notre réalité, celle que nous créons de toutes pièces avec notre relation intérieure.

Les émotions qui, en plus des différentes sensations corporelles, sont l'apanage de M. *Feeling*, sont éveillées et entretenues par M. Pensée. Puisque j'utiliserai le mot émotion et le mot sentiment, il est important de préciser la différence que je fais entre ces deux termes. Par comparaison avec l'émotion qui est plus vive et plus accaparante (peur, colère, plaisir factuel et culpabilité, entre autres), le sentiment relève d'une sensibilité supérieure et donne une certaine information sur la relation avec notre environnement (sentiment de confiance ou de prudence, par exemple). Je dirais que l'émotion, parce qu'elle amène l'aspirant à s'emporter et à s'identifier à elle, obstrue le cœur, alors que le sentiment, qui est plus subtil, serait l'outil du cœur. Le sentiment disparaît quand il n'a plus de raison d'être. L'émotion, au contraire, est toujours inutile, et elle dure indéfiniment si elle est entretenue par des pensées.

M. Pensée peut être défini comme étant les mots, les phrases et les images qui s'élèvent presque sans arrêt à l'intérieur de nous. Ces phrases et ces images furent acquises au contact de notre environnement social tout au long de notre éducation. Elles proviennent des personnes que nous avons fréquentées (surtout nos parents), de la télévision, des livres que nous avons lus, etc.

Si vous croisez dans la rue un adolescent avec les cheveux turquoise, par exemple, vous entendrez peut-être M. Pensée s'exclamer en vous : « Franchement ! » sur un ton d'indignation, exactement comme votre mère le faisait pour émettre un jugement sur l'apparence de quelqu'un quand vous étiez petit. Ce simple mot de M. Pensée suffit pour déclencher chez M. *Feeling* une irritation qui vous fera oublier de sourire et de répondre gentiment à deux collègues qui vous saluent chaleureusement. De plus, la sérénité qui vous habitait peut-être avant cet événement se sera envolée d'un coup.

M. Pensée n'est pourtant pas à éliminer, car il a son rôle à jouer. Quand il est utilisé consciemment et volontairement, il permet la réflexion logique. Nous sommes alors en mesure de nous poser les questions appropriées à une situation, de planifier des solutions et de tirer des conclusions de nos expériences. Ce que nous devons tenter de circonscrire, c'est la version incontrôlée de M. Pensée, autrement dit, les moments où il impose à l'aspirant des perceptions fausses et crée en lui des émotions éprouvantes et inutiles qui nuisent à son évolution positive. Ce faisant, il faut malgré tout tenir compte des obstacles que le jeune compétiteur doit franchir et des risques qu'il aura à prendre.

Vous pouvez vous livrer à un exercice simple pour vérifier l'existence de cette relation intérieure. Assoyez-vous à l'écart et tentez de rester complètement neutre face aux événements qui se déroulent devant vous. Observez, sans juger, ce qui se passe en vous. Si vous arrivez à garder

M. Pensée complètement silencieux – c'est peu probable –, vous constaterez qu'après quelques instants, M. *Feeling* lâche prise et vous êtes dans un état d'esprit plus ouvert et plus détendu. Si le discours de M. Pensée persiste, vous constatez plutôt que votre état d'esprit général est le parfait reflet des conséquences de son discours.

L'entraînement intérieur consiste à être de plus en plus conscient des interventions de M. Pensée, pour que les réflexions involontaires influencent de moins en moins M. *Feeling*. Ce qui est conscient peut être neutralisé ; ce qui est inconscient, par contre, possède un pouvoir insidieux sur l'aspirant. Au début de l'apprentissage, ce qui importe est de reconnaître les situations où la relation entre M. Pensée et M. *Feeling* se met en branle et que le tourbillon des pensées et des émotions vous assaille. Ne tentez pas de contrôler cette relation, laissez-lui plutôt libre cours et restez attentif à ce qui se passe. Il s'agit d'écouter ce que dit M. Pensée et de comprendre par quelles émotions et quelles tensions musculaires M. *Feeling* réagit.

Prenons un exemple. Vous êtes au centre commercial et vous voyez une personne de grande réputation. Observez ce qui se passe en vous. Entendez M. Pensée vous dire de ne pas demander un autographe, même si vous en avez envie, pour la simple raison que vous n'êtes pas coiffé. Remarquez aussi que votre démarche se modifie un peu, pour mieux paraître, quand vous passez devant cette personne. Portez ensuite votre attention sur la déception mêlée de colère que vous ressentez parce que vous n'avez pas osé combler votre désir d'avoir un autographe, et ce, pour une raison aussi puérile. Je vous souhaite de faire ce genre de constat. Prenez garde, toutefois. M. Pensée tentera de vous convaincre que vos observations sont inexactes : « Voyons donc ! Je ne suis pas comme cela. Si tu penses que je m'excite pour des vedettes ! »

Le plus difficile, c'est de rester neutre face à ce que nous découvrons en nous. N'essayez pas de changer ou de justifier votre relation intérieure ; tous, nous sommes caractérisés par de grandes beautés et par de petites laideurs. Si vous en prenez conscience sans jugement, le changement se fera ensuite en douceur par le détachement. En outre, parce qu'il sera lent et progressif, ce changement aura la particularité d'être durable. Il s'agit de reconnaître tout ce qui est inutile en nous, pour le laisser mourir petit à petit.

Mieux connaître M. *Feeling*

Pour la majorité des gens, il est beaucoup plus facile d'être conscient de M. Pensée que de M. *Feeling*. Nous avons tous, à un moment ou à un autre, entendu ces fameuses voix intérieures. Les aspirants, surtout passé un certain âge, sont la plupart du temps plus à l'aise pour réfléchir que pour simplement ressentir. Mais quelle est donc la différence entre les deux ?

Penser fait davantage référence au langage, à des paroles ou à des images, alors que ressentir pourrait se définir comme le fait d'écouter avec attention ce qui se passe à l'intérieur. Si je veux ressentir mon bras qui bouge, j'écoute avec vigilance le déplacement de mon bras, centimètre par centimètre.

Il y a évidemment toute une gamme de *feelings* avec lesquels une personne doit se familiariser : ce sont les émotions, les sentiments et les sensations.

La sensation se rattache au corps physique ; c'est par elle qu'une tension musculaire ou le mouvement des jambes en pleine course peuvent être sentis. S'entraîner à ressentir plus clairement peut aider l'aspirant à se familiariser avec M. *Feeling*, puisque la plupart des gens ont perdu contact avec ce qui se passe dans leur corps. Observez ces craintes, ces joies, ces agacements, ces tensions qui se succèdent dans le quotidien. Le fait d'être vigilant et de voir ce qui se passe chez M. Pensée et M. *Feeling* diminuera l'accumulation d'émotions et de tensions qui suscite souvent la fatigue.

S'entraîner à ressentir, c'est exactement le but de la méditation. Puisque j'ai une certaine expérience de cet exercice, je peux dire qu'une séance de méditation se résume à demeurer vigilant à l'intérieur dans le but d'éliminer – ou au moins de réduire – les interventions de M. Pensée, pour approfondir notre contact avec M. *Feeling*. Il s'agit d'accepter totalement ce que nous ressentons. Cela peut être fait dans une position agenouillée, dans une pièce sombre éclairée d'une chandelle, mais le but ultime est d'intégrer cette pratique dans la vie quotidienne. La méditation, pour être vraiment utile, doit nous permettre d'accroître la paix de l'esprit et la joie du cœur dans la vie en général, et pas seulement dans la solitude d'une pièce sombre.

Contrôler M. *Feeling*

> Il nous est impossible de transformer la noirceur en lumière, et l'apathie en action sans émotion.
>
> **Carl G. Jung**

Je me suis aperçu que l'expression « contrôler ses émotions » est souvent mal comprise et confondue avec des règles de toutes sortes. Or, elle ne veut pas dire dissimuler nos émotions aux yeux des autres, ni ne ressentir aucune émotion. Cela ne signifie pas non plus de nous occuper seulement des émotions que nous considérons positives et agréables. Dans tous les cas, le fait de nier ou de réprimer nos émotions entraîne toujours la même conséquence : nous perdons de vue les besoins réels de M. *Feeling* et nous compromettons nos chances d'atteindre une paix et une joie durables.

Le contrôle des émotions, c'est plutôt la capacité de les neutraliser, ainsi que les pensées qui les alimentent, afin de les empêcher d'influer sur nos décisions et nos actions. Mais comment désamorcer ainsi les émotions qui assaillent l'aspirant tout au long de la journée ? Comment juguler la colère provoquée par une mauvaise nouvelle ou l'excitation nerveuse qui surgit à l'annonce d'un résultat heureux, et qui peut à tout moment se transformer en peur ou en déception ?

Premièrement, il est essentiel de reconnaître l'émotion le plus tôt possible, puisque cela permet d'interrompre la mise en place de la dynamique entre M. Pensée et M. *Feeling*. Plus l'émotion est captée tôt par l'aspirant, moins elle risque de s'installer solidement.

Le compétiteur doit ensuite être parfaitement d'accord pour ressentir cette émotion, sans tenter de l'éliminer ni même de la minimiser à l'aide d'interventions de M. Pensée. J'ai vu plusieurs aspirants alimenter une peur en voulant rassurer M. *Feeling* avec des phrases de M. Pensée : s'il n'y a aucune raison valable d'avoir peur, pourquoi ce besoin de se rassurer ? Accordons plutôt à M. *Feeling* la permission totale de ressentir l'émotion. Il n'y a rien de mal ni de dangereux dans la peur, dans la colère ou dans la tristesse. Plus on permet à l'émotion d'être ressentie, plus elle passe rapidement.

Mais attention ! Il faut faire une différence entre le fait de ressentir une émotion et celui de l'exprimer. La permission de ressentir nos émotions n'inclut pas celle de nous laisser aller à les extérioriser (ce qui peut toutefois être bénéfique quand les circonstances le permettent). Je n'encourage personne à casser des chaises sous l'emprise de la colère ni à pousser des hurlements de frayeur... Ressentir parfaitement signifie faire place au silence intérieur et concentrer toute notre attention sur la sensation provoquée dans notre corps par l'émotion, en lui donnant la permission d'être là, autrement dit : en l'accueillant. En somme, il faut s'abandonner à l'émotion. Si vous réussissez cela, l'émotion disparaîtra bientôt en se transformant en énergie.

L'origine de l'émotion est toujours le refus d'accepter la situation telle qu'elle est : l'aspirant, dans une situation donnée, tend à penser qu'elle devrait, au moins en partie, être différente. En revanche, si la situation est assumée à cent pour cent, il ne peut pas y avoir d'émotion. Il y aura des sentiments, peut-être, mais pas d'émotions.

Devant une situation difficile, il y a donc trois façons possibles de retrouver l'équilibre de l'esprit, lequel maximise nos chances de comprendre comment remédier au problème :

1. Accepter *totalement* (pas à quatre-vingt-dix ni à quatre-vingt-quinze pour cent : à cent pour cent !) la situation extérieure et éviter toute émotion ;

2. Accepter à cent pour cent l'émotion qui s'est installée et la ressentir sans exercer aucune autre action intérieure ;

3. Accepter la nécessité d'exprimer l'émotion, en s'assurant d'abord que les circonstances le permettent sans nuire à qui que ce soit.

Dans les milieux où l'on recherche avant tout la performance, les émotions sont encore perçues par plusieurs comme des signes de faiblesse. L'accomplissement étant le royaume de la force et du pouvoir, l'expression des émotions a tendance à y être taboue. Le droit de l'aspirant à ressentir tout ce qui l'habite ne reçoit donc pas toujours la validation nécessaire. Seulement certaines émotions sont bien vues, alors que les autres doivent être réprimées, sous peine d'être rapidement étiqueté « ceci » ou « cela ».

Pour les aspirants qui avancent vers un objectif qui leur est cher, la colère est un obstacle assez fréquent. Un grand nombre d'entre eux ont une forte tendance au perfectionnisme et, par conséquent, ils refusent toutes les situations qui leur semblent imparfaites. Jean Monbourquette, dans son livre *Apprivoiser son ombre*, écrit ce qui suit à propos du perfectionnisme :

« On constate souvent que le perfectionniste se limite à des critères extérieurs qui se confondent avec les idéaux de sa personae (masque social). Il sera plus soucieux de paraître et d'être performant que de rechercher son harmonie intérieure et sa croissance personnelle. »[1]

L'aspirant aux prises avec la colère devant l'inattendu oublie simplement que, dans un cheminement, les événements imprévus sont au moins aussi fréquents que les événements prévus. Notre existence se déroule rarement comme nous l'avions pensé : voilà une phrase dont M. Pensée aurait avantage à se rappeler, pour cesser d'inventer des images d'une progression idéale, qui provoquent inévitablement une colère aussi éprouvante que superflue.

1. Jean Monbourquette, *Apprivoiser son ombre*, Ottawa, Éditions Novalis, 1997, p. 143.

Supposons que je sois le directeur d'une entreprise et que je vienne de recevoir le rapport d'un employé. Je m'aperçois qu'il n'est pas du tout rédigé comme je l'avais demandé. Puisque j'avais pris près d'une heure pour lui expliquer la marche à suivre, la colère me gagne en constatant ses erreurs. Évidemment, je peux aller voir immédiatement l'employé en question et m'exprimer à partir de ma colère. Ce faisant, je laisserai certainement échapper quelques phrases qui risquent fort de l'humilier et de le démotiver, et j'éprouverai par la suite un douloureux sentiment de culpabilité.

Si je gère mal ma colère, je peux la réprimer et recommencer moi-même le rapport pour qu'il réponde à mes exigences. Si je choisis cette option, cependant, je ne saurai jamais ce qui a posé problème dans les indications que j'avais soigneusement transmises à l'employé fautif. De plus, l'émotion que j'aurai enfouie risque fort de causer des dommages dans d'autres relations interpersonnelles, et ce, sans même que j'en sois conscient.

La réaction juste, que je verrai seulement si je parviens à accepter et à neutraliser ma colère en l'accueillant, serait de rencontrer l'employé et de lui demander simplement pourquoi mes consignes n'ont pas été respectées. J'apprendrais peut-être que le directeur général est passé le voir après moi et lui a donné d'autres directives, ce qui annulerait automatiquement les motifs de ma colère. Vous pensez que cet exemple est exagéré ? Examinez honnêtement votre quotidien et celui de ceux qui vous entourent, et vous verrez que ces situations sont monnaie courante, au contraire.

Le plaisir ou la joie ?

Je voudrais préciser que le plaisir existe sous deux formes dans toute quête de l'excellence. La première, celle à laquelle beaucoup d'aspirants ne peuvent résister, est l'exaltation causée par un résultat positif : j'ai gagné, j'ai décroché le rôle, j'ai obtenu le contrat ou j'ai été sélectionné parmi plusieurs candidats. Quand nous vivons ce genre de plaisir, nous ressentons chez M. *Feeling* un besoin presque impérieux d'exprimer la valeur de ces moments glorieux.

L'expression de ce plaisir se fait parfois à voix haute et parfois en silence. Il arrive également que les louanges intérieures de M. Pensée soient prononcées par d'autres personnes que l'aspirant lui-même. Des athlètes m'ont dit entendre la voix de leurs parents, de leur entraîneur ou même de commentateurs sportifs bien connus durant la compétition. Certes, ce plaisir peut faire beaucoup de bien au compétiteur à certains moments, mais, s'il est vécu inconsciemment, il demeure dépendant des résultats et fragile aux émotions contraires.

Si nous laissons un plaisir débordant nous envahir à cause d'un résultat qui semble positif, le drame qui suivra les événements perçus comme négatifs est dès lors inévitable.

Une personne qui est tout excitée parce qu'on vient de lui donner l'occasion de faire une conférence dans une salle réputée de mille huit cents sièges vivra presque assurément une anxiété profonde durant la préparation de son exposé. De la même façon, si un imprévu survient et que sa présentation ne se fait finalement que devant seulement cent vingt-cinq personnes, elle sera dévastée par la colère et la déception. On voit bien que les émotions douloureuses proviennent du fait que le plaisir est dépendant de variables incontrôlables : les autres.

Est-ce qu'un aspirant doit nécessairement mettre de côté le plaisir de réussir pour garder saine sa relation intérieure ? Non, bien sûr. Il faut simplement qu'il mette son plaisir en processus de maturation, qu'il le fasse reposer sur des bases plus solides, c'est-à-dire sur les variables dont il a le contrôle. Je dirais que la solution se trouve d'une part dans le détachement par rapport au plaisir lié au résultat et, d'autre part, dans l'apprivoisement du plaisir immuable issu du processus lui-même. En fait, il faut que l'aspirant effectue un déplacement de son plaisir pour passer de la joie du succès à la joie de développer son talent, d'être créatif, de faire quelque chose d'utile, etc. Par conséquent, le compétiteur ne doit pas réprimer son plaisir après une réussite, mais plutôt faire en sorte d'en rester conscient. L'aspirant doit aspirer à réussir l'exercice qui consiste à ressentir le plaisir du résultat sans être emporté par celui-ci. Bref, il ne doit pas parler du plaisir qui l'habite comme si la terre s'était arrêtée de tourner...

Naturellement, cet objectif est difficile à accepter : je sais que bien des personnes ne vivent que pour ces moments d'ivresse. En étant attentif, vous constaterez néanmoins que, malgré ces quelques moments exaltants, vous vivez la plus grande part de votre quotidien sans la possibilité de ce plaisir enivrant. Trouver une joie qui soit durable, même au cœur de ce quotidien, serait beaucoup plus profitable que de vivre constamment la crainte de l'échec et l'excitation de la réussite, dont l'une peut basculer vers l'autre à tout moment. Plusieurs aspirants passent en effet leurs journées à se balancer entre l'affirmation que « tout va merveilleusement bien » et la constatation que « tout va mal » et vice versa.

La joie qui doit être visée peut aussi se décrire comme la communion avec une partie plus profonde de nous-même, mais cette fusion nécessite une longue préparation, de nombreux efforts et des transformations diverses. Au contact de cette joie, l'aspirant n'est pas exubérant ; il veut plutôt déguster cet état d'esprit sans le brusquer. Cette joie n'existe que dans la simplicité du moment présent. Sa richesse, c'est qu'elle peut apparaître n'importe quand, sans le concours d'un événement extérieur, et qu'elle est durable.

Je répète que le but n'est pas de lutter contre le plaisir de la réussite. Le réprimer, c'est-à-dire faire un effort pour ne plus le ressentir, ne ferait au contraire que retarder et aggraver les conséquences qui en découlent. Ressentez-le et reconnaissez-le en toute conscience et sans jugement. Vous devez rester neutre : « Tiens, je suis excité en ce moment. Me voilà en train de m'emballer en racontant mes exploits... »

À force de rester conscient, le plaisir vous rendra moins effervescent. Il pourra alors laisser une certaine place à la joie plus discrète du processus. Au début, c'est difficile, comme tous les processus de maturation. La prise de conscience du plaisir donne parfois l'impression de le diminuer. En outre, vous pouvez être certain que M. Pensée fera tout pour vous convaincre que cet apprentissage est stupide et qu'il faut plutôt profiter du plaisir quand il passe.

Dans le plaisir, l'aspirant espère inconsciemment une reconnaissance de l'autre, dont il ne sera pourtant jamais rassasié. Ce besoin ne sera enfin comblé que le jour où l'aspirant saura lui-même se prodiguer cette confirmation de sa valeur.

Prenons un autre exemple. Émilie, vingt-cinq ans, vient de louer un nouvel appartement. Elle est tout excitée à l'idée d'y faire des travaux de peinture et de décoration. Elle installe de vieilles couvertures, elle sort les pinceaux et s'empresse de commencer. Soudain, elle se rappelle qu'elle a oublié le diluant à peinture dans la voiture. Avec un léger agacement, elle descend le chercher en pressant le pas.

Une fois de retour, elle travaille rapidement, à cause de sa hâte de voir le résultat de ses efforts. Après une trentaine de minutes, elle constate qu'elle a laissé à son appartement actuel le rouleau dont elle aurait maintenant besoin. Avec une nette impatience, elle fait le trajet d'une dizaine de minutes pour retourner le chercher.

Émilie se dépêche ensuite de finir ses installations pour s'attaquer au plafond. Elle en a peint la moitié quand elle songe à prendre une pause : à force de tenir le rouleau à bout de bras, ses épaules la font souffrir. Toutefois, comme cette pause la retarderait, elle décide plutôt de se mettre immédiatement à la deuxième moitié. Pour gagner un peu de temps, elle néglige de masquer un bout de plancher resté à découvert.

Sans qu'elle en soit consciente, au moyen de quelques phrases et de quelques images, M. Pensée lui dit que son père sera sûrement impressionné de voir son appartement tel qu'elle l'imagine et qu'il verra bien qu'elle est parfaitement autonome. Ces pensées ravivent son plaisir et son rythme de travail. Deux minutes plus tard, une toute petite perte de concentration lui fait poser un geste brusque et le pot de peinture placé derrière l'escabeau bascule sur le plancher non protégé. Pourra-t-elle alors retenir la colère intense qui monte en elle et qui anéantit toute trace de plaisir ?

La raison de cette catastrophe n'est pas la maladresse. Émilie n'était pas joyeuse du fait de peinturer, mais bien à l'idée de voir le travail terminé et son appartement dans l'état où elle l'avait imaginé. Or, cette émotion de surface n'a pas la capacité de rendre un individu profondément heureux. Comme le dit Lise Bourbeau : « L'humain ne peut pas être heureux quand il vit une émotion. »[1] L'émotion de

1. Lise Bourbeau, *Écoute ton corps*, Montréal, Éditions E.T.C., 1987.

surface, même plaisante, peut se transformer pour un rien en colère, en hargne ou en peur. Ainsi, l'aspirant en vient vite à vivre ces émotions de surface tout en craignant sans cesse de les voir disparaître. Dans ce contexte, aucun sentiment de joie simple et profonde n'est possible. Ce genre d'expérience est pourtant le lot d'une multitude d'aspirants lorsqu'ils sont en pleine compétition. Comme Émilie, ils laissent le plaisir des résultats possibles ou espérés compromettre la qualité du processus.

Ça va bien, ça va mal

Puisque tous les cheminements sont remplis d'imprévus, l'aspirant doit développer sa capacité d'adaptation. Il doit non seulement devenir flexible face à l'avenir, mais aussi apprendre à ressentir la joie de s'adapter de façon créative à ce que la vie met sur son chemin. Trop souvent, nous centrons notre plaisir sur l'exaltation liée à une situation future. Je ne suis pas contre les rêves et les objectifs, bien au contraire. Je crois toutefois qu'il est essentiel de rester ouvert aux aléas du processus pour atteindre notre objectif. Une fois ce dernier choisi, il est préférable de se tourner vers chacune des situations qui se présentent, afin de s'en servir comme de leviers pour progresser vers le but visé.

Si vous pouvez lire ce livre aujourd'hui, c'est que j'ai cru pendant dix ans que la série d'obstacles que je rencontrais, tant intérieurs qu'extérieurs, n'étaient que des étapes, toutes nécessaires, qui menaient à sa publication. Évidemment, à certains moments, M. Pensée tentait de décourager M. *Feeling* en lui faisant croire que je ne savais pas écrire ou l'excitait avec le plaisir hypothétique de voir un premier millier d'exemplaires vendus. Mais tout cela, évidemment, n'était qu'illusion. C'était une erreur de vivre chaque fois mon quotidien en l'interprétant comme bon ou mauvais. Je me donnais l'illusion, par l'intermédiaire de la relation entre M. Pensée et M. *Feeling*, que certains événements me rapprochaient de mon objectif alors que d'autres m'en éloignaient. La vérité, c'est que toutes les situations nous rapprochent de notre objectif si nous les utilisons pour apprendre.

Un conte populaire issu des philosophies orientales illustre bien la futilité de se laisser mener par l'interprétation des événements extérieurs qui surviennent pendant un cheminement :

Quelque part en Orient, un vieil homme et son fils habitaient sur une terre, à quelques kilomètres d'un petit village. Outre leur vieille maison, le seul bien que les deux hommes chérissaient était un cheval, qui leur était fort utile pour le travail d'agriculture. Un jour, durant un violent orage, la foudre fit s'effondrer une partie de l'enclos qui gardait le cheval captif. Le cheval s'enfuit et demeura introuvable. En apprenant la nouvelle, les voisins accoururent pour témoigner leur sympathie au vieil homme reconnu pour sa sagesse. Un des voisins lui dit :

– Maître, j'ai su que votre cheval s'était enfui... Voilà une bien triste nouvelle.

Le maître, impassible, répondit calmement :

– Comment savez-vous que c'est là une mauvaise nouvelle ?

Quelques jours plus tard, le fils, qui travaillait dehors, s'aperçut que le cheval était de retour et mangeait de l'herbe fraîche dans l'enclos ; avec lui se trouvaient deux chevaux sauvages qui l'avaient suivi. Tout excité, il courut voir son père et lui cria de venir voir le cadeau du ciel qui leur était offert. À la vue des chevaux, le père regarda son fils d'un air serein et lui dit :

– Comment sais-tu que c'est là une bonne nouvelle ?

Deux ou trois semaines passèrent et le fils, enjoué, décida de monter l'un des chevaux sauvages pour tenter de le dresser. À cause d'une maladresse, il fit une vilaine chute et se fractura la jambe. En informant le père de la gravité de la blessure, le médecin dit que l'événement était malheureux pour un jeune homme dans la force de l'âge qui ne remarcherait peut-être jamais plus sans boiter. Le père répliqua :

– Comment savez-vous que cela est malheureux ?

Dans les semaines qui suivirent, le pays entra en guerre. Les jeunes soldats périrent presque tous au combat. Le fils du sage fut épargné ; il n'avait pas pu s'enrôler à cause de l'état de sa jambe...

Une maxime zen dit que « le mal devient le bien et le bien devient le mal ». La considération de ce principe de vie par un aspirant lui permettrait d'accéder à un certain détachement par rapport aux conséquences de ses performances. Les mauvais résultats peuvent inciter à des changements bénéfiques, tout comme les grandes réussites peuvent avoir des retombées très éprouvantes pour l'équilibre personnel. Au quotidien, l'état d'esprit d'un aspirant doit tendre vers le calme, la confiance et la patience, pour que la joie durable associée à l'effort, à la discipline volontaire et à l'évolution personnelle devienne une priorité.

Les conflits entre M. Pensée et M. *Feeling*

Comme toute relation, celle qui existe entre M. Pensée et M. *Feeling* est ponctuée de conflits ; je dirais même qu'elle s'éveille à cause d'un conflit. J'ai déjà dit que l'opposition entre M. Pensée et M. *Feeling* vient du fait que la réalité extérieure est refusée. Cependant, la discorde peut aussi venir d'un rejet de la situation intérieure. Si je suis triste et que je le nie, alors M. Pensée se lève : je pense pour ne pas ressentir ma tristesse. Si je suis fier et que je considère que je n'ai pas droit à ce sentiment, je crée encore des pensées pour étouffer ma fierté.

L'interdiction de ressentir M. *Feeling* sous toutes ses formes est une partie importante de la blessure narcissique de l'enfance. Dans certaines familles, la tristesse est muselée ; dans d'autres, c'est la colère ou même la joie qui est bannie. Ces tabous sont rarement explicites, mais les réactions de certains membres de la famille et de l'entourage semblent une menace à l'enfant qui ressent et qui provoque un malaise. Or, les émotions qui sont refoulées créent des blocages et des tensions, en plus d'entretenir les interventions incessantes et incontrôlées de M. Pensée. Ce dernier se donne pour but d'empêcher l'aspirant de ressentir les *feeling* jugés inacceptables. Cette dynamique entre pensées, émotions et tensions prive le compétiteur de la paix de l'esprit et de la joie du moment présent.

À l'intérieur, le conflit se développe parce que les besoins légitimes de réussite et d'accomplissement, propres à M. Pensée, ou les besoins tout aussi légitimes de bien-être et de joie, propres à M. *Feeling*, sont ignorés. Parce que ces deux types de besoins peuvent parfois entrer en contradiction, l'aspirant doit être très vigilant pour parvenir à satisfaire ses deux personnages intimes.

J'ai donné précédemment des exemples pour illustrer le refus, total ou partiel, de la réalité extérieure. Voyons maintenant un exemple qui permettra de mieux comprendre la manifestation du refus de la réalité intérieure.

Imaginons Yves, jeune cadre venant d'obtenir une promotion dans une entreprise en plein essor. Yves amorce sa journée de travail du jeudi et s'aperçoit, après deux heures de travail, qu'il est d'une humeur massacrante parce que – comme hier après-midi, d'ailleurs – rien ne fonctionne à son goût : il n'arrive pas à joindre deux fournisseurs qui accusent un retard de livraison, le dossier de M. Bertrand n'a pas été complété, la secrétaire a fait une erreur en notant le numéro de téléphone d'un client, etc.

Si Yves n'est en rien conscient de la relation entre M. Pensée et M. *Feeling* qui fait rage en lui, il passera probablement cette journée à maudire son emploi et à être convaincu que la malchance s'acharne sur lui. Il continuera de s'enfoncer dans l'agressivité, ce qui fera de sa promotion un événement apparemment malheureux, chose qu'il ne s'expliquera peut-être jamais.

S'il en est capable, cependant, Yves prendra un moment de recul pour vérifier ce qui se passe entre M. Pensée et M. *Feeling*. Si sa vie intérieure lui est assez familière, il constatera qu'il a déjà fait une quarantaine d'heures de travail dans sa semaine et que les besoins de ses deux personnages intérieurs sont conflictuels. Chez M. Pensée, il verra l'intention de continuer à travailler jusqu'à samedi soir, comme il l'a fait les trois semaines précédentes. Chez M. *Feeling*, il notera un énorme besoin de détente, frustré par cette période de travail intense.

Supposons qu'Yves possède la discipline d'accepter ses limites ; il pourrait décider de prendre l'après-midi de congé et louer deux films qu'il écoutera bien allongé sur son divan préféré. Cette solution aurait sans doute des chances de ramener une certaine satisfaction chez M. *Feeling*.

Imaginons maintenant qu'Yves, grâce à une pratique régulière de quelques années, a développé une solide connaissance de sa relation intérieure. Après avoir constaté les besoins respectifs de ses deux personnages, il s'aperçoit que la perspective de regarder tranquillement des films n'apporterait pas à M. *Feeling* une satisfaction complète. Il continue donc son travail d'introspection en se demandant : « Qu'est-ce que je veux vraiment ? » S'il écoute attentivement ce qu'il ressent, il verra peut-être apparaître dans son esprit son restaurant préféré, et il se rappellera la séance d'information sur une nouvelle méthode de relaxation à laquelle il a assisté trois jours auparavant. Voilà les besoins précis de M. *Feeling* ! Pour être vraiment comblé, il désire dîner à ce restaurant et expérimenter cette méthode de relaxation.

À ce moment, Yves pourra passer l'entente suivante entre M. Pensée et M. *Feeling* : il travaillera jusqu'à la fin de la journée et prendra le vendredi de congé pour répondre à ses besoins de détente.

Tous les aspirants ont ce besoin de ressourcement par la nouveauté. C'est pourquoi plusieurs entreprises offrent à leurs employés d'expérimenter des activités diversifiées. L'aspirant doit toutefois rester aux aguets, car M. Pensée a tendance à rester ancré dans ses vieilles habitudes pour ne pas déranger sa petite routine d'accomplissement. Quand l'image de son restaurant préféré est apparue à Yves, il est possible que M. Pensée se soit empressé de rétorquer : « Ça va encore coûter une fortune ! » Il aurait également pu lui souffler, à propos de la séance de relaxation : « Ce n'est vraiment pas mon genre, ces affaires-là ! » Avec la pratique et en faisant preuve de vigilance, l'aspirant en arrive à voir clair dans ces ruses de M. Pensée et à les laisser mourir.

Selon le même principe, l'aspirant peut vivre un conflit causé par un manque d'effort. S'il prend conscience, par exemple, que ses lundis matin commencent à 11 h et que ses efforts du vendredi se terminent à 10 h, il devra peut-être instaurer une discipline personnelle plus rigoureuse, et ce, malgré les jérémiades de M. *Feeling.*

J'encourage l'aspirant à développer cette capacité à détecter et à régler les conflits entre M. Pensée et M. *Feeling* dans toutes les situations qui le nécessitent. Le processus complet se fait en quatre étapes :

1. Se retirer des événements extérieurs pour se tourner vers l'intérieur ;

2. Reconnaître avec précision les besoins respectifs de M. Pensée et de M. *Feeling* ;

3. Satisfaire, au moins en partie ou en promesse, les besoins de chacun des personnages, à des moments différents ;

4. Respecter ce qui fut promis à l'un et à l'autre pour s'éviter des humeurs massacrantes.

Le but de cet exercice est de réussir à contenter le personnage intérieur dont les besoins frustrés sont la cause d'émotions, de tensions ou de pensées qui empêchent l'aspirant de s'abandonner au moment présent. La concentration détendue n'est plus possible, parce que la partie négligée de la personnalité envoie des signaux à la conscience pour l'éveiller à ses besoins. Le seul fait de savoir que ses besoins seront bientôt pris en considération suffit généralement pour que le personnage accepte de patienter sans créer de difficultés intérieures.

L'art de la concentration, ici et maintenant

> Les obstacles sont ces choses effrayantes que nous découvrons lorsque nous détournons les yeux de notre objectif.
>
> **Hanah More**

Le monde de la compétition, avec son besoin de déterminer un perdant et un gagnant, amène parfois l'aspirant à développer une perception de la performance qui la rend plus importante après l'événement que pendant son déroulement. Plusieurs athlètes, influencés en cela par la philosophie populaire, sont davantage préoccupés par les retombées d'une rencontre sportive que par la rencontre elle-même.

Gagner ou ne pas gagner, telle est la question. Toutefois, le gagnant et le perdant ne sont départagés qu'une fois la course, le match, le combat ou le débat terminé. Cette perception du processus amène l'aspirant à se projeter sans cesse dans l'avenir ; naturellement, cela lui fait perdre sa concentration.

Je questionnais un jour une trentaine d'athlètes de quatorze ou quinze ans sur le moment sportif qui leur faisait ressentir le plus de plaisir. Plus des trois quarts des réponses portaient sur des moments qui ne participaient pas de l'action sportive comme telle mais plutôt de ses répercussions. Il faut pourtant savoir que le piège du succès est grand ouvert et menaçant pour un aspirant qui préfère au plaisir de l'action la satisfaction que tout soit terminé.

Tout comme l'avenir, le passé aussi peut faire obstacle à l'aspirant et l'empêcher d'être à cent pour cent dans le moment présent. Je me rappelle quand Loyd Eisler et

Isabelle Brasseur ont remporté leur médaille de bronze en patinage artistique aux Jeux olympiques. Le lendemain de la compétition, à cause d'une chute qu'elle avait faite durant une épreuve, des critiques acerbes de certains médias ridiculisaient la performance d'Isabelle. Une caricature la représentait dans le corps d'une poule qui s'écrasait sur la glace... Elle pouvait pourtant se vanter d'avoir terminé troisième lors de la plus grande compétition de la planète ! Mais certains s'attendaient à ce qu'elle remporte la médaille d'or... Imaginez sa peur de l'échec lors de la compétition suivante, si elle n'est pas parvenue à faire abstraction de ces sarcasmes. En effet, si elle n'a pas réussi à développer une perception de l'échec qui lui permette d'être en paix avec cet aspect du cheminement sportif, ces critiques passées risquent fort de hanter ses moments présents.

Tous les moments de performance d'un compétiteur peuvent être améliorés d'un seul coup s'il arrive à harmoniser la relation entre M. Pensée et M. *Feeling* durant l'accomplissement d'une tâche. Tout ce que nous faisons exige de la concentration. Citant un maître taoïste, Benjamin Hoff parle de cette force qu'engendre notre concentration : *When one's will is not distracted, one's power is increased !*[1] (Quand la volonté de quelqu'un n'est pas distraite, tout son pouvoir personnel augmente.)

La capacité de concentration de l'aspirant peut lui permettre de s'isoler de toutes les variables incontrôlables. Toutefois, plus ces variables suscitent d'émotions, plus cette aptitude à se concentrer doit être solide pour réussir à les neutraliser.

---

1. Benjamin Hoff, *The Tao of Pooh*, New York, Penguin Books, 1982.

Choker, ça n'existe pas !

Le verbe *choker* a d'abord été utilisé pour expliquer une contre-performance sportive. Il est maintenant employé dans d'autres domaines de performance pour désigner les moments où l'aspirant ne réussit pas à exprimer son talent. L'aspirant qui veut apprendre de ses échecs doit cependant aller au-delà de cette expression. D'ailleurs, le processus de *choking* ne survient pas comme ça, sans raison ; il cache toujours de l'information sur les obstacles que la relation entre M. Pensée et M. *Feeling* impose à l'aspirant.

Dans son livre *Le Golf au naturel*[1], Severiano Ballesteros, qui fut un très grand golfeur, donne un excellent exemple du potentiel d'apprentissage du *choking*.

Avant la dernière partie de son premier Omnium britannique, M. Ballesteros, alors âgé de dix-neuf ans, menait par deux coups sur un certain Johnny Miller. Après les 9 premiers trous (il y en a 18 dans une partie complète) de la dernière partie, Seve, comme ses amis l'appellent, avait déjà un pointage de +6 pour la journée (résultat vraiment mauvais pour lui). Bien qu'il ait réussi à se reprendre quelque peu sur les 9 derniers trous, ce ne fut pas suffisant pour atteindre ses résultats habituels ni pour remporter la victoire.

M. Ballesteros aurait très bien pu balayer cette expérience du revers de la main en concluant qu'il avait *choké*, comme plusieurs aspirants l'auraient fait. Mais ce n'est pas l'attitude des champions.

Le grand golfeur avait une capacité d'introspection notable et il maîtrisait bien M. Pensée. Au moyen de la visualisation, il analysa la préparation qui avait été la

1. Severiano Ballesteros et John Andrisani, *Le Golf au naturel*, Paris, Inter Éditions, 1989.

sienne pour cette dernière partie du tournoi le plus prestigieux d'Europe. Il s'aperçut que, lors de son échauffement, une foule enthousiaste l'avait observé alors qu'il frappait ses coups préparatoires. Il se rappela aussi que c'est à ce moment qu'il avait perdu le rythme de son élan pour ses *drives* (coups de départ). Il était tombé dans le piège du succès : il avait forcé plusieurs coups afin d'allonger sa distance de frappe et flatter l'orgueil éveillé chez M. *Feeling* par les acclamations des spectateurs. Une fois sur le terrain, il n'était pas parvenu à retrouver son rythme ni son jeu habituels, qui étaient enfouis sous l'émotion de fierté exagérée qui l'habitait.

Cet exemple illustre bien que, si l'aspirant qui résume une performance en disant : « J'ai *choké* ! » s'épargne peut-être un travail intérieur difficile, il gaspille toutefois le potentiel d'apprentissage de l'expérience qu'il a vécue. Par conséquent, il répétera fort probablement la même erreur quand des conditions semblables se présenteront.

Sans cette maîtrise de la relation entre M. Pensée et M. *Feeling*, qui s'obtient à force de travail d'introspection, je ne pense pas que Severiano Ballesteros serait devenu le grand champion que l'on connaît.

L'humilité, un long labeur

Une personne qui expérimente la sensation de frapper une balle de golf, de jouer un air de piano ou de développer une relation interpersonnelle apprécie ce moment tant qu'il s'en tient à cette tâche. Certes, il est merveilleux de sentir que nous exerçons un certain contrôle sur notre évolution et nos apprentissages ; mais surviennent bientôt les démons intérieurs du besoin de réussir en tout temps. « Merde ! Je vais perdre ! » ou « Mais qu'est-ce qui se passe aujourd'hui ? » ou encore « Il ne faut surtout pas qu'il refuse ! » Il suffit que de telles remarques soient murmurées sur un ton inquiet par M. Pensée et la magie s'envole...

Lors des moments difficiles, le niveau de performance de la veille ou de la semaine passée semble être disparu à jamais ; pourtant, il n'en est rien. Le rendement supérieur est toujours là, prêt à être exprimé. Ce qui le bloque, c'est justement la relation entre M. Pensée et M. *Feeling*, qui entrave la synchronisation du corps avec l'esprit nécessaire à l'amélioration.

Durant mon enfance et mon adolescence, les moments sportifs pendant lesquels je me sentais à mon meilleur étaient ceux qui ne présentaient aucun caractère officiel. Quand il n'y avait aucun spectateur, pas d'arbitre ni d'entraîneur, mon niveau de jeu et de plaisir s'élevait en flèche. Tout me semblait alors plus facile. L'absence de possibilité de succès éliminait bien des distractions qui, même si elles m'excitaient avant et après le jeu, amenaient M. Pensée à me rappeler que c'était « important » et qu'il ne fallait pas faire d'erreur si je voulais que les honneurs me reviennent. Dans les compétitions officielles, M. *Feeling* répondait à son interlocuteur par des craintes et des tensions qui avaient pour conséquence de détruire mon plaisir de jouer et ma concentration. Pourtant, la tâche était la même dans les deux contextes : jouer au hockey, au baseball ou au football.

Dans les moments sans prestige, je ne m'inquiétais ni du résultat, ni de ses conséquences. J'avais alors l'humilité de m'abandonner à la tâche sans vouloir influencer quoi que ce soit ou qui que ce soit d'autre.

Accepter les retombées positives associées à la réussite sans toutefois s'y identifier, voilà le défi lancé aux aspirants. Ils doivent veiller à ce que leur fierté repose sur la qualité de leur processus de développement plutôt que sur leur succès auprès des autres. Ce défi est considérable, surtout quand les honneurs, qui couronnent naturellement les performances de qualité, fusent de toutes parts. Avoir la volonté et la force de caractère pour s'affirmer dans un milieu compétitif, c'est déjà exigeant, mais pouvoir le faire en alliant persévérance et concentration totale sur le moment présent, c'est toute une tâche !

Ces exigences expliquent pourquoi les performances dites de pointe se font si rares et sont considérées comme des exploits, et ce, même si les témoignages de ceux qui les ont accomplies démontrent qu'elles sont presque toujours atteintes dans un état d'esprit très simple de plaisir et de détachement.

L'environnement de l'aspirant fait souvent mousser ses exploits. Dans un tel contexte, et s'il n'est pas suffisamment vigilant, la relation qui règne en lui entre M. Pensée et M. *Feeling* risque de perdre de vue la simplicité du moment présent et de projeter dans l'avenir l'importance de ses exploits passés.

D'une part, l'aspirant doit garder ou retrouver plusieurs qualités propres à l'enfant : la curiosité, l'abandon et l'adaptation au moment présent... D'autre part, une grande maturité lui est également nécessaire, puisqu'elle permet l'humilité d'être détaché du succès. Je comprends maintenant pourquoi Pablo Picasso disait : « Il faut beaucoup de temps pour devenir jeune ! »

Le niveau de sagesse et d'humilité exigé ne peut pas, sauf exception, être atteint à l'adolescence. D'ailleurs, la majorité des adultes n'y sont pas encore parvenus. Les ados ne peuvent pas se détacher de l'opinion des autres, pour la simple raison qu'ils sont encore dépendants de la confirmation de leur valeur par leurs pairs. Voilà pourquoi je pense que les *quasi-enfants* qui sont riches et adulés risquent fort de se développer avec un trop grand besoin d'être admirés. En connaissant le succès, ils apprennent à confondre amour et admiration.

Penser avoir l'amour du public est une grave erreur pour l'aspirant, puisque cet *amour* disparaîtra aussitôt que la qualité des performances décroîtra. Une appréciation qui est strictement conditionnelle aux prouesses s'appelle *admiration* : c'est fort différent de l'amour.

Il est essentiel de traverser plusieurs années ponctuées de réussites et d'échecs pour que la dépendance au succès se transforme en humilité. Il n'y a pas de secret, l'humilité ne s'apprend qu'en connaissant l'échec. Dans son livre, mère Teresa[1] écrit que l'humilité, c'est avoir le courage d'accepter l'humiliation. Pour l'aspirant, l'humiliation correspond aux échecs difficiles à prendre ; lorsqu'elle est assumée et intégrée, elle permet à la relation entre M. Pensée et M. *Feeling* d'être progressivement soulagée de la peur de l'échec. Dans son livre *Victime des autres, bourreau de soi-même,* Guy Corneau parle d'une inévitable défaite qui engendre l'humilité nécessaire pour échapper à son personnage de *performance* :

« Immanquablement, presque immanquablement, vient un moment, dans une vie, où ça ne va plus du tout. Parfois, le mal-être résulte des circonstances extérieures : un divorce, une faillite, une maladie, un revers. Parfois, il provient de soi, alors que tout va bien à l'extérieur. D'une certaine façon, nous pourrions dire que le deuxième cas est le pire, parce que nous n'avons pas d'excuse à offrir pour

1. Mère Teresa, *Il n'y a pas de plus grand amour,* Paris, Éditions Jean-Claude Lattès, 1997.

expliquer notre état. Tout va bien. Le succès est là. Pourtant, à l'intérieur, subsiste une impression d'échec. Comme si quelque chose nous avait échappé en cours de route. »[1]

Ces arguments soulignent encore davantage, s'il en était besoin, le rôle important que joue l'échec dans le cheminement de l'aspirant. J'ai vu des athlètes de quinze ans complètement dévastés pour une simple défaite, puisque, à cause d'une maturité biologique précoce ou pour d'autres raisons, ils n'avaient jamais connu d'échec au cours des premières années de leur cheminement. De tels revers anéantissent les illusions de l'aspirant ; ils le ramènent à sa réalité humaine faillible et imparfaite, en plus de lui rappeler l'importance de l'effort régulier. Même s'il peut cesser un jour de craindre l'échec, il doit rester conscient en permanence de sa possibilité (liée à un manque de vigilance de sa part) et se préparer de façon adéquate pour être à son meilleur.

Certains n'atteignent jamais l'humilité et continuent à nier les inévitables échecs. Dans les milieux où perdre est une honte, la déception est souvent repoussée avec toutes sortes de prétextes à l'appui. On justifie l'échec par des facteurs extérieurs au lieu d'inciter le compétiteur à se responsabiliser et à mettre en lumière ce qui cloche dans son processus interne. La seule façon pour lui d'avancer est pourtant d'assumer son éternelle imperfection.

Tôt ou tard, celui qui tient à allier excellence et bonheur durable se trouvera devant le besoin de faire naître son humilité et de réprimer son orgueil, tout en continuant ses efforts et sa quête de l'excellence. Une fois de plus, les propos de Guy Corneau viennent appuyer les miens :

1. Guy Corneau, *op. cit.*, p. 11.

« De fait, la gloire n'est pas nécessairement source d'orgueil, et la non-gloire n'est pas gage d'humilité. Il est important de souligner cela, car chacun de nous a vécu des moments de plénitude, des moments d'harmonie intensément ressentis qui ont tout à voir avec la gloire mais rien avec l'orgueil. Ces "moments de grâce" sont les points de repère essentiels de toute vie. Ils deviennent de l'orgueil seulement si une voix souffle à notre oreille que nous sommes en train de vivre quelque chose d'exceptionnel réservé à peu de gens... »[1]

Vilain orgueil

Un amoindrissement du contact avec le moment présent peut également être causé par un désir marqué de bien paraître en tout temps. Je ne fais pas seulement référence ici à la tenue vestimentaire ou à l'hygiène personnelle. Je parle surtout du désir irréaliste d'incarner la perfection à travers nos accomplissements. En psychologie, c'est ce qu'on appelle le narcissisme ; dans le langage courant, on le nomme orgueil. Cependant, il ne faut pas confondre orgueil et sens de l'honneur ; le premier vient de la peur de l'opinion des autres, tandis que le second découle de la volonté de respecter nos engagements et d'en accepter les conséquences.

La pleine concentration consiste à porter la plus grande part possible de notre attention sur la tâche à accomplir, moment après moment. L'aspirant doit rester attentif à ce qui contient de l'information utile pour lui dans l'instant présent. Pour ce faire, il lui faut minimiser la fraction de son esprit qui est portée à s'intéresser à des facteurs qui ne sont en rien pertinents pour la tâche en cours. C'est

1. Guy Corneau, *op. cit.*, p. 38.

pourtant ce à quoi l'orgueil pousse l'aspirant. Une partie de son attention se tourne alors vers les regards de ceux qui peuvent admirer ou déprécier la performance qu'il est en train de faire, ce qui crée généralement de l'exaltation de surface ou de la méfiance.

Par leur contribution à l'ambiance lors d'une compétition, les spectateurs peuvent évidemment être une source de motivation pour l'aspirant, mais ils risquent fort de causer également de la distraction. D'ailleurs, les spectateurs ne se limitent pas à ceux qui sont venus s'asseoir pour assister à l'événement ; pour l'aspirant pris dans le piège du succès, tous ceux qui sont présents lui donnent l'impression d'observer et de juger ses performances, ce qui provoque d'autant plus de tension et d'anxiété.

En vérité, sans en être conscient, l'aspirant craint beaucoup plus son propre jugement que celui des autres. Il craint surtout la critique, parfois impitoyable, de sa relation intérieure. Pris au piège du succès, M. Pensée lance sans cesse des phrases et des images qui forcent M. *Feeling* à s'inquiéter de l'opinion des autres qui, la plupart du temps, ne parviendra même pas aux oreilles de l'aspirant. On voit bien que le problème vient de l'intérieur et non de l'extérieur...

La personne prise au piège du succès veut donner un spectacle grandiose. Celle qui est libérée du piège, au contraire, accepte bien que des gens observent ce qu'elle fait, sans pour autant se préoccuper des regards. Les grands joueurs de golf ont fait tout un travail pour déjouer cet aspect du piège du succès. Lors de certains coups, les spectateurs sont tout près du golfeur : à peine quelques mètres lui sont accordés pour exécuter son coup. Cette situation exige naturellement un haut degré de concentration afin de ne pas se soucier de l'opinion d'autrui.

S'il est aux prises avec le piège, l'aspirant donne un spectacle même s'il craint l'opinion des autres, et c'est ce qui rend sa performance si menaçante pour lui. La valeur qu'il possède à ses yeux repose bien davantage sur l'opinion des autres que sur la sienne propre.

Au fil des années, beaucoup d'adeptes de la quête de l'excellence, parce qu'ils sont trop influencés par l'extérieur, développent l'habitude de laisser de côté leurs opinions et leurs intuitions personnelles liées à leur cheminement. L'opinion théorique des *experts* finit par prendre presque toute la place pour ceux qui désirent tant être reconnus. S'ils en viennent à douter de leur perception et de leur discernement, ils perdent la partie magique de leur talent. Lors de leurs performances, leurs gestes deviennent mécaniques. Pour ne pas risquer d'être critiqués, ils refusent de quitter les sentiers battus et de se laisser aller à un peu de créativité.

L'anxiété qui précède une performance, parfois appelée trac, pourrait aussi être définie comme un déséquilibre entre l'opinion d'autrui et l'opinion de l'aspirant lui-même. C'est l'une des raisons pour lesquelles certains aspirants, plus solides que leurs adversaires pour affronter le jugement d'autrui, vivent une anxiété contrôlée qu'ils trouvent stimulante, alors que d'autres s'enfoncent dans une anxiété menaçante qui les pousse à douter d'eux-mêmes.

L'insécurité liée à la perte d'un certain succès est parfois telle que toute tentative pour vivre la quête de l'excellence avec plus de calme et de confiance est rejetée du revers de la main. Des aspirants à qui je suggère des exercices pour apprendre à relaxer répondent sur un ton agacé : « Si tu penses que j'ai le temps de m'occuper de cela avant une performance ! » D'autres me disent : « Comment veux-tu que je me calme quand mes parents, mon entraîneur, des dépisteurs ou des juges sont là pour *me* voir ? » Il est donc important que l'aspirant développe sa propre ligne de pensée pour évaluer son rendement. Sinon, il se retrouve complètement dépendant de l'opinion de tout un chacun. Au quotidien, le même désir exagéré de paraître parfait ralentit la progression de bien des aspirants, tout en les privant de moments riches en joie et en harmonie.

Le compétiteur peut permettre à M. Pensée d'intégrer une façon saine d'évaluer son rendement en voyant des points positifs et des points à améliorer dans chacune de ses performances, qu'elles soient réussies ou non. J'ai déjà dit que la principale source d'apprentissage réside dans les erreurs commises. Aussitôt qu'une erreur est observée, l'amélioration débute. Or, j'ai rencontré plusieurs aspirants qui, à la suite d'une erreur, se privaient de l'observation attentive du processus ayant mené à cette erreur. Cette analyse fort utile était remplacée par une poussée de honte qui inhibait la prise en compte de l'information révélée par l'événement. Poussé par l'orgueil, certains aspirants, plutôt que de chercher en eux-mêmes la cause de l'erreur, regardent si quelqu'un dans leur environnement immédiat a été – ou pourrait avoir été – témoin de la maladresse.

J'ai constaté cette habitude chez plusieurs athlètes. Chez les joueurs de tennis ou les patineurs artistiques, par exemple, après un coup ou un saut raté, un regard instantané vers les personnes présentes trahissait cette préoccupation obsessive du regard des autres. Ce simple coup d'œil suffit pour couper l'athlète de ce qu'il a ressenti lors de l'exécution du geste manqué. Résultat : la sensation kinesthésique chez M. *Feeling* est réprimée et l'athlète ne peut pas profiter de l'expérience pour progresser. Si ce manque de concentration survient rarement, le problème n'a rien de grave. Mais si l'aspirant en prend l'habitude, après deux ou trois ans, son amélioration est considérablement ralentie.

Une autre stratégie utilisée par l'orgueil pour freiner l'aspirant est de l'amener à camoufler ses erreurs en évitant les aspects pour lesquels il éprouve de la difficulté. Bien entendu, cela a pour effet de ralentir et même de bloquer le travail sur les faiblesses qui, justement parce qu'elles sont peu maîtrisées, doivent être travaillées.

Par exemple, l'homme d'affaires plutôt solitaire aura tendance à négliger la communication et les activités sociales dans son entreprise, tout comme l'athlète qui se considère moins talentueux que les autres pour exécuter un geste donné préfère s'exercer à un autre. Pour les mêmes raisons, celui qui est tendu ou qui cache une faible estime de soi considère le travail psychologique comme une perte de temps. Cette attitude est peut-être efficace pour la réputation, puisqu'elle nous permet d'être vu sous notre meilleur jour ; par contre, c'est un désastre à la fois pour la progression du rendement et pour l'évolution personnelle.

Pour évoluer, il est essentiel d'être motivé à travailler là où ça compte... donc là où c'est le plus pénible pour l'orgueil. Si le débutant apprend si rapidement, c'est qu'il n'a pas de fierté à protéger. Puisqu'il ne maîtrise rien, il travaille sans cesse ses difficultés. L'aspirant destiné à un brillant avenir aura tendance à chercher les failles dans son développement pour s'empresser de les améliorer. Voilà l'attitude d'un champion, peu importe le domaine qu'il a choisi.

Il est impossible d'échapper au contexte social de la performance, aux jugements et aux comparaisons qui sont monnaie courante. Tout aspirant doit donc s'y adapter. Il n'y a rien de mal à vouloir bien paraître, pour autant que cette façade ne nuise en rien au contact du compétiteur avec le moment présent, ni à son développement individuel.

Mon orgueil

L'orgueil peut aussi empêcher l'aspirant de faire des expériences, qui sont pourtant une autre facette nécessaire de l'apprentissage. L'aspirant qui se cantonne dans ses habitudes cesse d'évoluer. L'orgueil reste la cause la plus fréquente de cette attache aux vieilles façons de faire. À un certain moment, j'ai eu à constater cette attitude dans mon propre cheminement.

Il y a quelques années, malgré tous mes efforts, j'étais complètement démuni face à l'anxiété qui m'envahissait quand je m'adonnais au golf. À l'époque, je lisais le livre *The Inner Game of Golf*[1], dans lequel l'auteur, Timothy Gallwey, suggérait un exercice à un compagnon avec qui il disputait une partie de golf. Le compagnon en question semblait avoir le même problème que moi : il se sentait profondément tendu et menacé chaque fois qu'il devait jouer un coup.

L'exercice consistait à frapper la balle de la façon qui procurait le plus de plaisir, pour quelques trous, sans se préoccuper de la qualité du résultat. Il amenait donc le golfeur à frapper de façon excentrique et inhabituelle toutes sortes de coups. En somme, tout était permis. Cet exercice avait pour but de rappeler au joueur la spontanéité et le simple plaisir de jouer. Parce qu'il me semblait pouvoir combler un urgent besoin chez moi, je décidai que j'expérimenterais cet exercice dès le premier signe d'anxiété lors de ma prochaine partie de golf.

Je retournai sur un terrain de golf peu de temps après, et encore une fois la tension et l'anxiété du résultat vinrent m'oppresser, surtout parce que mon jeu, aux

1. Timothy Gallwey, *op. cit.*

premiers trous, était excellent. Toutefois, je trouvai des prétextes enfantins pour ne pas me livrer à l'expérience de Gallwey.

Après ma partie, une fois de plus déprimé par les résultats, je m'aperçus clairement que l'obstacle qui m'avait empêché de tenter l'exercice était simplement mon orgueil, mon attachement à ma réputation et mon respect du côté pompeux du golf. La peur du ridicule était plus forte que mon désir de vivre de nouvelles expériences... Je refusais de faire quoi que ce soit d'inhabituel sur un terrain de golf. Soudainement, l'exercice me semblait stupide, parce qu'il défiait ma sujétion aux apparences. En poussant un peu plus loin ma réflexion, je conclus que je n'avais pas le choix : pour que mon golf et la personne que j'étais évoluent, je devais diminuer l'emprise de cette dépendance au paraître.

Pour une deuxième fois, je me fis la promesse de tenter l'expérience à mon prochain match et, comme je passai outre une nouvelle fois, au match d'après, et ainsi de suite. Pour dire vrai, il me fallut presque une saison complète pour que j'y vienne, finalement dégoûté des mauvais coups causés par mon anxiété. Quand je m'y risquai enfin, l'expérience modifia à jamais ma perception du golf. Elle m'a fait comprendre à quel point j'avais oublié l'importance de vivre quelque chose d'agréable lorsque je faisais du sport.

Un autre aspect de cet essai en valut la peine : l'air ahuri des trois personnes que je ne connaissais pas et qui jouaient avec moi quand, d'une trappe de sable, je frappai la balle avec mon bois 1. Quand j'aperçus leurs mines déconfites, je fis une chose que j'avais oublié depuis longtemps en tant que golfeur : je me mis à rire.

J'ai peut-être passé pour un imbécile durant quelques minutes, mais j'ai vite compris que je ne devais plus laisser mon orgueil me faire sacrifier de telles expériences riches en apprentissage. De toute façon, peu de temps après, ces gens avaient certainement oublié tout cela.

À la suite de cette expérience, j'ai dû faire un effort pour me convaincre que le golf était quand même plus amusant si je faisais de mon mieux pour mettre la balle dans le trou en moins de coups possible. M. *Feeling* avait tellement aimé pouvoir enfin se détendre qu'il ne voulait même plus jouer au golf. Il ne voulait plus que *jouer*. M. Pensée, avec ses exigences et ses menaces, me semblait tout à coup ridicule. Plusieurs ententes entre M. Pensée et M. *Feeling* furent nécessaires pour que le second accepte de revenir au golf tel qu'il fut créé. De temps à autre, pour répondre à un besoin de M. *Feeling*, je fais une expérience semblable pour me rappeler que la joie, l'harmonie et la confiance demeurent les objectifs fondamentaux de toute recherche de l'excellence.

Après cet événement, j'ai conçu d'autres exercices du même genre et je demande parfois à des aspirants qui me consultent d'en faire l'expérience. Ils sont d'abord réticents, mais lorsqu'ils sont bien ancrés dans le piège du succès et qu'ils finissent par oser, tous témoignent d'un retour à un niveau de confiance et de motivation plus élevé. Imaginez un homme d'affaires très attaché à son élégance vestimentaire passant une journée avec une cravate épouvantable sans dire à qui que ce soit qu'il travaille volontairement son humilité...

Tolérer, voire même accepter, l'inconfort engendré par ce genre d'exercices pousse l'aspirant à s'exercer au courage et à la confiance face à la peur de l'échec. Autrement dit, cet entraînement lui permettra de se sentir plus à l'aise dans les situations difficiles.

La confiance et le besoin d'accomplissement

Qu'est-ce que la confiance ? La confiance est un phénomène difficile à décrire. En fait, il est plus facile de reconnaître et de nommer ce qui l'entrave. La confiance est en quelque sorte une absence de peur et de doute et un abandon à l'inconnu.

Avoir la conviction que rien ne peut nous menacer, ni défaite, ni humiliation, est une autre définition possible. Le sentiment de pouvoir gagner ou réussir n'est qu'une moitié de confiance, en revanche, parce que l'échec peut encore être menaçant.

J'ai déjà écrit sur cette confiance qu'ont les enfants en bas âge quand ils jouent. Tant que la notion de compétition reste absente de leur pratique ludique, les enfants n'imaginent pas qu'un risque puisse être rattaché à l'issue d'un jeu. Pourtant, quand des enfants se retrouvent en action dans une situation où il y a des attentes sérieuses relativement aux résultats, ils se sentent vite menacés.

Les aspirants qui déçoivent les attentes de leurs proches perdent plus ou moins rapidement cette confiance débordante de l'enfance. Cette perte, très néfaste pour le développement des performances, provient du fait que l'aspirant ne reçoit pas du tout la même valorisation après un échec et après une réussite. Certes, il doit bien se rendre à l'évidence qu'une défaite n'est pas une victoire, mais il peut cependant espérer recevoir des autres et s'accorder lui-même un niveau élevé de respect, de confiance et d'estime.

La confiance inconditionnelle quant aux résultats fait plus encore que simplement permettre à l'aspirant de se détendre et d'alléger son état d'esprit : elle permet aussi d'augmenter sa motivation pour l'accomplissement. Je crois que derrière tous les manques de motivation se cache un manque de confiance et d'estime de soi. Je ne connais pas d'aspirants convaincus d'avoir un potentiel intéressant dans un domaine d'activités qui ne soient pas motivés à aller plus loin. J'ai également connu plusieurs athlètes, à l'inverse, qui avaient un talent certain mais sans la motivation pour le développer à cause de leur incapacité à le voir et à le reconnaître.

D'autres aspirants ont tendance à confondre besoin d'accomplissement et confiance. Ils tentent de camoufler un manque de confiance par un besoin d'accomplissement exagéré. Ceux qui redoutent le résultat d'une compétition vont souvent tenter, par une exubérance marquée, de se convaincre – et de convaincre leur entourage par la même occasion – qu'ils vont gagner ou qu'ils sont les meilleurs. Ils semblent toutefois de plus en plus inquiets à l'approche de l'événement. J'ai toujours été réticent par rapport à ces excès de *positivisme* servant à camoufler une peur. Selon moi, tenter de se convaincre que nous sommes le meilleur relève davantage du doute que de la confiance.

Après une de ses victoires en finale de Wimbledon, Billie Jean King, qui a été championne mondiale de tennis, avait donné la réponse suivante à un journaliste qui lui demandait si elle avait eu une préparation spéciale pour jouer un tel match : elle avait répondu qu'elle avait fait ce qu'elle avait à faire durant la journée, en prenant chaque situation une à la fois et en concentrant son attention sur le moment présent ; elle n'avait eu qu'à conserver la même attitude jusqu'à la fin du match.

Une telle simplicité dans l'attitude démontre une grande confiance, même si elle est en contradiction avec celle du *gagnant* qui se gonfle avant un événement dont M. Pensée grossit l'importance et les conséquences.

Rod Laver, qui fut un des grands du tennis durant les années 60, avait une stratégie psychologique qui lui permettait de rééquilibrer son besoin d'accomplissement lors des situations critiques d'un match. Il confessa un jour que, au moment où il ressentait de la tension relativement aux résultats futurs, il se disait que la pire des choses qui pouvait lui arriver était de perdre un simple match de tennis (*to lose a bloody tennis match !*).

La peur du vide

Se libérer du piège du succès n'est pas chose facile, puisque les bases mêmes de M. Pensée sont ancrées dans la réussite inventée et illusoire. Au fil des années, par l'intermédiaire de la philosophie populaire de la compétition, la motivation de M. *Feeling* doit sans cesse être attisée par des images d'événements futurs excitants ou par des rivalités exigeantes d'un point de vue émotif. Quand l'aspirant arrive à connaître la concentration parfaite sur le moment présent, le silence laissé par l'absence de M. Pensée lui donne l'impression d'un vide. Dans ce vide – appelons-le plutôt espace intérieur –, l'aspirant peut laisser revenir la simple joie de jouer, d'être actif et d'apprendre.

Néanmoins, rares sont ceux qui persévèrent et qui réussissent à s'établir dans cet espace intérieur. Quand des obstacles surviennent, l'aspirant saute sur ses vieilles habitudes et retourne aux émotions de peur ou de colère afin de créer sa motivation à partir des conflits entre M. Pensée et M. *Feeling*. Bien que l'accès au moment présent laisse entrevoir un potentiel beaucoup plus important, plusieurs y renoncent pour ne pas avoir à affronter la peur momentanée du vide. M. Pensée tente aussi de convaincre le compétiteur de l'ennui de ce vide et lui rappelle que le sensationnel est plus amusant. Par toutes sortes de stratégies pour garder le contrôle, M. Pensée revient occuper l'espace intérieur et faire croire à l'aspirant qu'un avenir illusoire mais emballant est beaucoup plus stimulant que le simple moment présent.

Une anecdote rapportée par Timothy Gallwey[1] illustre bien cette peur du vide qui résulte temporairement de l'abandon du piège du succès.

Lors d'une leçon de tennis donnée par M. Gallwey, un élève avoue qu'il a désespérément besoin d'améliorer son service. L'homme en question disait se lasser du tennis à cause de son service qui, malgré tous ses efforts, manquait nettement de puissance et de précision. En une seule leçon, l'approche de Gallwey, centrée sur la concentration silencieuse et l'absence d'effort conscient, a permis au joueur de développer un service nettement supérieur, à un point tel que les quelques spectateurs présents en étaient très étonnés.

L'élève, lui-même impressionné par sa nouvelle habileté, demandait sans cesse à son professeur de lui expliquer l'origine de cette puissance. M. Gallwey voulait que l'homme laisse M. Pensée de côté pour continuer à donner à M. *Feeling* le droit de jouer ; il répondait donc invariablement qu'il n'en savait rien et que l'objectif était de laisser son corps faire le service sans se questionner.

Quelques jours plus tard, M. Gallwey observait ce même élève qui disputait un match. Il fut surpris de voir qu'il était revenu à son ancien service forcé, imprécis et sans puissance. Quand Gallwey l'interrogea sur les raisons qui l'avaient poussé à ne pas utiliser ses nouvelles capacités,

1. Timothy Gallwey, *Gagner le match (dans les sports et dans la vie)*, Montréal, Le Jour éditeur, 1984.

l'homme répondit qu'il préférait son ancien service, parce qu'il ne comprenait pas ce qui créait la puissance et la précision de l'autre. « Au moins, je sais ce que je fais », furent ses paroles exactes. M. Pensée avait repris le dessus pour le ramener à ses vieilles habitudes.

Évidemment, il est d'autant plus difficile de quitter le piège du succès qu'il est cultivé depuis des années. Le jeune aspirant qui, durant huit ou dix ans, prend l'habitude de faire des efforts pour tenter de contrôler des variables qui ne dépendent pas de lui se retrouve bientôt solidement ancré dans cette attitude. Il lui faut ensuite un grand courage pour entreprendre le travail sur son état d'esprit durant ses performances.

Bien qu'il soit parfaitement possible de se libérer du piège du succès à n'importe quel âge, il est beaucoup plus aisé de résister pour ne pas s'y enfoncer au début du cheminement. En se formant très tôt à la vigilance, les enfants, les adolescents et les débutants, encore très souples intérieurement, auront certainement la tâche plus facile par la suite.

Un de mes professeurs à l'université était aussi entraîneur de gymnastique de calibre international. Un jour, il eut l'occasion d'assister à un entraînement de l'équipe nationale d'une grande renommée en gymnastique (je crois que c'était la Roumanie). Il était vraiment curieux de voir le déroulement de l'entraînement et les stratégies mises en œuvre par l'entraîneur-chef, qui avait une réputation enviable au niveau mondial.

À sa grande surprise, il ne se passait rien d'exceptionnel : chacune des gymnastes s'entraînait en faisant ce qu'elle avait à faire, l'entraîneur intervenant à peine. La recette était donc d'accorder énormément d'espace aux athlètes, ce qui permettait à M. *Feeling* de travailler. En outre, la rareté des interventions verbales avait pour conséquence de minimiser les interventions de M. Pensée. Ainsi, on mettait l'accent sur la capacité à ressentir, ce qui établit automatiquement l'aspirant dans le moment présent.

Le présent est le seul temps qui existe ; nous inventons le reste à l'intérieur de nous-même. Pourtant, le contact avec le moment présent demeure une richesse négligée. L'aspirant qui renforce ce contact verra son cheminement se simplifier et se clarifier. Son évolution en sera dès lors facilitée.

Partie III

LE PIÈGE DU SUCCÈS : VERS LA LIBÉRATION

CHAPITRE IX

Le jeu de Martin : la décision

Quelques années passèrent, pendant lesquelles Martin s'engagea à fond dans la voie proposée par son maître. Il commençait à se sentir à l'aise avec l'approche de M. LeSage lors des tournois, et il remarqua d'ailleurs une nette amélioration de ses résultats. Il gagnait régulièrement les tournois auxquels il participait et, malgré le fait que ce constat lui procurait un sentiment agréable, il en restait plutôt détaché. Ce qu'il appréciait avec une joie profonde, c'était de se trouver sur le terrain et de laisser ses actions produire ce qu'elles avaient à produire sans intervenir. Cette attitude lui donnait l'impression que ce n'était pas lui qui jouait, mais quelqu'un d'autre à travers lui.

Tout cela était fantastique, bien que fort différent de tout ce qu'il avait imaginé quand il rêvait, tout jeune, de remporter des tournois et d'être considéré comme un excellent joueur.

Au cégep, Martin jouissait d'une réputation de champion. Non seulement les étudiants connaissaient-ils son talent, mais même les professeurs et le personnel le voyaient comme le *champion de golf*. La responsable du rayonnement des étudiants l'avait même sollicité pour faire un exposé racontant son cheminement devant deux ou trois cents étudiants.

Certes, Martin était tout excité de parler de son golf et d'être admiré par toutes ces personnes, mais, le matin de la présentation, il se réveilla avec une forte anxiété qui le rendit presque malade. Il reconnut la même émotion de frayeur qu'il ressentait auparavant lors de ses examens et de ses tournois. Il avait beau se dire que c'était simple, que son exposé ne durerait que trente minutes, que personne n'était là pour le juger, rien n'y faisait : l'anxiété lui nouait l'estomac. Il entendait la même voix que par le passé lui répéter qu'il allait oublier ce qu'il avait à dire, que son récit n'avait rien d'intéressant et qu'il passerait pour un prétentieux qui veut en mettre plein la vue avec ses exploits.

Au déjeuner, il fit l'erreur d'exprimer son anxiété à ses parents, qui tentèrent aussitôt de le rassurer avec une insistance nerveuse qui l'irrita. Pour couronner le tout, Jaëlle, qui venait le chercher pour qu'ils se rendent ensemble au cégep, le salua en s'exclamant : « Salut, la grande vedette ! »

Après son exposé, Martin jura de ne jamais plus parler en public. Rien de catastrophique n'était pourtant arrivé, mais il avait récité son texte de façon mécanique. Il n'avait ressenti aucun contact avec l'auditoire, parce qu'il était trop préoccupé par sa peur d'avoir un trou de mémoire.

Martin avait aussi gagné en popularité auprès des membres du club de golf où il jouait depuis plusieurs années. Chaque fois qu'il s'y présentait, on le saluait et on lui lançait des blagues : « Tu n'as pas gagné ton dernier tournoi, Martin, qu'est-ce qui se passe ? » ou encore : « J'ai hâte de voir le championnat national revenir dans notre club, Martin ! » M. LeSage lui avait conseillé de ne pas prendre ces commentaires trop au sérieux, de se contenter de sourire et de les oublier, mais Martin voyait bien qu'une partie de lui-même s'attachait progressivement à cette fierté d'être reconnu.

Parfois, durant ses parties de golf, il revenait à ses anciennes habitudes en célébrant ses bons coups pour ensuite maugréer sur ses erreurs et s'apitoyer sur son sort. Cette exubérance lui donnait l'impression d'être meilleur aux yeux des autres. Pourtant, presque chaque fois qu'il optait pour cette approche, il s'apercevait que ses résultats étaient médiocres et qu'il était beaucoup plus fatigué après un match. Il s'en voulait ensuite d'avoir sacrifié la joie et la satisfaction qui découlait de l'adhésion à la philosophie de M. LeSage.

Un jour, au début de la saison de golf, qui augurait bien pour Martin, son mentor lui annonça qu'il devait partir chez un de ses fils et qu'il serait absent pour plus d'un mois. La nouvelle de ce départ bouleversa Martin en causant chez lui une profonde division intérieure. Jusqu'alors, chaque fois qu'il était retombé dans ses vieilles habitudes, M. LeSage l'avait aidé à revenir au processus simple et efficace qui lui convenait. Sans son aide, comment pourrait-il s'en sortir ? Avant de partir, M. LeSage lui avait dit une phrase que Martin n'avait pas comprise : « Toi seul peux choisir ! »

La veille du premier tournoi de la saison, Martin eut beaucoup de mal à s'endormir. Il rêva qu'il était pris dans une toile d'araignée géante et il se réveilla en sueur au moment où la propriétaire de cette toile arrivait pour le dévorer. Ce songe occupa son esprit une partie de la nuit et il ne put compter que sur un sommeil partiel pour se préparer à l'événement du lendemain.

Ce tournoi fut difficile pour Martin. Il tenta plusieurs fois de revenir à l'approche de son guide, mais, même s'il se répétait de lâcher prise, il n'y arrivait pas. Il continuait à être rassuré après chaque coup acceptable et à maudire chacune de ses erreurs. Il devait jouer deux parties de 18 trous ce jour-là. Après la première, il était complètement vidé d'avoir éprouvé toutes ces émotions. Il disputa donc la seconde sans réelle concentration.

Deux jours plus tard, Martin se rendit au club de golf pour suivre un cours avec M. Gagner. Son père croyait que ses difficultés du dernier tournoi pouvaient être matées grâce à une leçon avec le « pro » du club. En arrivant, Martin fut intercepté par trois membres qui insistèrent pour lui offrir à boire. Il hésita à accepter, mais devant leur insistance, il finit par s'asseoir et fut subtilement amené à raconter les moments palpitants des tournois qu'il avait remportés.

Tout en racontant ses exploits, Martin sentait que quelque chose n'allait pas. Une ombre le faisait douter du bien-fondé de ce plaisir qu'il éprouvait à partager ses souvenirs avec des gens qui étaient pourtant fort sympathiques. Après avoir bu une boisson gazeuse, il décida de prendre une bière. Après tout, il en avait l'âge légal depuis plus d'un an.

La leçon de M. Gagner n'aida pas vraiment Martin. Il était agacé par les multiples conseils techniques prodigués par l'expert et par un golfeur de son âge qui suivait le cours avec lui. À chaque coup, il se sentait forcé de regarder si la balle de l'autre joueur allait plus loin que la sienne. Il quitta les lieux en se disant qu'il n'avait pas à s'inquiéter : il était un bon joueur et les bons joueurs réussissent leurs meilleures performances quand ils en ont le plus besoin. Pourtant, un doute persistait.

La nuit venue, l'araignée vint encore hanter ses rêves. Cette fois, Martin avait retrouvé sa taille normale et la bête lui semblait bien petite. Pourtant, elle lui faisait encore très peur. Dans ce rêve, elle s'apprêtait à dévorer M. LeSage qui, minuscule, s'était à son tour pris dans la toile. Au moment où Martin voulut écraser la bête avec son pied, M. LeSage lui hurla de n'en rien faire. Encore une fois, Martin se réveilla en proie à une vive émotion et ne put fermer l'œil par la suite.

Les deux tournois qui suivirent se déroulèrent de la même manière que le précédent. Le jeune golfeur était constamment tiraillé entre ses attitudes instables et l'approche de son mentor. La présence de ce dernier lui manquait terriblement.

Martin dormit très mal durant les deux semaines suivantes. Il se réveillait souvent en sueur, sans toutefois se rappeler avoir rêvé.

Le retour de M. LeSage tardait. Quatre autres tournois furent disputés par Martin dans un état de détresse. Un jour, à la suite de quelques mauvais coups, Martin n'avait pu retenir ses larmes tellement il était découragé. Plus son soulagement était profond à la suite d'un bon coup, plus son dégoût s'accentuait lorsqu'il commettait une erreur. Il ressentait une telle division intérieure et une telle tension avant de jouer qu'il souhaitait que la saison se termine au plus vite. À certains moments, quand il prenait la décision ferme de rester concentré quoi qu'il arrive, il entendait, au plus profond de lui-même, un enfant pleurer et hurler son mécontentement. Il se demanda même s'il n'était pas en train de perdre la raison...

Après ce fameux tournoi, il refusa de rentrer avec ses parents, malgré leur insistance et leur inquiétude évidente. Il s'obstina à rentrer à pied, en portant son sac de golf tout au long du trajet qui faisait plus de quinze kilomètres. Il garda une concentration intense sur son corps et marcha d'un pas vif malgré la chaleur torride et le poids de son sac. Il voulait s'exténuer, car il croyait qu'une fois à bout de forces, il laisserait peut-être mourir ses démons.

M. LeSage était parti depuis presque neuf semaines, et Martin avait l'impression qu'il ne l'avait plus vu depuis des années.

Avant de s'endormir, ce soir-là, Martin ressentit, dans son bas-ventre, la conviction qu'il affronterait l'araignée. Il eut cette même conviction chaque soir pendant une semaine et, dans la nuit précédant le tournoi suivant, il fit un rêve décisif.

L'araignée était de la taille de Martin et elle avançait vers lui. Cette fois, il surmonta sa frayeur. Il brisa d'un geste vif la toile qui le retenait et fixa l'araignée dans les yeux, prêt à se battre avec elle, peu importe ce qu'il lui en coûterait. Il se lança dans le combat les dents serrées et, après quelques coups, la bête qui le projetait au sol avec une facilité déconcertante s'arrêta net. Elle posa sur Martin un regard de dépit et lui dit : « Laisse-toi manger, pauvre imbécile ! » Martin s'aperçut alors que l'araignée s'exprimait avec la voix de M. LeSage. Il tremblait de tous ses membres, mais, avec une concentration absolue, il s'appuya contre la toile et s'offrit en pâture. L'araignée s'avança lentement en le fixant d'un air indifférent qui lui glaça le sang.

Elle posa sur la tête du jeune homme la partie de son corps qui devait être sa bouche et le souleva avec ses deux pattes de devant. Martin sentit qu'il était englué dans un liquide visqueux et que l'araignée le mâchait. Le processus sembla durer des heures. Loin d'être douloureux, il submergea le corps de Martin d'une chaleur puissante et agréable. Dès l'instant où il se trouva dans ce cocon, il expérimenta un tel état de relaxation qu'il n'aurait pas su faire un seul effort. Il eut l'impression d'être dans sa propre tombe, sans pourtant en être effrayé ; au contraire, il se laissa aller avec une confiance telle qu'il crut sincèrement devenir une autre personne.

Il se réveilla au petit matin avec l'impression d'être enveloppé de lumière. Il passa une heure à contempler le lever du soleil avec ravissement.

M. LeSage était revenu, il le savait.

Le tournoi du lendemain ne fut qu'une formalité. Martin joua avec un tel aplomb qu'il gagna par un écart de huit coups par rapport à son plus proche rival. Ses démons avaient bien tenté de se manifester à certains moments, mais Martin les avait fixés avec un regard intérieur empreint d'une telle confiance qu'ils n'étaient pas parvenus à causer la moindre interférence dans son jeu. En fait, c'était comme si ces démons ne le concernaient plus.

CHAPITRE X
Mettre l'accent sur le processus plutôt que sur le résultat

> Si tu peux rencontrer triomphe après défaite,
> et recevoir ces deux menteurs d'un même front,
> si tu peux garder ton courage et ta tête,
> Quand tous les autres les perdront...
>
> **Rudyard Kipling**

La magie du quotidien

De toute évidence, les obstacles intérieurs que le piège du succès fait naître ne peuvent pas être franchis en un rien de temps ni simplement grâce à quelques trucs. La liberté vis-à-vis de la peur de l'échec doit se conquérir lentement, par une prise de conscience progressive et par un travail sur soi.

Pour celui qui poursuit un rêve, cet effort de libération doit devenir un entraînement quotidien. La transformation intérieure s'effectue exactement comme la progression technique ou stratégique : au fil des jours, sans que nous sachions exactement de quelle façon. Elle est toutefois différente en ce qui concerne la nature des actions à poser pour la réaliser. L'évolution extérieure exige que l'aspirant fasse l'acquisition d'un certain nombre de connaissances et qu'il les intègre à sa pratique. À l'intérieur, en revanche, la transformation pousse l'aspirant vers un *désapprentissage,* un dépouillement des émotions, des pensées et des comportements inutiles.

La motivation, la confiance, la concentration, la capacité à relaxer et la sensibilité, pour ne nommer que celles-là, sont des forces innées ; il suffit de regarder les enfants pour le constater. Personne n'a enseigné la confiance et la motivation à un bambin de sept ans, et seules de mauvaises expériences peuvent arriver à les bloquer en lui. Le travail pour les retrouver en nous consiste donc d'abord à découvrir les obstacles, puis à neutraliser leurs effets nuisibles.

Certes, l'effort, la peur ou l'inconfort seront parfois au rendez-vous, mais cette aventure de changement par le dépouillement peut tout de même s'avérer palpitante. De plus, elle est votre seule porte vers un bonheur profond et durable. Pour l'entreprendre, il suffit que vous acceptiez de faire face à une réalité incontournable : un grand nombre de manifestations intérieures vous encombrent. Si vous jetez un œil sincère au creux de vous dans votre quotidien, vous verrez certainement des pensées négatives, des émotions de surface, des règles contradictoires, des habitudes inutiles et inhibitrices et de petites dépressions sans raison apparente, entre autres, se succéder de façon presque ininterrompue. Beaucoup de gens refusent d'entrer en contact avec « tout cela ». En fait, ils craignent la seule chose qui pourrait vraiment les aider : la vérité.

Je crois qu'à notre époque, il devient de plus en plus difficile de nier la relation directe entre le corps, les émotions, les comportements et les pensées, d'une part, et la satisfaction générale que nous procure la vie, d'autre part. Dans son livre *La guérison du cœur*[1], Guy Corneau fait une démonstration impressionnante de cette relation entre les différentes facettes de notre être. Il cite même plusieurs médecins qui ont démontré par des résultats scientifiques hautement significatifs l'étroite relation entre le corps et l'esprit.

1. Guy Corneau, *La guérison du cœur*, Montréal, Éditions de l'Homme, 2000.

Au moment de commencer un travail de grande ampleur, j'ai longtemps eu tendance à baisser les bras, à renoncer. Un jour, j'ai trouvé une autre façon de réagir. Je ne me rappelle pas quel livre je lisais à cette époque, mais je sais qu'il montrait le travail intérieur non pas comme un processus qui se termine par l'atteinte d'un résultat quelconque, mais plutôt comme une évolution qui se continue notre vie durant.

Je reçus cette idée comme un grand soulagement. Je pouvais enfin cesser de me presser pour atteindre au plus vite la parfaite maîtrise intérieure. Au contraire, j'allais dorénavant prendre mon temps, observer, accueillir chaque essai, chaque erreur et chaque petit changement. Je goûterais chacune des améliorations, aussi petite fut-elle. Je n'étais plus découragé : chacune des étapes devenait à la fois une fin et un moyen. Cette nouvelle perception me donna envie de m'y mettre sur-le-champ, non pas pour terminer mais pour cheminer, c'est-à-dire, littéralement, pour *être en chemin*. Le contact étroit avec les petits changements réguliers devient une bien meilleure motivation quotidienne que l'attente des grandes transformations sensationnelles. La fascination n'alimente pas le quotidien très longtemps, alors que cette motivation intrinsèque peut durer pendant dix, vingt ou même trente ans.

J'avoue que dans les moments où je prends conscience que j'avance vraiment, je dois presque toujours lutter contre une envie de rebrousser chemin. M. Pensée, par toutes sortes de stratégies, tente de me ramener à mon passé. M. *Feeling*, effrayé par les pensées, essaie pour sa part de revenir à ses vieux schèmes rassurants et stériles.

Vous aurez sûrement à vaincre ce genre d'obstacles si vous osez emprunter le chemin du Guerrier Intérieur.

L'éveil du Guerrier Intérieur

Le temps est maintenant venu d'introduire un nouveau personnage : le **Guerrier Intérieur**. Pour dépasser la relation entre M. Pensée et M. *Feeling*, une présence nouvelle est en effet nécessaire. S'il veut prendre du recul par rapport à son processus actuel, l'aspirant devra se dégager de plus en plus fréquemment de sa relation intérieure.

Pour l'instant, dans la presque totalité de ses moments d'accomplissement, l'aspirant s'identifie complètement à ses pensées et à ses émotions. Autrement dit, il n'est pas conscient que sa relation intérieure lui fait prendre des décisions sur la base d'émotions personnelles qui l'empêchent de voir *toutes* les facettes de la situation. Généralement, au quotidien, il prend les pensées qui lui viennent pour des vérités objectives. Il réagit alors automatiquement à partir de l'émotion que ces pensées font naître, même si elle provient peut-être d'une habitude vieille de vingt-cinq ans qui n'a rien à voir avec le contexte actuel.

Prenons un exemple. Une femme est convoquée à une rencontre avec son patron. Au fil de son éducation, la personnalité de cette femme a développé une crainte de l'autorité (peut-être à cause d'une figure paternelle trop autoritaire dans son enfance). Par conséquent, M. Pensée lui souffle aussitôt : « Ce doit être parce que j'ai fait une gaffe dans un dossier. » Immédiatement, M. *Feeling* devient nerveux et M. Pensée ajoute d'autres pensées qui attisent sa crainte, ce qui entraîne d'autres pensées encore et ainsi de suite. Cette femme doit donc vivre les cinq heures qui la séparent de cette rencontre en éprouvant de la tension et de l'anxiété inutiles. Or, rien, dans l'annonce de la rencontre, ne lui permet d'affirmer qu'il s'y passera un événement négatif ni qu'elle sera reconnue coupable d'une faute...

Parce qu'elle ne prend aucune distance par rapport à sa relation intérieure, cette femme est totalement esclave de la dynamique entre ses pensées et ses émotions. Comme je l'ai expliqué au chapitre précédent, la solution consiste à rester conscient de cette relation intérieure, afin de reconnaître les moments où elle tente de nous faire adopter des perceptions exagérées ou erronées.

Le Guerrier Intérieur est justement cette présence qui permet à l'aspirant de se retirer de la relation entre les deux premiers personnages pour voir ce qui s'y passe vraiment et pour éviter de s'identifier complètement à son passé. En somme, ce Guerrier permet de séparer le spectateur du spectacle.

J'ai découvert la présence du Guerrier Intérieur à une étape de ma vie où j'étais très intéressé par la psychanalyse, dont le but est de ramener à la conscience des faits qui furent enregistrés parfois plusieurs années auparavant, surtout pendant l'enfance. Un jour, une situation douloureuse de mon passé venait de remonter à ma mémoire et une intense émotion me submergeait, un mélange de rage et de tristesse. Pour la laisser s'exprimer, je décidai de monter dans ma chambre pour frapper sur mon lit et hurler la rage qui me nouait la poitrine (par chance, j'étais seul à la maison ce jour-là).

Tout d'un coup, en pleine séance d'exorcisme émotionnel, je m'aperçus qu'un aspect de moi était totalement détaché de ce que je vivais. Je continuais à hurler et à frapper, mais je pouvais aussi, en même temps, observer ce spectacle d'un œil neutre. Il n'y avait rien d'épouvantable, d'atroce ni de merveilleux à vivre cela, c'était tout simplement ce que je vivais. Je conclus donc que c'était la seule chose que je pouvais et que je devais vivre à cet instant. Ce qui me surprit surtout, c'est que cette présence objective ne m'empêchait en rien de ressentir l'émotion intense qui m'envahissait. Je pouvais être à la fois calme et solide tout en étant secoué par la rage et les sanglots ! Une fois la crise passée, je sortis marcher en forêt en m'appliquant à conserver cette présence neutre connectée à la simplicité de l'instant présent. Je baignais dans une sérénité que je n'ai jamais oubliée. Depuis, je m'applique à vivre de plus en plus de situations tout en gardant éveillé ce Guerrier Intérieur, c'est-à-dire ce recul par rapport à ce qui m'habite.

À mesure que nous nous entraînons à sentir la présence du Guerrier Intérieur, la relation entre M. Pensée et M. *Feeling* passe progressivement de sujet à objet. L'aspirant vit de moins en moins dans ses émotions et ses pensées et de plus en plus dans cette présence qui accepte tout. Cela a pour résultat un quotidien beaucoup plus stable et équilibré.

Revenons à cette femme nerveuse et tendue qui attend la rencontre avec son supérieur. Si elle était en contact avec son Guerrier Intérieur, elle aurait pris conscience de son état désagréable en reconnaissant que cette peur, même si elle est incapable de s'en débarrasser, ne concerne en rien la réalité extérieure et ne provient que d'une habitude intérieure nuisible. Puisque aucune information objective ne lui permet d'affirmer que le patron veut la rencontrer à cause d'une erreur qu'elle aurait commise, son Guerrier Intérieur garderait dès lors une partie d'elle-même hors de l'emprise de l'émotion et des pensées. Si elle arrive à accueillir et à ressentir sa peur sans tenter de la justifier, de la rationaliser ou de se rassurer avec M. Pensée, elle a toutes les chances de la faire diminuer ou même de la voir disparaître. Elle doit avoir peur tout simplement, accepter son état intérieur, sans penser. Une émotion qui n'est pas entretenue par M. Pensée meurt tôt ou tard, exactement comme un feu qu'on cesse d'alimenter finit par s'éteindre.

J'invite l'aspirant à s'exercer, au cœur de son quotidien, à ressentir sans penser. Dans le travail intérieur comme dans toute entreprise, l'entraînement demeure le secret de la réussite. Malheureusement, c'est souvent en dernier ressort que l'aspirant tente d'éveiller son Guerrier Intérieur. Celui qui se retrouve en pleine crise dans plusieurs aspects importants de sa vie décide enfin de regarder la vérité. C'est alors qu'il constate qu'il ne pouvait plus continuer longtemps à fonctionner en esclave de sa relation intérieure. Il entreprend alors le processus de changement avec un courage qui le surprendra peut-être. Par exemple, une femme qui endure depuis plusieurs années une relation intime abusive se lèvera un matin en disant : « C'est fini, ma vie doit changer », et en sachant fort bien que rien ne l'arrêtera plus. Ceux qui sont déjà entrés en contact avec cette force connaissent la puissance de la vérité.

Un autre exemple aidera sans doute à comprendre ce qu'est le Guerrier Intérieur et la puissance qui en émane. Posez-vous les questions suivantes : À quel moment de la journée les émotions et les pensées qui vous assaillent commencent-elles à perdre leur pouvoir sur vous ? À la fin d'une journée tumultueuse, remplie de stress et d'action, à quel moment réussissez-vous à pousser un grand « ouf ! » qui signifie que vous allez relaxer un peu ? C'est probablement au moment où vous vous retirez un peu et où vous cessez d'être complètement absorbé par l'extérieur – en somme, quand vous devenez un peu plus conscient de la relation entre M. Pensée et M. *Feeling*. Même si vous ne connaissez rien à la méditation, vous appliquez un peu son principe de base, puisque le moment où vous offrez un peu d'attention à vos pensées et à vos émotions correspond au moment où elles perdent une partie de l'emprise qu'elles exerçaient sur vous. On pourrait dire que l'éveil progressif du Guerrier Intérieur signifie que vous perdez de moins en moins le contact avec votre relation intérieure, et donc que vous avez de moins en moins besoin de pousser ces grands « ouf ! ».

Bien qu'elle soit plus développée chez certains, nous possédons tous cette force de contempler objectivement notre réalité à l'aide du Guerrier Intérieur. Pourtant, rares sont ceux qui osent s'y exercer au quotidien, et encore moins arrivent à vivre chaque instant de leur vie en contact étroit avec leur Guerrier.

Chaque fois que l'aspirant, parce qu'il veut améliorer son contrôle sur lui-même, refuse d'obéir aveuglément à sa relation intérieure, il renforce ainsi le rapport qu'il entretient avec son Guerrier Intérieur. Même de petits objectifs contribuent à le consolider. Celui qui avale généralement son dessert aussitôt le plat principal terminé renforcera le Guerrier Intérieur en attendant dix minutes à la fin du repas avant d'engloutir un morceau de gâteau. Pendant cette période d'attente, ses pensées et ses émotions le supplieront certainement de passer au dessert tout de suite.

Je dois préciser que le terme « guerrier » utilisé ici ne fait en rien référence à la violence ou à la guerre. Même si le travail intérieur ressemble parfois à un combat avec nous-même, ce symbole n'est utilisé que pour souligner le grand courage dont nous avons besoin pour affronter nos propres vérités.

Le Guerrier Intérieur, lorsqu'il est bien éveillé, permet de développer l'harmonie entre M. Pensée et M. *Feeling* en connaissant et en reconnaissant les dynamiques qui se mettent en place. En Orient, on dit qu'on est libre de ce qu'on connaît...

C'est également le Guerrier Intérieur qui est responsable de la vision d'ensemble de notre évolution. Dans tous les domaines – et plus particulièrement dans le domaine des affaires –, avoir une vision globale est souvent déterminant. Combien d'hommes d'affaires se démènent pour gérer tous les problèmes quotidiens dans une course incessante ? Ils ne font qu'aller d'une crise à l'autre pour tenter de pallier un processus inadéquat. Ils ne comprennent pas que cette façon de faire débouchera tôt ou tard sur de la fatigue, de la démotivation et une diminution du rendement.

Ceux qui ont développé un Guerrier Intérieur assez fort pour se dégager, au moins momentanément, des peurs et des impatiences issues de leur relation intérieure parviennent pour leur part à prendre du recul et à discerner la direction inquiétante que prend leur processus. Ils pourront dès lors apporter les corrections qui s'imposent en utilisant leurs ressources plus intelligemment.

Voici maintenant cinq attitudes permettant d'éveiller et de renforcer le Guerrier Intérieur :

1. **Accepter les épreuves du cheminement.** Tous les chemins comportent des temps difficiles, des erreurs, des échecs, des revers de fortune, etc. Le fait de les percevoir comme des épreuves qui approfondissent l'expérience et la persévérance aide énormément l'aspirant à les traverser ;

2. **Demeurer ouvert aux approches préconisées par les autres.** S'ouvrir à l'autre est la base de toute transformation. Je ne parle pas seulement de l'autre en tant que personne, mais de tout ce qui est autre, c'est-à-dire ce qui n'est pas soi. Écouter et observer autrui peut alimenter le cheminement d'un aspirant. Le but n'est pas de copier qui que ce soit,

mais il est probable que certaines stratégies développées par les autres peuvent aider l'aspirant à satisfaire ses propres besoins restés trop longtemps sans solution ;

3. **Avoir une perspective à long terme.** Le fait de considérer chaque événement d'un cheminement comme une petite partie d'un grand tout permet à l'aspirant de relativiser l'importance d'une erreur, d'un échec et même d'une réussite, qui sinon aurait tendance à prendre trop d'importance ;

4. **Vivre dans le changement.** Tout ce que l'aspirant tient pour acquis aujourd'hui ne sera peut-être plus vrai dans quelques jours ou quelques mois. Le Guerrier Intérieur donne une vision de l'évolution potentielle et des changements probables ;

5. **Observer régulièrement la relation entre M. Pensée et M. *Feeling*.** Le rôle du Guerrier étant de comprendre ce qui se passe dans la relation intérieure, il doit nécessairement s'y entraîner. Prenez régulièrement une vingtaine de minutes, ou davantage si possible, pour observer vos émotions, vos pensées et la relation entre les deux. Appliquez-vous à voir simplement et de façon neutre. Tentez ensuite de maximiser votre attention sur les émotions, les sentiments et les sensations, en laissant mourir les pensées.

Reconnecter M. Pensée et M. *Feeling*

Même si nous tentons de garder éveillé le Guerrier Intérieur le plus souvent possible, cela ne signifie pas pour autant que les pensées et les *feelings* sont inutiles ou nuisibles.

Avec l'aide de l'œil avisé du Guerrier Intérieur, nous pouvons utiliser M. Pensée pour planifier, organiser et nous poser des questions pertinentes, tout en laissant de côté les pensées négatives, destructrices et sans fondement issues de notre vieux passé usé. Il en va de même pour les émotions et les sentiments : la présence du Guerrier Intérieur permettra de faire la distinction entre les signaux utiles et les émotions infantiles qui bloquent l'évolution de l'être.

Lors d'un cours où j'expliquais la relation intérieure, un étudiant me dit que c'était très facile pour lui de reconnaître M. Pensée, mais qu'il n'arrivait pas à saisir ce qu'était M. *Feeling*. Je lui expliquai que M. *Feeling* pouvait être repéré dans l'espace qui sépare deux pensées. Puisque la tendance est généralement de vivre sous les ordres de M. Pensée, plusieurs aspirants doivent, pour renforcer leur contact avec le Guerrier Intérieur, rétablir leur lien avec M. *Feeling*. Un exercice pouvant les y aider consiste à nommer avec précision ce que ressent M. *Feeling*. Il s'agit de s'arrêter, n'importe quand au cours de la journée, et trouver le mot le plus juste possible pour désigner ce que nous ressentons à cet instant. C'est un exercice bénéfique pour commencer l'entraînement. Puisque l'émotion peut être d'une intensité plus ou moins forte, il est également intéressant et profitable d'attribuer une cote à l'émotion ou à la sensation, sur une échelle d'intensité allant de 1 à 10.

Le plus difficile est de rester honnête. En employant le mot exact, même si celui-ci désigne une émotion perçue comme négative (par exemple, la honte, la peur, la jalousie, la culpabilité, la colère, etc.), l'aspirant harmonise sa relation intérieure. Quand l'émotion est nommée avec exactitude, il est possible, en étant très attentif, de sentir que notre état d'esprit s'améliore, et ce, pour la simple et bonne raison que M. *Feeling* se sent valorisé par la reconnaissance de ce qu'il ressent vraiment.

Nommer l'émotion machinalement et selon de vieilles habitudes ne sert à rien. En observant M. *Feeling*, l'aspirant saura si le mot employé convient parfaitement. Ne soyez pas surpris si vous constatez que vous avez peur dans une situation qui vous semble sans danger ou que vous êtes triste pour des raisons qui semblent enfantines ; préoccupez-vous seulement de la vérité. Avec l'entraînement, vous apprendrez à vous livrer à cet exercice sans jugement et sans réprimer l'émotion, et M. *Feeling* aura progressivement droit à un certain espace. Une fois l'émotion reconnue, demandez-vous : « Est-ce que c'est vraiment ce que je ressens ? » Cet exercice permet de recréer un contact authentique dans la relation intérieure. Nous avons tous appris à négliger certains signaux de notre cœur et de notre corps et c'est effectivement un réel soulagement pour M. *Feeling* d'enfin pouvoir éprouver la peur, la tristesse ou la colère tout en n'étant pas rejeté pour cela.

Si l'aspirant, même s'il tente honnêtement l'exercice, ne parvient cependant pas à nommer son émotion, c'est probablement qu'il ressent quelque chose qu'il ne veut pas reconnaître.

Diminuer les effets négatifs des mauvais souvenirs

Cela peut se révéler très difficile pour quelqu'un d'entrer en lui-même alors qu'il vit presque exclusivement concentré sur l'univers extérieur. Celui qui est constamment envahi de paroles, d'émotions et de sensations diverses, sans en être conscient parfois, peut se trouver bouleversé par ce contact soudain avec la marée de ses informations intimes. Parce que le contact entre le Guerrier Intérieur, d'une part, et la relation entre M. Pensée et M. *Feeling*, d'autre part, est interrompu depuis un certain temps, un seul vrai regard tourné vers l'intérieur cause parfois un malaise qui effraie l'aspirant de prime abord.

Lorsque je fais une séance de visualisation avec un groupe de jeunes aspirants, certains me disent ne pas pouvoir entrer en eux-mêmes. Ils ne peuvent pas rester cinq minutes les yeux fermés et sans contact avec les autres. Ils n'entretiennent aucun lien avec leur Guerrier Intérieur, et je constate toujours qu'ils sont plutôt nerveux et distraits.

En présence de beaucoup de pensées négatives, M. *Feeling* est aux prises avec des émotions de peur, de tristesse ou de colère dont l'aspirant refuse de prendre conscience. Il a donc tendance à fuir et à garder son attention tournée vers l'extérieur. Pourtant, la dynamique intérieure n'est en rien neutralisée par cette fuite de l'aspirant. Au contraire, les émotions et les tensions continuent de créer de l'interférence dans la relation entre le corps et l'esprit. C'est justement ce genre de relation intérieure négative qui nuit à l'aspirant durant les moments de performance, sans qu'il puisse expliquer pourquoi.

Lorsque nous vivons un moment où nous voulons vraiment faire de notre mieux, notre passé est stimulé. Puisque toutes nos ressources intérieures sont mises en œuvre, l'éducation aussi remonte à la surface, tout comme les mauvaises expériences. L'anxiété avant une performance est davantage créée par la peur du passé que par la peur du présent. Sans le savoir, l'aspirant craint d'entendre quelqu'un – ou M. Pensée – lui rappeler des échecs humiliants qui ont provoqué de la honte ou de la peur chez M. *Feeling*.

Imaginons que les mots et les images reliés aux souvenirs d'échec et d'humiliation passés sont les scènes d'un film d'horreur projetées dans la tête de l'aspirant lors des moments où il doit accomplir une performance. M. *Feeling* est très affecté par ce film : à la moindre phrase ou image, la peur et la tension s'éveillent en lui. La seule façon de diminuer sa peur serait de lui démontrer que tout cela n'est qu'un film créé par des événements passés et qui ne concernent en rien la réalité présente.

Si l'aspirant ne parvient pas à se débarrasser des effets négatifs de ses mauvais souvenirs, il peut du moins commencer à les démystifier. Il faut simplement qu'il ait le courage de regarder ce film encore et encore pour lui faire perdre son pouvoir. Ce faisant, l'aspirant doit rester conscient de ses émotions afin de constater que ces peurs, ces colères et ces tristesses sont bel et bien créées par un vieux film dont les scènes vont et viennent comme les émotions qui les accompagnent. Avec la vigilance du Guerrier Intérieur, l'aspirant deviendra de moins en moins distrait par son film intérieur ; c'est exactement comme un vieux long métrage triste ou effrayant visionné pour la centième fois et qui n'a plus aucun pouvoir. Le film peut bien continuer de se dérouler, mais le spectateur y fait de moins en moins attention.

L'erreur que commettent plusieurs personnes est de refuser de voir le vieux film de M. Pensée parce qu'ils ne veulent pas vivre les émotions qui s'y rattachent. Dans ces circonstances, le film continue de créer des émotions, à l'insu de l'aspirant, et ce, tant et aussi longtemps que le Guerrier Intérieur ne l'affronte pas.

Quand j'avais sept ou huit ans, je me rappelle que, dans mon équipe de hockey, le fait d'être choisi pour la mise au jeu était un grand honneur. À l'époque, lors des matchs, mes culottes de hockey avaient à peu près le même temps de glace que mes lames de patins. Malgré ma difficulté à patiner, mon entraîneur me confia une fois la grande mission de la mise au jeu. Au moment où je me dirigeais vers l'endroit fatidique, il me cria : « Essaie de te tenir debout ! » Il venait de briser ma joie et ma confiance d'enfant.

Bien des années plus tard, lorsque je me suis rendu compte que M. *Feeling* était tendu et nerveux quand j'étais appelé à faire une mise au jeu, ce souvenir me revint à la mémoire. Chaque fois, M. Pensée ramenait ce souvenir sans que je m'en aperçoive et M. *Feeling* ressentait la même crainte depuis presque vingt ans. Une fois que mon Guerrier Intérieur fut assez fort pour faire face à ce souvenir et à l'émotion qu'il contenait, une certaine tension subsistait tout de même ; c'est à force d'effectuer des mises au jeu qu'elle perdit finalement son pouvoir. Je finis par ne plus être absorbé par cet événement ; c'était désormais chose du passé.

Une fois le passé démystifié, c'est-à-dire lorsqu'il ne peut plus être confondu avec la réalité présente, l'aspirant peut approfondir sa concentration en allant un peu plus loin. J'ai déjà précisé qu'il fallait apprendre à ressentir plus et à penser moins. Cet apprentissage implique de consolider le contact entre le Guerrier Intérieur et M. *Feeling* et de neutraliser ainsi M. Pensée, qui persiste à envoyer les images et les mots reliés au passé. Nous savons que la concentration totale sur une tâche bloque ces pensées inutiles. Durant une course, un pilote de Formule 1 ne peut se permettre de rêvasser, parce que toute son attention doit se porter sur l'observation du déroulement de la course et sur les actions qu'il doit poser.

Il est possible de développer la même concentration, peu importe la situation. Si toute mon attention est centrée sur l'observation de ce que je ressens, il n'y a plus de place pour les pensées inutiles et dérangeantes. Autrement dit, lorsque le Guerrier Intérieur est complètement absorbé par mes sensations, mes sentiments et mes émotions, les pensées qui proviennent d'un autre centre ne sont plus perçues.

Faites-en vous-même l'expérience ; tentez de vous concentrer totalement sur la sensation de votre épaule gauche ou de votre genou droit, par exemple, ou de ce que vous ressentez dans l'ensemble de votre corps. Vous verrez que vos pensées se raréfient et disparaissent aussitôt que la concentration sur M. *Feeling* est totale.

Éveiller le Guerrier Intérieur par le sens du rituel

Le sens du rituel est un aspect de la vie fortement négligé dans notre société. Un rituel peut être défini comme un ensemble de pratiques réglées présentant un caractère sacré ou symbolique. Ce terme doit être compris ici comme le fait d'accorder à certaines actions une valeur symbolique pour l'éveil du Guerrier Intérieur. Cela ne signifie rien d'autre que ce dont il a été question précédemment : lorsque l'aspirant effectue certaines actions en étant absorbé par leur exécution, il centre sa relation intérieure dans le moment présent. Un rituel, même s'il peut avoir également d'autres fonctions, a toujours comme objectif de sensibiliser celui qui s'y livre à l'importance du moment présent. L'Oriental qui se prosterne devant son maître est complètement absorbé par son geste : son corps, son cœur et son esprit sont totalement présents.

Dans le quotidien, nous faisons la majorité de nos actions sans concentration réelle. Nous posons les gestes appris tout en laissant M. Pensée et M. *Feeling* interagir à propos de situations passées ou futures. Le présent n'est que très rarement goûté. Il est possible de cultiver la pratique du rituel par des gestes simples. Prenez l'habitude, deux ou trois fois dans une séance de travail, de vous retirer une minute ou deux en vous-même pour ramener votre relation intérieure à l'instant présent. Observez comment vous vous sentez, prenez quelques respirations profondes et rappelez-vous les critères d'exécution de la tâche que vous avez choisi d'accomplir. Ensuite, reprenez votre travail comme si c'était la seule chose qui existait dans votre vie. Ou encore, avant un repas, prenez le temps de vous laver les mains en vous absorbant totalement dans cette action et dans les différentes sensations qu'elle vous procure.

Cet exercice permet à l'aspirant de cibler quelques moments du quotidien pour reprendre contact avec sa relation intérieure. Idéalement, toutes les tâches du quotidien pourraient devenir des rituels. Dans son livre *La voie du guerrier pacifique,* Dan Millman, ancien champion mondial de trampoline, se remémore un entretien avec son maître :

Socrate m'avait dit, en insistant :

– Marcher, s'asseoir, respirer ou sortir les vidanges méritent autant d'attention qu'un triple saut périlleux.

– Peut-être, avais-je rétorqué, mais quand j'exécute un triple saut périlleux, ma vie est en jeu.

– C'est vrai, avait-il répliqué, mais à chaque instant la qualité de ta vie est en jeu. La vie est une succession de moments. À chaque instant, tu es réveillé ou tu es endormi, tout à fait en vie ou plutôt mort.

Je fis vœu de ne plus jamais considérer un moment comme banal.[1]

1. Dan Millman, *La voie du guerrier pacifique,* Montréal, Éditions du Roseau, 1994.

Évidemment, nous parlons ici de haute maîtrise, mais on dit en Orient que même un voyage de mille lieues commence par un simple pas...

Rituel et superstition

La superstition est un phénomène populaire dans les milieux de performance. Plusieurs athlètes, par exemple, choisissent une série d'actions qu'ils doivent exécuter avant et pendant une compétition afin de croire en leur chance de réussir.

Je ne considère pas la superstition comme étant absolument nuisible, mais je la trouve plutôt inutile par rapport au rituel. La superstition relève d'une croyance irrationnelle selon laquelle un événement en influencera un autre sans qu'il y ait corrélation entre les deux. L'exemple le plus éloquent est sûrement le lien que l'on établit souvent entre la rencontre d'un chat noir et l'arrivée d'une mauvaise nouvelle... Pour le domaine sportif, considérons l'exemple suivant : sortir du vestiaire le dernier influencera positivement la qualité de ma performance. Outre la croyance, rien ne laisse supposer une influence véritable du premier fait sur le second. Plutôt que de baser leur préparation sur des croyances magiques, les aspirants devraient plutôt développer leur sens du rituel pour élever leur niveau de confiance et de concentration lorsqu'ils accomplissent des actions symboliques.

Pour devenir un atout, le rituel doit éliminer les conflits entre M. Pensée et M. *Feeling* et déclencher un état d'esprit supérieur par l'éveil du Guerrier Intérieur. Je me rappelle que Gaétan Boucher, champion olympique de patinage de vitesse, disait qu'il était nerveux et mal à l'aise avant une compétition, au point de se demander ce qu'il faisait là. Ce manque de confiance l'habitait jusqu'à ce qu'il enlève son survêtement pour effectuer ses premiers tours d'échauffement. À partir de ce moment, un sentiment de puissance et de confiance l'envahissait et il était prêt à affronter le stress sans reculer. Ce moment était devenu symbolique pour lui, puisqu'il marquait un point de transition ; après, ses pensées et ses émotions ne pouvaient plus demeurer la base de ses actions. Au fil des années, il prit l'habitude de choisir cet instant pour éveiller le Guerrier Intérieur ; ce dernier prenait alors en charge la performance aussitôt l'action symbolique accomplie.

Le rituel de M. Boucher est profondément différent de la croyance de ce joueur de baseball qui, en allant à son match, veut rencontrer deux feux rouges parce que cet événement s'est produit lors de sa dernière victoire. La différence, c'est que le rituel du premier est basé sur l'arrivée d'une force intérieure, alors que la superstition du second est issue d'un doute quant à la qualité de sa future performance, ce qui le pousse à tenter de se rassurer.

Je suggère à l'aspirant de se débarrasser des croyances magiques reliées aux performances, surtout lorsqu'elles dépendent de facteurs extérieurs incontrôlables. Elles amènent à développer des dépendances qui peuvent devenir des distractions dans les moments intenses d'accomplissement. Si, par exemple, l'aspirant croit que le fait de porter un bracelet précis pour une prestation l'aide à se surpasser, il risque d'être dérangé et inquiet le jour où, pour une raison ou pour une autre, l'objet précieux n'est pas disponible. Je me rappelle que Patrick Roy, quand il jouait pour le Canadien de Montréal, avait toute une panoplie de superstitions. Il devait ou ne devait pas toucher à certaines lignes sur la glace et faisait toutes sortes de gestes devant son but. Il avoua en être devenu complètement dépendant durant une certaine saison.

« Moi contre les autres » devient « moi avec moi-même »

La connaissance des autres donne l'intelligence,
Se connaître soi-même donne la vraie sagesse.
Maîtriser les autres procure le pouvoir,
Se maîtriser soi-même procure la vraie puissance.

(Stephen Mitchell[1] pour Lao Tseu et traduction française par M. B.)

Le sens de la compétition populaire suscite chez l'aspirant à la fois le désir d'être gagnant et la peur d'être perdant, du point de vue des résultats externes. Pour sortir du piège du succès, il est primordial d'élargir cette perception. L'aspirant peut arriver à gagner dans chacune de ses expériences s'il reste en contact avec *son* processus. Cette possibilité exige toutefois de réduire l'importance accordée à la victoire sur les autres pour, parallèlement, donner davantage de valeur aux victoires avec soi-même. Je ne fais pas d'erreur quand j'écris victoire *avec* soi-même : il est impossible de vaincre un obstacle intérieur sans avoir la certitude de s'être accompli. Si un obstacle intérieur est surmonté, tout en moi est gagnant. Par exemple, si je surmonte ma peur, on ne peut pas dire que ma peur est la perdante et mon courage le gagnant. Tous les aspects de ma personne y trouvent leur compte.

Par ailleurs, il est beaucoup plus difficile d'avoir la certitude que notre réussite est valable si nous la comparons à celle des autres. Lorsqu'un aspirant se mesure à un adversaire, le vainqueur, selon le résultat externe, ne peut pas savoir qui il a réellement battu lors de l'affrontement. Chez les athlètes expérimentés, on sait que, d'une compétition à l'autre, le niveau de performance d'un compétiteur n'est jamais le même. Parfois, un aspirant se trouve

1. Stephen Mitchell, *op. cit.*

à 68 pour cent ou 82 pour cent de ses capacités, d'autres fois il atteindra 92 pour cent et à un autre moment il chutera à 44 pour cent. Même si je prends des pourcentages fictifs qui n'ont aucune valeur, on comprend bien que le rendement d'un aspirant fluctue énormément.

Puisqu'il est presque impossible de connaître avec exactitude notre propre niveau de performance à un moment donné, comment pourrions-nous connaître la qualité de l'opposition qu'un adversaire a fournie lors d'un affrontement ? Même si le vaincu possède une réputation éloquente, le vainqueur demeure ignorant du niveau de performance atteint par son adversaire au moment de cette compétition en particulier. Le meilleur aspirant au monde ne réussit pas toujours à fournir le meilleur rendement au monde. Les comparaisons donnent donc de fausses indications et emprisonnent l'aspirant.

La victoire avec soi-même offre donc des critères beaucoup plus sûrs pour mesurer une réussite. Si je surmonte ma timidité ou mon manque de motivation, j'évalue assez précisément la valeur de ma victoire, puisque je connais bien mon rendement habituel devant ces obstacles. Si j'arrive au bureau à 8 h 35 plutôt qu'à 9 h 20 comme d'habitude, je viens sans contredit de vaincre ma difficulté à arriver à l'heure.

Priorité : objectifs de processus

Mettre l'accent sur d'autres objectifs est également une étape à franchir pour se détacher du piège du succès. En s'appropriant presque toute la motivation de l'aspirant, le besoin urgent de résultats externes mesurables vient diminuer son ardeur au travail dans le quotidien, puisque dans ce domaine ses efforts ne peuvent pas être mesurés par rapport à autrui.

Il faut avouer que dans tout cheminement, même ceux qui sont très réussis, les moments de gloire sont beaucoup plus rares que les moments d'entraînement pendant lesquels l'aspirant répète encore et encore, à peu de choses près, les mêmes actions. De là découle l'importance de pouvoir apprécier le travail de ceux que nous côtoyons jour après jour, de même que notre collaboration avec eux. Le désir de se développer *avec* d'autres peut encourager l'aspirant à persévérer sur une longue période de temps. Par l'intermédiaire de M. *Feeling*, pour qui les sentiments d'appartenance et de compassion sont déterminants, l'aspirant reste en contact avec le goût d'apprendre et de fréquenter des gens qui ont la même passion que lui.

Le changement progressif que je propose est d'attribuer moins de valeur aux *objectifs de résultat*, pour se tourner vers les *objectifs de processus*. Les premiers peuvent être définis comme des mesures de performance qui établissent un barème de comparaison entre les différents compétiteurs d'un même domaine. Des objectifs de résultat seront par exemple : gagner un tournoi, remporter un match ou une course, obtenir un certain chiffre d'affaires, décrocher un contrat, être sélectionné pour faire partie d'une équipe prestigieuse, réussir un certain chrono, rencontrer l'âme sœur, etc. Par opposition, les objectifs de processus sont ceux qui visent l'amélioration des habiletés dans différentes facettes du domaine en question. L'aspirant se donnera plutôt pour but de devenir plus confiant, d'améliorer sa communication, d'augmenter sa souplesse, de mieux choisir ses vêtements, d'améliorer sa concentration, etc.

Ces nouveaux objectifs permettent à l'aspirant de se transformer sur plusieurs plans pour maximiser ses chances d'atteindre ses objectifs de résultats. Pour un athlète, les objectifs de processus se divisent en quatre catégories : objectifs techniques, tactiques, psychologiques et physiques. Puisque l'atteinte des objectifs de résultat dépend entièrement du processus mis en branle pour y parvenir, il est évident que plus un aspirant s'applique à l'atteinte de ses objectifs de processus, plus ses chances de succès augmentent. Pourtant, un grand nombre d'aspirants, et ce, dans plusieurs domaines, sont beaucoup plus préoccupés par la présence ou l'absence de succès que par le processus qu'ils ont adopté. Ils oublient que seule la qualité du processus détermine leurs chances de résultats positifs.

Avant de voir plus en détail le travail sur les objectifs comme tels, je voudrais d'abord discuter de la perception que nous avons de ce qu'est un objectif. La plupart des gens qui chérissent un rêve l'ont défini en se donnant un objectif de résultat bien précis. Par exemple : je voudrais un jour être directeur général de l'entreprise, je voudrais faire partie de l'équipe canadienne de ski de fond, je voudrais jouer dans l'orchestre symphonique de Toronto, je voudrais cesser de fumer, etc.

Or, une des raisons qui maintiennent l'aspirant dans le piège du succès est précisément cette définition trop étroite d'un objectif. Les objectifs sont trop souvent perçus et vécus comme des obligations : « Je dois participer aux Jeux olympiques, sinon les douze ans d'entraînement que j'ai *endurés* pour m'y rendre n'auront servi à rien. » « Mon fils doit décrocher un diplôme universitaire, sinon cela signifie que j'ai échoué comme parent. » « L'album que j'ai enregistré ne s'est vendu qu'à huit cents exemplaires, je ne suis donc pas un bon chanteur. » Même si l'aspirant ne prononce jamais de telles phrases, en observant sa relation intérieure en rapport avec son cheminement, il peut constater que l'issue de certains événements lui laissent un sentiment d'échec.

Pourtant, nous savons très bien qu'un athlète qui termine quatrième dans un championnat national est un excellent athlète, même sans médaille autour du cou. Il est également évident que celui qui a échoué de peu à une audition pour un orchestre symphonique demeure un musicien de haut calibre. S'il s'en est tenu à un processus sain et honnête, même si son objectif de résultat n'a pas été atteint, le travail accompli pour avoir une chance d'y arriver fait de l'aspirant une personne plus riche, meilleure. Voilà le vrai rôle d'un objectif : encourager l'aspirant dans son travail quotidien afin qu'il se développe et réalise son potentiel. L'objectif n'est pas une obligation, mais bien un moteur pour enrichir le processus.

Pour amorcer le changement et commencer à mettre davantage l'accent sur le processus plutôt que sur le résultat, la première étape consiste à examiner à quoi on accorde de l'importance dans la situation actuelle. Pour connaître la valeur respective accordée aux objectifs de résultat et aux objectifs de processus, je propose l'exercice suivant :

Exercice 1

Pour que l'exercice soit efficace, chaque étape doit être effectuée spontanément, sans avoir lu l'étape suivante.

Étapes :

1. Sans réfléchir, dressez la liste des choses que vous aimeriez vivre dans le domaine qui vous passionne (c'est-à-dire les objectifs qui vous tiennent vraiment à cœur). Ne réfléchissez pas, écrivez simplement tout ce que vous aimeriez réussir.

2. Lorsque plus rien ne vous vient à l'esprit spontanément, relisez chacun des points de votre liste et inscrivez un **R** à la suite de ceux qui représentent un objectif de **R**ésultat, et un **P** après ceux qui sont des objectifs de **P**rocessus.

Si l'exercice est fait honnêtement, en mettant en relation le nombre de **R** et le nombre de **P**, vous avez maintenant une idée de ce que vous souhaitez vraiment dans vos entreprises, et si vous mettez plutôt l'accent sur le résultat ou sur le processus dans votre cheminement. Poussons l'exercice un peu plus loin. Il s'agit maintenant de déterminer quelles sont les différentes catégories d'habiletés requises pour réussir dans votre domaine. Pour un enseignant, par exemple, les catégories pourraient être les suivantes : contact avec les étudiants, connaissance de la matière enseignée, évaluation des apprentissages, planification du programme, qualités d'orateur.

Le prochain exercice a pour but de vérifier si vous êtes conscient de ce qui doit être amélioré pour atteindre les objectifs de résultat auxquels vous tenez.

Exercice 2

(L'utilisation de feuilles de papier est suggérée pour cet exercice. Vous trouverez plus loin un exemple de cet exercice adapté pour un enseignant.)

Étapes :

1. Inscrivez d'abord, dans le haut de la feuille, un objectif de résultat pour lequel vous êtes prêt à faire des efforts pendant le nombre d'années nécessaire pour l'atteindre.

2. Ensuite, en laissant suffisamment d'espace entre elles, dressez la liste des catégories d'habiletés essentielles dans votre domaine.

3. Écrivez maintenant les habiletés que vous devez parfaire dans chacune des catégories pour atteindre l'objectif de résultat choisi à la première étape. Vérifiez toutes les actions qui ponctuent votre quotidien : lesquelles, en y travaillant un peu, pourraient vous donner davantage de satisfaction ? Tentez de cerner les situations, parfois anodines, qui diminuent votre estime de soi et votre efficacité.

4. Révisez chaque objectif d'amélioration et vérifiez si, pour chacun, vous pouvez déterminer une façon pratique d'y travailler. Sinon, pour chaque objectif sans moyen pratique, trouvez un livre ou consultez quelqu'un susceptible de vous en suggérer un. La stratégie rattachée à un objectif doit vous indiquer clairement ce que vous devez faire pour vous améliorer.

Une fois cet exercice achevé, vous possédez une banque d'objectifs d'amélioration (ce sont des points à améliorer pour développer les habiletés requises dans votre domaine). Il vous sera possible, au début d'une journée de travail, de choisir un de ces objectifs et de garder votre attention sur la mise en pratique du moyen qui lui correspond. L'erreur la plus commune est de vouloir tout améliorer dès le début pour ensuite laisser le processus sombrer dans l'oubli. L'aspirant a tout à gagner en ayant l'impression qu'un seul objectif à la fois monopolise ses efforts ; il pourra donc les maintenir le temps nécessaire pour parvenir à une amélioration satisfaisante.

Exemple pour un enseignant

Objectif de résultat :

Recevoir une note de 1,7 sur 2 dans l'évaluation de fin de session faite par les étudiants.

Amélioration de la relation avec les étudiants :

- Être davantage disponible pour les questions.

  Moyen : réserver deux heures le mercredi après-midi pour demeurer dans mon bureau et répondre aux questions.

- Améliorer la cohésion du groupe.

  Moyen : organiser un goûter avec l'ensemble des étudiants à la mi-session. Organiser un événement sportif avec l'ensemble des étudiants.

Amélioration de la connaissance de la matière enseignée :

- Donner davantage d'exemples vécus en relation avec la matière.

  Moyen : trouver un livre qui contient des exemples et le lire.

Amélioration de la planification du programme :

- Fournir un échéancier précis aux étudiants.

  Moyen : préparer avant la session un tableau global de toutes les dates importantes.

Amélioration de l'évaluation des apprentissages :

- Construire des évaluations pratiques.

  Moyen : consulter un collègue qui en utilise déjà et les adapter à mes cours.

Amélioration des qualités d'orateur :

- Avoir un peu plus d'humour.

  Moyen : assister à l'exposé d'un conférencier maniant l'humour avec habileté.

- Être plus dynamique durant les cours magistraux.

  Moyen : rester debout et utiliser le langage corporel lors de certains exemples.

L'échauffement psychologique

Tous les aspirants ont déjà connu de ces journées où la motivation semble avoir disparu. Le travail quotidien, plutôt que de représenter une possibilité d'aller plus loin, est alors perçu comme une énorme corvée, et le seul objectif qui s'y rattache est celui de le terminer. Lorsque cela se produit, les athlètes se sentent lourds, l'auteur reste pensif devant sa page blanche, l'homme d'affaires se cantonne dans des réflexions futiles à propos de problèmes passés ou d'événements futurs, etc. Bien souvent, ces chutes de motivation sont causées par un conflit entre M. Pensée et M. *Feeling*. Comme je l'ai déjà expliqué, leur discorde vient du fait que M. Pensée est prêt à passer à l'action, alors que son acolyte est préoccupé par un autre besoin. À l'inverse, il se peut aussi que ce soit M. *Feeling* qui déborde d'enthousiasme, alors que M. Pensée dresse des barrières sur son chemin.

Certes, le manque de motivation est parfois rattaché à une émotion qui ne concerne en rien la situation actuelle, mais souvent la confiance de M. *Feeling* vacille en regard d'un ou de plusieurs aspects des tâches à effectuer. Si l'aspirant, en observant les facettes de son travail dans lesquelles il est moins à l'aise, parvient à rassurer M. *Feeling* en lui indiquant clairement les limites de ce qui est exigé, sa motivation et sa confiance reprennent des forces. Voilà pourquoi la préparation psychologique avant de s'attaquer à une tâche est essentielle. M. Pensée doit préciser à M. *Feeling* ce qui doit être fait, lui indiquer la méthode et les ressources disponibles, lui rappeler ce qu'il faut éviter, etc., afin de lui inspirer assez de confiance pour effectuer adéquatement le travail demandé. En effet, si la confiance est au rendez-vous, la motivation suivra la plupart du temps.

Ces ententes avec M. *Feeling* sont plutôt simples à réaliser si l'aspirant se connaît bien et s'il sait établir le contact avec son Guerrier Intérieur. Si c'est le cas, il verra assez facilement quelles phrases ou quelles images de M. Pensée occasionnent une rupture dans la confiance de M. *Feeling*. L'aspirant dont la motivation est en panne sans raison apparente, se trouve généralement dans une relation intérieure qui achoppe sur un ou deux détails reliés à un seul aspect de la tâche à effectuer.

Une fois que le conflit est cerné, l'aspirant gagnerait à préparer souvent sa relation intérieure par une courte visualisation. Au début d'une journée, par exemple, ou avant de commencer certaines tâches, la relation entre M. Pensée et M. *Feeling* doit être « échauffée » ; autrement dit, elle doit s'harmoniser avec l'ampleur, la durée et la direction du travail à accomplir. Tout comme le corps a besoin de se préparer avant de fournir un effort physique, l'esprit doit préalablement s'imprégner de ce qui l'attend. Voyons maintenant comment l'aspirant peut faire cette préparation de façon efficace.

Exercice 3

Isolez-vous des distractions et assoyez-vous confortablement tout en ayant le dos plutôt droit. Il n'est pas indispensable d'être dans un endroit complètement silencieux. Commencez en prenant quelques respirations profondes, sans les forcer, et ramenez votre attention ici et maintenant. Il est préférable de faire l'exercice les yeux fermés s'il y a des distractions dans l'environnement, mais ce n'est pas non plus obligatoire.

Étapes :

1. Laissez le Guerrier Intérieur observer M. *Feeling*. Constatez les tensions, les émotions et les sensations ressenties sans les juger et sans tenter de les éliminer. Acceptez-les, simplement.

2. Laissez monter spontanément les images des tâches qui vous attendent. Voyez si ces images provoquent un état général de motivation ou de résistance. Si M. *Feeling* hésite, vérifiez s'il n'y a pas moyen d'adapter certaines parties des tâches afin qu'elles lui conviennent mieux.

3. Choisissez ensuite un objectif d'amélioration à privilégier pour la journée ou la séance à venir. Créez mentalement des images de vous-même effectuant votre travail de façon adéquate. Lorsque vous réussirez à voir et à ressentir les tâches qui vous attendent, vous aurez l'énergie suffisante pour vous y mettre. Si vous avez de la difficulté à vous imaginer en action, faites le même genre d'exercice en donnant des indications verbales à M. *Feeling* concernant ce que vous devez accomplir.

Expliquez-lui ce qui doit être fait et de quelle façon il faut s'y prendre, tout en le rassurant sur les limites de ce qui est exigé.

4. Ouvrez ensuite les yeux et commencez la première tâche en restant en contact avec vous-même. Ne vous laissez pas absorber complètement par l'extérieur. Pour garder stable votre relation intérieure, vous devez rester vigilant. Si vous entendez M. Pensée vous murmurer que « c'est ennuyeux » ou que « c'est stupide », laissez passer ces interventions et revenez à votre occupation présente.

En prenant une dizaine de minutes avant l'effort pour préparer sa relation intérieure, l'aspirant peut rendre deux ou trois heures de travail beaucoup plus efficaces. Il n'y a rien de plus inutile et désagréable que de passer deux heures à travailler sans conviction et sans direction précise. Si nous choisissons de prendre du temps pour accomplir certaines actions, il est beaucoup plus facile de s'y engager sincèrement. Sinon, il vaudrait mieux faire autre chose.

Pour le rendre efficace, l'aspirant doit s'adonner régulièrement à l'échauffement psychologique. Il peut aussi changer assez souvent d'objectif d'amélioration pour éviter la monotonie. Il ne faut pas avoir peur de se donner de nouveaux buts et de les insérer dans la banque déjà existante. Quand un point à améliorer n'évolue pas malgré le travail, changer d'objectif permet d'éviter l'acharnement et de désamorcer le conflit entre M. Pensée et M. *Feeling*. Voici quelques exemples d'objectifs de processus qui peuvent devenir des objectifs d'amélioration pertinents lors d'une journée ou d'une séance de travail, et ce, dans tous les domaines :

- peu importe la tâche, ne pas juger ce qui est à faire et garder un état d'esprit détendu ;

- remplacer la pensée négative préférée de M. Pensée par une phrase constructive et réaliste ;

- rester concentré sur les tâches jusqu'à la fin, en accordant une attention spéciale aux vingt dernières minutes ;

- ne pas laisser M. *Feeling* devenir colérique à la suite d'une erreur ; remplacer cette colère par une réflexion sur les causes possibles de l'erreur ;

- avoir pour seul objectif de garder à l'esprit la chance que vous avez de pouvoir apprendre et vous développer au moyen d'une activité ou d'un travail qui vous est confié ;

- accomplir deux ou trois solides journées d'ouvrage en promettant à M. *Feeling* de ne pas penser au travail durant les deux jours suivants.

Les personnes qui encadrent les aspirants doivent porter une attention particulière à la façon dont ils discutent des objectifs d'amélioration. Il vaut mieux décrire ces objectifs comme des richesses permettant de devenir meilleur plutôt que comme des faiblesses à éliminer au plus vite. Le compétiteur doit être enjoué à l'idée de travailler ce qu'il doit améliorer. La honte ou la menace de perdre l'estime de soi, même si elles provoquent parfois des poussées d'énergie, ne peuvent jamais faire durer la motivation bien longtemps.

Puisque l'obligation ne poussera jamais un individu aussi loin que sa volonté propre, il serait tout indiqué d'impliquer les aspirants dans le choix des points à améliorer et de la méthode à utiliser pour y parvenir.

Le sevrage du résultat extérieur

Une des tendances les plus nuisibles pour la motivation des aspirants, c'est qu'ils tentent de combler leur besoin d'estime de soi par des apports extérieurs : ils attendent des encouragements, des compliments, des médailles ou d'autres récompenses. Ils ne sont pas conscients de s'enliser ainsi dans une forte dépendance à diverses formes de reconnaissance qui, si elles sont peut-être agréables lorsque présentes, ne sont sûrement pas indispensables pour la valorisation de soi.

Les aspirants devraient plutôt développer l'habitude de combler eux-mêmes ce besoin fondamental de se sentir reconnu et compétent. Il leur suffit de s'entraîner, avec le Guerrier Intérieur, à remarquer qu'ils réussissent une foule de choses chaque jour, même quand ces petites victoires ne sont pas soulignées par un événement spécial à l'extérieur d'eux-mêmes.

Pour développer cette autonomie relative à l'estime de soi, l'aspirant doit commencer par cesser, au moins pour un certain temps, de rechercher des résultats extérieurs. Le représentant des ventes, par exemple, ignorera le rapport des ventes mensuelles pendant trois mois ; le joueur de tennis disputera des matchs en changeant d'adversaire avant la fin du dernier set pour ne jamais connaître le pointage final ; le musicien s'isolera pour jouer sans l'avis de qui que ce soit ; le nageur cachera le chronomètre durant ses entraînements et la personne qui veut perdre du poids cessera de se peser durant un mois. Peu importe le domaine, il s'agit de comprendre que, même sans mesure objective, il y a eu effort, rendement et résultat.

Pendant cette période de sevrage, à la fin de chaque séance de travail, l'aspirant prendra contact avec le Guerrier Intérieur. Avec lui, il trouvera trois points positifs liés aux actions, aux décisions et aux attitudes observées durant cette séance. Il est défendu de quitter les lieux de travail sans avoir effectué l'exercice au complet ! La grande majorité des aspirants se dépêche d'aller se reposer ou se distraire sans reconnaître qu'ils ont fait des efforts pour améliorer plusieurs aspects de leur rendement. À la longue, ce manque de reconnaissance provoque chez M. *Feeling* une baisse de motivation et de confiance.

Au début, cet exercice semble difficile. Puisque l'habitude populaire est de ressentir de la fierté seulement quand les autres soulignent une de nos actions ou qu'un événement se termine en notre faveur, valoriser les efforts ne rapportant pas de résultats visibles et immédiats n'est pas chose aisée.

Reconnaissez que vous avez eu le courage d'appeler un client pour lui annoncer une mauvaise nouvelle, malgré le fait que vous remettiez cet appel depuis déjà deux semaines. Prenez conscience de votre audace à inclure dans une présentation des éléments nouveaux qui vous paraissaient enthousiasmants, même si vos supérieurs auraient pu critiquer et rabaisser votre initiative. Remerciez M. *Feeling* d'avoir accepté de faire des efforts physiques durant trente minutes. Une fois que cette habitude de valorisation personnelle sera bien installée, vous constaterez que M. *Feeling* est davantage prêt à travailler des objectifs d'amélioration quand il se sent reconnu, surtout par M. Pensée. Cela entraînera inévitablement une progression.

Là encore, ceux qui encadrent le cheminement des aspirants peuvent les aider en les privant de résultats externes pendant une certaine période de temps jugée adéquate. L'exercice de reconnaissance des points positifs peut même être fait en groupe, pour que l'aspirant développe le courage d'exprimer son *autovalorisation* devant les autres. Évidemment, le respect de l'individu par le groupe est un préalable essentiel.

Les entraîneurs, les professeurs et les cadres d'entreprise, entre autres, ont avantage à encourager *l'autocorrection* et *l'autoévaluation*. Avant d'intervenir auprès d'un aspirant, par exemple, ils lui demanderont d'abord sa vision de la situation en l'écoutant attentivement. Ils peuvent ensuite émettre leur propre opinion sans juger celle de l'aspirant. Il ne faut pas faire l'erreur, malheureusement fréquente, de vouloir déterminer qui a raison et qui a tort ; un moyen plus efficace est de concilier les forces des deux visions. Celui qui s'ouvre à l'autre vérifiera sans doute la véracité du proverbe tant de fois cité : « L'union fait la force. »

Périodiquement, le fait de laisser trois ou quatre aspirants planifier une séance de travail est aussi une façon de les aider à mettre davantage l'accent sur le processus, afin que le résultat ne soit pas la seule chose qui importe. Ainsi, dans les moments de performance, l'aspirant sera plus apte à rester détendu, puisqu'il sait que c'est le processus qui sera observé, et non seulement la séparation entre le gagnant et le perdant.

CHAPITRE XI

Le jeu de Martin : l'assimilation

Il pleuvait à boire debout. Martin patientait sous un immense parapluie en sirotant un jus de fruits. Il en était à la partie finale du championnat national qui se déroulait sur un terrain de sa région. La pluie s'était mise à tomber soudainement, avec tellement de force que les responsables du tournoi avaient jugé bon de prendre une pause afin de laisser passer l'orage. Vu son intensité, il n'allait sûrement pas durer bien longtemps. Durant l'arrêt du jeu, son père était venu le rejoindre pour savoir comment il allait. Le jeune golfeur résuma ce qu'il vivait en quelques phrases que le père écouta avec attention. M. Meilleur invita Martin à prendre conscience que son rythme était peut-être un peu rapide :

– Je ne sais pas ce que tu en penses, mais j'ai l'impression que ton rythme de marche et ta préparation avant tes coups sont plus rapides que d'ordinaire. Est-ce le temps frais qui t'influence ?

– C'est possible. Cela expliquerait aussi pourquoi je ne sens pas mon élan comme d'habitude, répondit Martin.

– En tout cas, j'espère que tu ne vas pas commencer à faire tes maudites...

M. Meilleur s'interrompit parce que Martin lui avait fait un clin d'œil. C'était le code que Martin utilisait pour avertir son père quand il sentait qu'un de ses messages ne l'aiderait pas. Ainsi, l'*ego* du paternel n'était pas meurtri par une remarque blessante de la part de son fils. Au prix de grands efforts, M. Meilleur avait reconnu que certaines de ses remarques cachaient de l'impatience et des jugements négatifs sur le jeu de son fils. Ce clin d'œil l'aidait à mater ses habitudes avant qu'elles ne fassent du tort.

Ils s'adressèrent un sourire complice. M. LeSage, qui agissait comme caddie pour Martin depuis plus d'un an, s'approcha de son protégé pour lui annoncer que les juges avaient donné le signal de reprendre le jeu. La pluie s'était arrêtée aussi brusquement qu'elle avait commencé. On voyait même de grands espaces de ciel bleu chasser les nuages qui s'éloignaient rapidement.

Martin se dirigea vers le départ du 14e trou et pensa, durant sa préparation pour son premier coup, à ralentir son niveau d'activation, comme son père le lui avait suggéré. Après une préparation soigneuse et posée, sa frappe lui donna l'impression de fluidité qu'il recherchait, sans trop de succès, depuis le début de la partie. Cette sensation donnait presque toujours lieu à d'excellents coups ; cette fois, elle permit à Martin de faire deux oiselets[1] sur quatre trous avant de se présenter au 18e trou.

Juste avant de monter sur le tertre de départ de ce dernier trou, il sentit une vieille habitude refaire surface : il avait envie de regarder le tableau de pointage pour connaître son rang dans le peloton de tête. Mais il avait convenu avec M. LeSage qu'il était préférable pour lui de se

1. Un oiselet est réussi quand le golfeur atteint le trou en un coup de moins que la normale. Par exemple, un oiselet signifie qu'un joueur a réussi en trois coups un trou à normale 4.

concentrer sur son jeu et de laisser mourir les rivalités avec les autres joueurs durant ses parties. Il fit donc un effort et résista à cette envie de savoir. Toutefois, alors qu'il se relevait après avoir planté son té, ses yeux, guidés par une force occulte, jetèrent un bref regard sur les résultats. Ce coup d'œil lui fut suffisant pour voir son nom en tête de liste, à -1[1], et pour comprendre que celui qui le suivait n'était qu'un coup derrière. Il sentit aussitôt une tension nerveuse l'envahir et il regretta d'avoir cédé au besoin de regarder. La philosophie qu'il avait développée avec M. LeSage lui avait permis de remporter huit de ses dix-neuf derniers tournois, en plus de finir cinq fois dans les trois premiers : il aurait dû continuer à lui faire confiance. Martin s'éloigna de sa balle et appela M. LeSage :

– Je viens de regarder le tableau et je sais que je suis en tête ! bafouilla-t-il.

– Et puis ? Serais-tu allergique aux victoires ? répondit l'autre avec un sourire moqueur.

– Je me sens nerveux, maintenant. Un mauvais trou pourrait me faire très mal, répliqua le jeune homme.

– Martin... Tu es le seul à pouvoir décider si ton golf a de la valeur ou non. Rien ni personne ne peut juger de la valeur de ta performance, surtout pas un tableau avec des noms. Maintenant, joue au golf !

M. LeSage prononça ces trois derniers mots avec un ton grave et empreint d'une profonde assurance. En même temps, il avait allongé sa colonne vertébrale et Martin vit monter en lui quelques images des nombreux moments

1. Le chiffre -1 signifie que Martin a joué un coup sous la normale pour l'ensemble de la partie.

passés à discuter avec son mentor de la chance de simplement pouvoir jouer ; il ressentit également cette chance dans son corps.

Martin eut conscience que ses épaules retombaient en place ; il fit un sourire amusé, regarda le tableau comme il aurait regardé n'importe quel objet banal et revint au golf qui, finalement, n'avait rien de compliqué. Il y avait toujours un seul coup à jouer : le prochain.

Il examina le trou, un « par cinq » (ou normale 5) plutôt court qu'il aimait beaucoup et qui l'avait déjà forcé à prendre des décisions difficiles. Son coup de départ fut excellent. Cette fois, sans hésitation, il prit son fer 4 et frappa un coup solide en direction du vert. Sa balle s'immobilisa sur le bord du vert, appelé la « frise », à environ quinze mètres du trou. Son premier coup roulé fut plutôt bien mais, à cause d'une pente descendante, il dépassa le trou d'environ un mètre et demi.

Durant sa préparation pour le coup suivant, Martin sentit renaître en lui ses vieux démons de fin de tournoi. Il était bien conscient que le fait de réussir ce coup lui donnerait toutes les chances d'être champion national. Il accueillit les doutes avec respect. S'il les avait affrontés par le passé, il pouvait certainement le faire encore. Pour rassurer la partie de lui-même qui était effrayée, il se fit la promesse que peu importe le résultat de ce coup, il l'accepterait en toute sérénité et resterait fier de cette partie... Les échecs n'existent que si on les refuse, se rappela-t-il.

Il exécuta son coup avec confiance et la balle se dirigeait en plein centre du trou. Cependant, en contournant le rebord, elle dépassa la coupe par moins d'un centimètre. Pour s'adapter à la pente montante, Martin avait joué un peu trop fort et la balle resta à un cheveu de tomber. Martin observa la balle et resta plusieurs secondes sans bouger, ce que plusieurs spectateurs interprétèrent comme une attitude de dépit. En fait, durant cette pause, Martin s'appliquait à respecter la promesse qu'il s'était faite d'accepter le résultat de son coup, quel qu'il soit. Alors qu'il faisait un premier pas pour aller faire tomber sa balle dans la coupe, il eut une surprise : il entendit le bruissement des arbres et, immédiatement après, le son que tous les amoureux du golf espèrent à la suite d'un coup roulé. Martin, après avoir poussé un grand soupir, sentit une joie immense l'envahir. À cause de la pente et d'un coup de vent favorable, la balle avait elle-même trouvé son chemin jusqu'au fond de la coupe.

Il sauta dans les bras de son père et chercha des yeux M. LeSage, mais il ne le vit nulle part.

Après avoir remporté le tournoi par un coup, Martin passa le reste de la fin de semaine à célébrer avec ses parents et amis. Il avait hâte de revoir M. LeSage, mais chaque fois qu'il voulait se rendre au parc des Fous, une frayeur l'en empêchait. Presque deux semaines passèrent avant qu'il ne surmonte cette peur. Il se rendit finalement au parc un samedi matin, comme d'habitude, pour voir son maître. Il avait découvert à la bibliothèque un vieux livre européen sur le golf et en avait lu quelques passages. Il s'était attardé longuement sur toutes sortes d'écrits anciens, et plus particulièrement sur un poème qui l'avait beaucoup ému. Il voulait que M. LeSage lui explique le sens caché de chacune des strophes :

VENT D'ÉCOSSE

Le soleil s'étire encore,
les vertes sentinelles
gardent les longs corridors
toujours fiers, toujours sacrés.

Balles et bâtons s'entrechoquent
et de la marque se moquent.
Quête de l'honneur,
prière aux dieux
de me rendre au jeu
resté pur, resté caché.

Bras ouverts, j'attends que les oiseaux
boivent à la coupe,
sorcière de mes sentiments
engendrés au royaume du kilt
tissé vert, carrelé.

Rêves de champion
qui veillent et s'éveillent
le temps d'un clin d'œil,
le temps d'un élan,
dans mon cœur d'enfant
encore vert, encore enjoué.

J'annonce au néant,
l'âme dans l'océan,
mon désir de guérir.
Et j'ai le sang heureux,
mouillé de rosée,
béni par mes aïeux
si peu fiers d'avoir tant juré.

Martin avait relu le poème à plusieurs reprises et ne comprenait pas pourquoi il lui donnait tellement envie de se retrouver sur un terrain de golf tôt le matin. Il ne put découvrir qui en était l'auteur, mais c'était certainement un amant du golf.

Puisque M. LeSage ne semblait pas encore être au parc, Martin se mit à son entraînement en débutant par un exercice de M. LeSage : le golf à gaffe. Cela consistait à frapper la balle de toutes sortes de façons nouvelles et excentriques, en accordant son attention à deux aspects précis, soit les sensations corporelles ressenties et le besoin de rire de chaque geste. Cette activité inusitée était surtout bénéfique dans deux situations : ou bien quand son golf n'allait nulle part, ou bien après une période d'inactivité, afin de reprendre contact avec ses sensations kinesthésiques subtiles.

Après environ une heure d'exercice, Martin prit une pause et se rendit compte que durant toutes ces années, malgré plusieurs farces, pas une fois M. LeSage n'était arrivé si tard. Soudain, Martin prit conscience que c'était neuf ans auparavant, jour pour jour, qu'il avait rencontré le drôle de bonhomme pour la première fois

Les feuilles firent entendre un bruissement serein. Martin sourit : M. LeSage ne viendrait pas... ne viendrait plus.

Il n'avait plus besoin du monsieur, le Sage était en lui.

CHAPITRE XII

Développer ses forces intérieures

Je suggérerai ici certains exercices et principes à respecter, mais je dois avertir le lecteur qu'aucune de ces suggestions n'est un remède miracle. Leur but est d'éveiller l'aspirant à l'importance du développement personnel dans la quête de l'excellence. Les stratégies choisies doivent être exécutées en observant leurs conséquences sur la relation qu'entretiennent M. Pensée et M. *Feeling*. Les stratégies seules provoquent rarement une amélioration durable. La progression des forces intérieures provient plutôt des prises de conscience que l'expérience vécue suscite chez lui.

Les trois P

Maintenant que l'aspirant connaît bien son trio personnel (le Guerrier Intérieur, M. Pensée et M. *Feeling*), un travail plus avancé sur le développement de ses forces peut s'amorcer. Les trois **P** sont des forces que l'aspirant peut cultiver en apprenant, à l'aide du Guerrier Intérieur, à gérer la relation qui s'établit entre M. Pensée et M. *Feeling* dans certaines circonstances fréquentes dans son cheminement vers l'excellence. Certains conflits intérieurs émergent du fait que le compétiteur est porté à vouloir tout réussir, tout de suite, ce qui est en parfaite contradiction avec le déroulement naturel d'un processus d'accomplissement.

La Protection

La force de protection est constituée des habiletés nécessaires pour protéger M. *Feeling* de certaines émotions douloureuses et récurrentes qui ne lui apportent rien d'utile. La douleur joue un rôle clé dans la quête de l'excellence, à condition qu'elle permette un apprentissage ou le renforcement d'une habileté. Lorsque la souffrance physique ou morale ne sert à rien d'autre qu'entretenir une émotion égocentrique, elle devient une perte de temps et d'énergie. Toutes ces émotions destructrices viennent, la plupart du temps, d'un manque de cohérence dans la dualité qui oppose M. Pensée à M. *Feeling* ; autrement dit, elles naissent quand la relation intérieure s'entête à refuser la réalité. L'anxiété provenant d'une surcharge de responsabilités, de conflits qui perdurent, d'inquiétudes ou de colères sans fondement objectif en sont des exemples valables dans tous les domaines d'activité.

Pour se protéger de tout cela, la maîtrise de deux mots suffit : « oui » et « non ». Bien qu'elle puisse paraître facile de prime abord, cette habileté exige de faire une analyse très affinée d'une situation. L'aspirant, pour choisir la réaction juste, doit tenir compte de *tous* les aspects de la situation dans laquelle il se trouve. Pour nous guider dans la maîtrise de ces deux simples mots, une phrase de la Bible offre une aide précieuse : « Que vos oui soient des oui et que vos non soient des non. »[1] En somme, cela signifie que le oui comme le non doivent être totalement assumés ; que celui qui opte pour l'une ou pour l'autre de ces positions doit ensuite accepter totalement les conséquences qui découlent de ce choix. L'erreur commune est de dire oui avec une partie de soi, pour ensuite maugréer sur les responsabilités qui découlent de ce oui ; ou encore, ayant dit non, de s'inquiéter des conséquences de ce refus.

1. Jc 5,12.

Par exemple, le travailleur autonome qui se voit offrir un contrat intéressant dans un moment où il est déjà débordé de travail doit : soit refuser sans le regretter, soit accepter avec la même attitude. Si le oui vient de la simple insécurité financière, ce n'est pas un vrai oui, et les tâches qui en découlent seront effectuées sans conviction.

Je connais des aspirants qui sont constamment à la course tout en maudissant ce « marathon », mais qui ne savent pas refuser la moindre occasion d'obtenir de la reconnaissance extérieure en travaillant encore plus. Le fait d'acquiescer à toutes ces offres ne les empêche pourtant pas de continuer à se plaindre sans arrêt d'être toujours aussi pressés. En fait, les actions qu'ils privilégient ne leur permettent pas d'être en paix. Tout au fond, M. *Feeling* est constamment inquiet d'avoir de plus en plus de tâches et de moins en moins de temps pour le retour à soi. Tant que cette incapacité à fixer des limites ne sera pas surmontée, la paix de l'esprit et la joie durable seront toujours pour demain.

Il est facile de reconnaître celui qui a de la difficulté à dire non : il cherche toutes sortes d'arguments et de détours pour décourager celui qui lui fait une demande. Il arrive même qu'il évite la personne qui pourrait lui faire une offre nécessitant un refus de sa part.

De la même façon, celui qui a tendance à refuser trop promptement expose lui aussi M. *Feeling* à des difficultés. Il l'enferme dans une routine stérile qui ne permet pas ou qui permet peu de changement, limitant ainsi ses possibilités d'évolution.

Même si c'est inévitable d'avoir à dire non à certains moments, il est possible d'adoucir un refus par la façon de le communiquer. Ceux qui détestent refuser le font souvent de façon brusque et sans respect pour la personne qui ose formuler une demande. Or, si l'aspirant tente de donner des raisons plus ou moins vraies pour justifier un refus, il risque de froisser davantage son interlocuteur. La vérité bien exprimée, avec le temps, est toujours plus facile à accepter.

Pour celui qui demande, il est certainement plus facile d'essuyer un refus quand on le remercie en même temps pour sa demande ou qu'on la valide. Ainsi, le travailleur autonome qui décline une offre intéressante aura avantage à remercier le client potentiel de la confiance qu'il lui témoigne. De même, le cadre d'une entreprise qui se voit dans l'obligation de refuser une augmentation de salaire à cause d'un budget trop serré pourra tout de même valider la demande en disant qu'elle est amplement méritée et qu'elle obtiendra une réponse favorable dès que les finances le permettront.

Pour améliorer son discernement et pour apprendre à dire oui et à dire non, l'aspirant peut s'appuyer sur certaines lignes directrices. Premièrement, le mot « oui », qui exprime le consentement, est le mot le plus important pour celui qui veut se libérer du piège du succès. Tout le travail intérieur repose sur la maîtrise du oui, c'est-à-dire sur l'acceptation de ce qui est. L'aspirant doit alimenter son processus en s'inspirant du oui en toute circonstance ; il doit donc, idéalement, tendre vers l'acceptation inconditionnelle de chaque situation, même celles nécessitant un refus, pour trouver une joie durable.

Si la tête doit parfois dire non, le cœur peut très bien, pour sa part, rester en permanence dans le oui. Si je reçois une offre alléchante que, pour une raison ou une autre, je dois refuser, je peux accepter ce besoin de refuser et garder intacte l'ouverture de mon cœur.

Je sais que beaucoup ne seront pas d'accord avec moi, mais je crois que le compétiteur doit aussi, de la même manière, dire oui à l'échec. De cette façon, il cessera de le craindre et le considérera simplement comme un événement qui n'est pas désiré, sans pour autant le rendre indésirable. La différence entre un événement non désiré et un autre qui serait indésirable, c'est que le premier n'est pas voulu alors que le second est craint ou évité à tout prix. L'échec n'est certes pas ce que l'aspirant désire, et s'il peut l'éviter dans une situation particulière, tant mieux. Mais puisque plusieurs échecs dans un cheminement d'accomplissement sont inévitables, l'aspirant doit être prêt à leur faire face en toute confiance.

Bref, puisque l'acceptation d'une situation libère l'aspirant et que le refus l'emprisonne, le oui sera privilégié la plupart du temps, sauf quand une situation précise exige un refus, qui sera lui aussi accepté.

Une autre aide précieuse pour reconnaître les situations qui exigent un refus est le retour à soi. L'aspirant qui n'est pas conscient de sa situation intérieure, parce qu'il se confond sans arrêt avec la relation entre M. Pensée et M. *Feeling*, ne peut pas voir clairement tous les tenants et les aboutissants d'une situation, ni tous les choix qui s'offrent à lui. S'il est débordé mais qu'il ne s'en rend pas compte, par exemple, il ne pourra pas fixer de limite à ses engagements. S'il n'est pas conscient de ses ambitions, il refusera sans doute les offres susceptibles de le forcer à évoluer vers ses objectifs. Seul celui qui reste aux aguets vis-à-vis de sa relation intérieure est constamment prêt à répondre à ses propres besoins, et ce, simplement parce qu'il les connaît. Le retour à soi est donc essentiel pour garder un étroit contact avec nos besoins et nos désirs.

Le désir de vengeance est peut-être la cause la plus fréquente de souffrance inutile et de gaspillage d'énergie dont l'aspirant doit se protéger. Dans une scène du film *Le Parrain III*, don Corleone, chef de la mafia américaine interprété par Al Pacino, exprime tout le danger qui y est rattaché. Le *don* est vieux et malade, et il se prépare à se retirer en tentant de former son impétueux neveu pour lui succéder. Lorsque le neveu prend un risque énorme pour venger son oncle à la suite d'une attaque personnelle contre le vieux chef, don Corleone le réprimande sévèrement en lui hurlant : *Don't hate your ennemies, it affects your judgement !*[1]

En repensant à ses actions qui ont eu pour seule base le désir de vengeance, l'aspirant constate que tout cela était désagréable et difficile, en plus de ne rien apporter de constructif. La satisfaction de dire : « J'ai gagné ! » ou « Ils ont payé ! » en valait-elle vraiment la peine ? Naturellement, il est important de pouvoir se tenir debout devant quelqu'un qui tente de nous malmener ou de nous faire du tort ; néanmoins, l'aspirant aura avantage à utiliser une stratégie de défense qui ne soit pas alimentée par la haine et la hargne qui lui feraient gaspiller des forces inutilement.

Le Pardon

S'il est clair pour plusieurs que la vengeance implique souvent une destruction inutile de l'autre, combien sont aussi conscients des conséquences que cela entraîne sur eux-mêmes ? Lorsque le désir de vengeance nous étreint le cœur, nous le subissons davantage encore que celui qui en fait l'objet. L'aspirant qui apprend une nouvelle et l'interprète comme une trahison se met à souffrir aussitôt que le

1. Ne déteste pas tes ennemis, cela nuit à la qualité de ton jugement !

besoin de vengeance s'éveille dans sa relation intérieure. S'il décide de se venger et qu'il prend trois semaines pour élaborer son plan, il en pâtit durant ces trois semaines, alors que celui qui doit subir la vengeance dort probablement sur ses deux oreilles.

Un grand nombre d'aspirants portent en eux une tendance à se punir par l'intermédiaire de M. Pensée. Après une erreur ou un échec, ils s'en veulent et vont même jusqu'à s'insulter à voix haute. Souvent, la punition imposée est d'avoir à se *forcer* davantage. Ils serrent alors les dents et s'empressent de redoubler d'ardeur dans leurs tâches. Ils effectuent le travail dans la frustration. Il est donc primordial que nous portions une attention particulière aux mots que nous employons pour discuter avec nous-même. Certaines personnes se ridiculisent elles-mêmes, tout en minimisant les graves effets de ce traitement sur M. *Feeling*. Pourtant, il nous est impossible de posséder la maîtrise du pardon envers qui que ce soit avant de pouvoir nous pardonner à nous-même.

Je le répète : si l'aspirant subit des injustices, il doit réagir pour que cela cesse au plus vite. Toutefois, le désir de vengeance est facultatif. Les actions de défense peuvent être accomplies soit calmement, soit dans la rage de la vengeance ; c'est une question de choix et de travail intérieur. Lorsque la soif de se venger étreint son cœur, l'aspirant peut prendre contact avec son Guerrier Intérieur et faire l'exercice suivant, qui se déroule en trois étapes :

1. **Bien reconnaître la raison et la personne qui éveillent ce désir de vengeance ;**

2. **Imaginer en détail le déroulement des scènes qui permettraient l'assouvissement de cette vengeance ;**

3. **Voir ensuite si M. *Feeling* se sent heureux et satisfait de cette vengeance. Si ce n'est pas le cas, il est inutile de passer aux actes, puisque la vengeance n'apportera rien de positif. Si M. *Feeling* est heureux et satisfait, la soif de vengeance est déjà étanchée, et c'est donc tout aussi inutile de passer à l'action.**

Il n'y a pas de façon magique d'anéantir le désir de vengeance. Il faut en prendre conscience et laisser mourir les pensées qui l'alimentent, tout simplement. C'est un exercice semblable à celui de se défaire d'une attitude ridicule. Si, en discutant avec quelqu'un, je m'aperçois que je suis en colère sans raison, j'abandonne cette colère, je me calme et je retrouve un dialogue plus posé. Imaginons la même action, mais considérée de l'intérieur : je rage et je rêve de vengeance ; je constate que c'est inutile et destructeur ; j'abandonne mes pensées et passe à autre chose.

La compréhension intellectuelle de la futilité de la vengeance est le point de départ. Ensuite, l'entraînement quotidien permet de faire passer le pardon dans notre cœur, nos attitudes et nos actions.

La Permission

Dans la relation intérieure de chacun existent des règles. Certains s'interdisent de prendre de l'alcool la semaine et en consomment machinalement la fin de semaine. D'autres aimeraient bien aller danser, mais s'y refusent parce qu'ils ont plus de quarante ans. D'autres encore ne peuvent pas souper après 18 h sans devenir très impatients, alors que certains sont convaincus qu'il faut absolument écouter les nouvelles télévisées tous les jours. Ces règles, qui peuvent avoir été très bénéfiques dans certaines circonstances pendant l'éducation, sont la plupart du temps dépassées. En outre, elles emprisonnent M. *Feeling*, qui espère un jour voir ses besoins et ses désirs réels reconnus et respectés.

L'alimentation est un excellent exemple d'un domaine dans lequel ces règles sévissent. J'ai constaté plusieurs fois que les gens qui ont un problème de poids s'alimentent souvent sans obéir à leur faim, mais plutôt en se pliant à des règles. Ils ne peuvent pas se mettre un seul aliment en bouche sans que M. Pensée leur rappelle les calories qu'il contient, que c'est mal de manger ces cochonneries ou qu'ils peuvent se gaver de tel produit parce qu'il porte la mention *sans gras*. En même temps, il leur répète tout ce qu'ils devront faire pour brûler les graisses accumulées. En somme, ils ne se donnent pas la permission de manger ce dont ils ont besoin.

Certains croient que le fait de manger tout ce qui leur fait envie les conduira inéluctablement à l'obésité et aux problèmes de santé, mais cela vient surtout à l'esprit de ceux dont la relation entre M. Pensée et M. *Feeling* est porteuse de déséquilibre en ce qui concerne l'alimentation. Ils mangent pour toutes sortes de raisons, sauf la faim, qui s'est perdue parmi toutes ces règles et ces émotions.

La force de permission a pour principe la cessation des comportements inadéquats ou nuisibles, en se donnant d'abord la permission de les vivre consciemment. La clé : les comportements doivent être expérimentés en établissant un lien entre le Guerrier Intérieur et M. *Feeling*. J'ai lu un récit qui m'a confirmé la valeur de ce principe.

Dans le livre *À la recherche du Soi*[1], l'auteur Arnaud Desjardins raconte cette histoire. Un maître hindou reçoit un jour un jeune homme qui cherche Dieu en ayant tout

1. Arnaud Desjardins, *À la recherche du Soi*, tome I, Paris, Éditions La Table Ronde, 1977.

abandonné : famille, travail, biens matériels, etc. En Inde, on appelle ces personnes des *sanyasins.* L'homme en question raconte au maître qu'il est tiraillé par le désir de manger une pâtisserie très sucrée nommée *rasgoulas.* Son désir est tellement fort que le *sanyasin* a une fois lancé de l'argent dans la forêt pour ne pas succomber à son désir, et qu'il s'est ensuite mis à chercher ce qu'il avait jeté en pleurant presque de contrariété. Évidemment, il se refuse cette pâtisserie parce qu'il est convaincu que le cheminement qu'il a choisi l'interdit.

À sa grande surprise, à la fin de son entretien avec le maître, celui-ci lui donne simplement de l'argent pour qu'il puisse déguster toutes les pâtisseries qu'il désire. Le *sanyasin* exécute ce que le maître lui conseille et, à son retour, le maître lui demande comment il a trouvé les pâtisseries. À la réponse de l'homme, le maître voit qu'elles ont été mangées du bout des lèvres et dans la culpabilité. Le maître demande donc au *sanyasin* d'aller lui acheter des *rasgoulas* et de les lui rapporter.

Le maître fait alors une démonstration de la façon dont on doit déguster les pâtisseries. Il observe, hume et croque doucement, en feignant d'apprécier le gâteau comme le plus grand don du ciel. Le *sanyasin* l'imite et, quand le maître lui offre une deuxième *rasgoulas,* l'homme répond avec conviction qu'il ne ressent plus l'envie d'en manger.

L'exercice consiste à obéir à certains désirs tout en prenant conscience de ce qui se passe dans la relation intérieure. Quand j'ai moi-même fait l'exercice avec des biscuits, je me suis aperçu que M. Pensée me répétait sans arrêt « Miam ! Que c'est bon ! » pendant que M. *Feeling* se précipitait pour avaler, effrayé à l'idée qu'une nouvelle règle stricte de M. Pensée puisse venir l'empêcher de continuer.

Quand j'ai ensuite pris mon temps pour apprécier un, deux, trois, puis quatre biscuits, j'ai finalement pris conscience qu'en les dégustant et en portant attention à M. *Feeling*, je ressentais une tension dans mon ventre et un petit haut-le-cœur au début de mon troisième biscuit. Avec de l'entraînement, mes *besoins* en sucre ont diminué jusqu'à un niveau qui ne peut plus nuire à ma santé.

La force de permission est souvent peu développée chez les aspirants, qui s'entêtent à se priver de toutes sortes de choses agréables en prenant prétexte de la discipline et de la perfection. J'ai travaillé avec des athlètes de quinze ou seize ans qui ne pouvaient manger un morceau de gâteau sans se sentir coupables. Là encore, une mauvaise maîtrise du oui et du non est responsable de ces privations souvent inutiles. Parce que l'aspirant a peur de ne plus pouvoir se dire non, il ne se dit jamais oui. Il faut d'abord maîtriser le oui : se donner la complète permission de poser l'action consciemment, sans aucun « je ne devrais pas ». Lorsque M. *Feeling* aura eu droit à quelques permissions complètes, il sera davantage en mesure d'accepter les refus qui s'imposent pour ne pas tomber dans l'excès.

Le principe est aussi valable pour tout autre comportement, comme fumer ou grogner, par exemple. Soyez d'abord complètement d'accord pour poser le geste en question. Si l'expérience peut blesser quelqu'un d'autre, avertissez préalablement cette personne, pour qu'elle sache que ce n'est qu'une expérience. La maman aidera ses enfants à rester sereins face à ses sautes d'humeur sans fondement sérieux si elle tente l'expérience en les avertissant : « Maman ressent le besoin de grogner, ne le prenez pas au sérieux, je veux seulement voir ce qui se passe en moi quand je grogne. » Ensuite, allez-y : grognez ou fumez, mais éveillez aussi le Guerrier Intérieur pour voir si cela vous rend vraiment plus tranquille et plus heureux à moyen et à long terme. Soyez totalement présent à vos récriminations ou à votre cigarette. Vous constaterez que même si le comportement nuisible procure un certain soulagement immédiat, il entraîne des conséquences presque aussi immédiates qui sont désagréables. Plus vous connaîtrez votre prison, plus vous serez à même de vous en évader...

Entraîner le Guerrier Intérieur dans des situations simulées

J'ai mentionné l'importance de pouvoir prendre du recul par rapport à la relation entre M. Pensée et M. *Feeling* au moyen du Guerrier Intérieur. Cette habileté peut être développée et affinée afin de ne pas nous identifier à une émotion et de ne pas nous laisser emporter par elle. L'exercice suggéré pour travailler cette force est l'observation d'une situation filmée qui, habituellement, provoque des émotions chez M. *Feeling.*

Puisque j'ai la passion des sports, j'ai remarqué que lorsque j'écoutais des événements sportifs au petit écran, des émotions se levaient en moi. J'ai aussi pris conscience que ces émotions sont de même nature que celles qui m'habitent quand je suis moi-même en jeu. J'ai donc compris que je pouvais renforcer mon contact avec le Guerrier Intérieur en regardant la télévision. Je n'avais qu'à écouter un match de hockey ou un tournoi de golf en restant détaché, un peu comme un témoin neutre, tout en restant vigilant par rapport à ma relation intérieure. Au début, puisque M. *Feeling* et M. Pensée étaient très attachés à leur vieille dynamique pleine d'émotions, je trouvais l'exercice ennuyant ; j'avais l'impression de diminuer mon plaisir en limitant mon enthousiasme. Puis, progressivement, je me suis aperçu que j'étais plus détendu et que je ressentais tout de même un sentiment agréable, que j'ai finalement reconnu comme étant la joie immuable dont j'ai discuté précédemment. Peu importe qui gagne ou qui perd, j'apprécie l'essence du spectacle sportif chaque fois que je réussis cet exercice, en me laissant ressentir des choses sans me confondre avec elles.

La clé est de ne pas accorder toute son attention à l'événement extérieur, quel qu'il soit. Une partie de l'attention doit rester aux aguets et surveiller la relation intérieure pour ne pas s'identifier à l'émotion qui se lève. Au début, vous serez constamment happé par vos émotions ; pendant vingt, trente ou soixante minutes, vous perdrez de vue ce qui se passe à l'intérieur. Vous réussirez ensuite à revenir au Guerrier Intérieur le temps de dix, vingt ou trente secondes, pour ensuite le quitter à nouveau. Au fil de ce mouvement de va-et-vient, la durée des contacts avec vous-même s'allongera.

Il est facile d'adapter l'exercice à d'autres domaines. L'homme d'affaires plein d'émotions et de tensions qui ne cessent d'intervenir lors des réunions peut faire une fois l'expérience de ne pas participer activement à la réunion, en écoutant seulement et en répondant de la façon la plus succincte aux questions qui lui sont posées. Le conférencier ira écouter une conférence en demeurant en lien avec son Guerrier Intérieur pour rester détaché de la présentation, sans la juger et sans se comparer avec ce qu'il voit et entend.

Une autre variante qui s'applique à tous les domaines est de se filmer en pleine action, pour ensuite visionner l'enregistrement en tentant de demeurer détaché.

Équilibrer son niveau d'activation

Les vents déchaînés
ne soufflent pas toute la matinée.

**(Stephen Mitchell[1] pour Lao Tseu
et traduction française par M. B.)**

Le niveau d'activation, c'est le rythme de l'organisme d'une personne ou son niveau d'énergie. Si je marche rapidement de gauche à droite et que mon débit de parole est très rapide, mon niveau d'activation est plutôt élevé ; si, au contraire, je suis assis sans bouger et que je prends dix secondes pour dire une seule phrase, il est plutôt bas. En fait, le niveau d'activation représente le niveau de stimulation d'une personne. De toute évidence, bien qu'il soit intéressant d'être stimulé, la *surstimulation* est source de difficulté, tout comme la *sous-stimulation*.

Une situation dans laquelle nous voulons vraiment faire de notre mieux entraîne un certain stress et stimule notre énergie pour répondre à la tâche qui nous incombe. Ce stress, s'il est mal géré, peut devenir menaçant pour M. *Feeling*, réveiller une dynamique intérieure empreinte de craintes et briser l'équilibre du niveau d'activation.

Lorsqu'elles doivent affronter un stress perçu comme menaçant, certaines personnes voient leur niveau d'activation s'élever exagérément. Cette hausse amène l'aspirant à être impatient et maladroit, en plus de gaspiller de l'énergie pour des facteurs qui ne concernent en rien sa tâche. Ses difficultés proviennent d'un manque de concentration sur l'instant présent. Son attention se promène un peu partout, à l'extérieur comme à l'intérieur, à cause de son niveau d'activation trop élevé. Un indice qui peut aider à reconnaître une activation démesurée est le mouvement incessant des yeux, qui ne peuvent se fixer sur un point précis.

1. Stephen Mitchell, *op. cit.*

Chez d'autres aspirants, la même menace fait plutôt chuter le niveau d'activation. Ils ont l'impression de manquer d'énergie et de n'avoir aucune motivation pour les tâches qu'ils doivent accomplir, et ce, même s'ils ont l'habitude de les trouver enthousiasmantes. Ils se sentent amorphes et tentent de se soustraire à leurs devoirs. Leur attention devient paresseuse et leur concentration n'est pas assez vive pour intégrer toutes les facettes de la tâche. Plusieurs athlètes m'ont avoué que, avant certaines compétitions très importantes à leurs yeux, ils n'avaient plus du tout envie d'y participer ni de faire de leur mieux. Le stress éprouvé dépassait leur capacité à le gérer et se changeait en anxiété ou en angoisse, autrement dit, en un stress trop intense pour être stimulant, au point de se transformer en menace.

Je suggère ici trois stratégies de relaxation et une stratégie d'activation, qui permettent de ramener le niveau d'activation à son point d'équilibre. J'invite le lecteur à choisir celle qui lui convient le mieux et à se rappeler que, peu importe la méthode utilisée, l'entraînement et la prise de conscience demeurent les clés de l'efficacité.

Stratégie 1

Visualisez un liquide relaxant qui part de votre tête et enduit doucement tout l'intérieur de votre corps jusqu'au bout de vos orteils... Imaginez que ce liquide a le pouvoir de dénouer les tensions musculaires ; donnez-lui une couleur que vous trouvez relaxante. Faites l'exercice doucement, en sentant bien chaque partie se détendre lorsque le liquide y pénètre... Avec un peu de pratique, vous arriverez même à l'exécuter sans avoir à vous isoler. Faites-le chaque fois que vous prenez conscience, dans le quotidien, d'une hausse exagérée de votre niveau d'activation.

Stratégie 2

Choisissez un endroit où vous seriez bien. Par exemple : une forêt, une plage ou une pièce confortable. Imaginez que vous êtes à cet endroit, habillé de vêtements souples et assis dans un siège qui épouse votre corps... Appréciez le calme de l'endroit tout en observant le décor qui vous entoure. Laissez-vous envelopper par la détente que ce lieu vous procure.

Stratégie 3

Imaginez que votre nombril est un filtre ayant la capacité de faire sortir la tension et le surplus de stress tout en laissant pénétrer en vous calme et sérénité. Pour utiliser ce filtre, visualisez, à chaque expiration, l'air noir, vicié de tension et d'anxiété, qui sort de vous, puis, à chacune de vos inspirations, l'entrée de l'air blanc, pur et relaxant. Faites l'exercice avec une dizaine de respirations. Avec l'entraînement, vous arriverez à relaxer grâce à trois respirations seulement.

Stratégie 4

Plusieurs stratégies peuvent également vous aider à élever votre niveau d'activation. Lorsque vous prenez conscience d'une trop grande baisse d'activation, levez-vous et bougez. Faites une courte promenade en marchant d'un pas rapide ou faites des étirements de façon dynamique. Essayez de penser à plusieurs choses que vous aimeriez accomplir ou nommez rapidement les couleurs vives de votre environnement immédiat. Écouter une musique entraînante pourrait aussi vous aider.

Relaxer

Il existe plusieurs façons de relaxer : prendre un bon bain, se livrer à une séance de yoga dans un endroit calme ou faire une balade en forêt sont des exemples qui exigent des conditions particulières. Mais comment pouvons-nous contrôler notre niveau d'activation dans les moments où, justement, il atteint des sommets et devient incontrôlable, c'est-à-dire dans les moments de performance ?

Il faut d'abord comprendre que la relaxation idéale pour le rendement n'est pas la même que celle que l'on recherche dans un bain chaud après une dure journée de travail. Dans le deuxième cas, le corps relâche toute tension et l'esprit tombe au neutre. En revanche, pour maximiser le rendement, une forme de relaxation est nécessaire, mais elle implique tout de même une certaine intensité intérieure, une vivacité d'esprit qui permette de faire face aux tâches d'accomplissement. Cet état de relaxation est bien différent de celui atteint par l'aspirant dans une situation qui n'exige de lui aucun rendement. J'appellerai cet état la *relaxation dynamique*. Sur le plan physique, la relaxation dynamique implique un relâchement musculaire sans affaissement de la colonne vertébrale. Sur le plan mental, elle demande une ouverture et une préparation à agir en fonction des besoins immédiats.

La plupart des gens ont simplement appris à tolérer l'anxiété dans les moments de performance, ce qui n'est pourtant que la première étape. Le travail ne s'arrête pas là : il faut également se sensibiliser au fonctionnement des états d'esprit menaçants. Comment s'installent-ils ? Qu'est-ce qui les déclenche ? De quelle façon cessent-ils ? Avec cette connaissance, il devient possible de dissoudre la menace et de la transformer en énergie. En fait, la menace provient de ce que M. Pensée communique une perception menaçante de la tâche à M. *Feeling*, qui prend peur et s'affole. Or, quand la relation intérieure est ancrée dans un dialogue interne basé sur la confiance, le stress devient un allié, une force créatrice canalisée vers l'atteinte de nos objectifs. Le but est donc de s'appuyer sur le Guerrier Intérieur pour comprendre à l'aide de quelles phrases M. Pensée transmet à M. *Feeling* ses perceptions erronées faisant croire au danger.

Pour avoir trop souvent dû constater en moi les effets nuisibles de l'anxiété (la vie m'a peut-être choisi comme cobaye !), j'ai remarqué que les premiers symptômes étaient toujours déclenchés par des pensées, parfois discrètes (« Oh ! non ! », « Merde ! »), et qu'ils s'accompagnaient d'un ou de plusieurs points de tension dans mon corps. En écoutant attentivement M. *Feeling*, je me suis aperçu que ces points de tension apparaissent plus précisément dans le bas de mon ventre, dans mon thorax ou juste au-dessus de mes yeux, entre les deux sourcils.

Ces tensions provoquent un affaissement de la colonne vertébrale, qui réduit l'amplitude de la respiration et la qualité de la prise d'énergie. C'est pourquoi le fait d'étirer la colonne vertébrale et de respirer à fond dans les situations quotidiennes entraîne une régénération de notre état d'esprit et tend à ramener le niveau d'activation à son point d'équilibre.

Par la pratique, il est possible d'arriver à relaxer ces points de tension. Il suffit de pénétrer le point en s'y abandonnant complètement, sans penser. Le fait d'en prendre conscience et de leur donner la totale permission d'être permet la détente. Accepter à cent pour cent d'être tendu, c'est se détendre. Faire des efforts pour relaxer ne fait souvent qu'empirer les choses. On imaginerait mal faire des efforts pour créer le silence... Pour faire du silence, on le sait, il faut simplement cesser de faire du bruit. Pour relaxer, il s'agit donc de constater la tension et de l'observer en ne faisant rien d'autre que respirer. C'est toujours le même principe : l'obstacle refusé prend de la force, alors que celui qui est accepté se neutralise et disparaît. Respirez à fond et abandonnez tout refus durant l'expiration, en vous concentrant sur le point de tension visé. Le plus important est d'expirer lentement et profondément, sans forcer, jusque dans le bas-ventre.

Le rôle de la respiration étant à la fois d'alimenter l'organisme en énergie et de rejeter les déchets qui limitent notre potentiel énergétique, elle devient déterminante pour se sentir plein de vitalité dans n'importe quelle situation de la vie. L'aspirant a tout à gagner en restant vigilant pour garder son dos droit et sa respiration profonde. Cinq ou six pauses d'une ou deux minutes par jour, consacrées à s'étirer et à respirer profondément, peuvent faire une différence énergétique appréciable et améliorer le rendement d'une personne fort occupée. Certes, la respiration nous maintient en vie si nous l'utilisons au moins deux ou trois fois par minute ; elle peut cependant permettre un état d'esprit plus clair et une vitalité accrue si chacune des inspirations et des expirations est faite de façon plus efficace. En lisant *L'ABC de la respiration*[1], j'ai été convié à prendre conscience des multiples modifications quotidiennes de la respiration. Ces changements surviennent durant les situations les plus banales, au gré de nos diverses pensées et émotions. Imaginez l'influence que peut avoir sur la respiration une intense peur de l'échec lors d'un moment de performance...

1. Carol Speads, *L'ABC de la respiration*, Paris, Éditions Aubier, 1989. Pour ceux qui cherchent divers exercices respiratoires, ce livre est fortement conseillé.

Ne plus avoir peur de la peur

Ceux qui ont des objectifs qui leur tiennent à cœur et qui cheminent pour les atteindre rencontreront un jour ou l'autre un ennemi qui en décourage plusieurs : la peur. Elle n'a pourtant rien de dangereux en tant que telle, mais tout ce qu'elle pousse l'aspirant à faire devient souvent nuisible. Pour maîtriser sa peur, la première étape est incontournable : on doit cesser de la fuir. Ensuite, l'aspirant doit s'exercer à manier deux attitudes qui l'aideront à poursuivre son évolution malgré cette émotion, qui peut atteindre une intensité surprenante quand elle est refusée.

La première attitude à adopter face à la peur est celle du sage qui n'a aucune défense devant les dangers de la vie. Elle consiste à s'abandonner à la peur, à l'accepter totalement, et ce, pour éviter qu'elle grandisse à cause des tentatives de M. Pensée pour la faire disparaître au plus vite. La relation entre ce dernier et M. *Feeling* a en effet mis au point toutes sortes de mécanismes de protection contre la peur. Même si cela semble parfois apporter un certain réconfort, l'aspirant n'en demeure pas moins prisonnier. Le seul moyen de faire disparaître la peur, je le répète, c'est d'oser la ressentir.

La peur, c'est de l'énergie bloquée. Parce que l'aspirant tente de nier une réaction de son corps, l'énergie se fige et crée cette tension désagréable. La stratégie du sage consiste donc à arrêter de nous battre contre la peur et à la laisser nous submerger pour la connaître et nous familiariser avec elle. Ensuite, M. Pensée doit poser les bonnes questions : « De quoi ai-je peur exactement ? Est-ce que la menace est réelle et tangible ou bien est-ce que je la crée en inventant une version négative de l'avenir ? Qu'est-ce qui m'est demandé dans cette situation ? » Même si l'aspirant découvre, par ces questions, que sa peur est irrationnelle et même infantile, il doit la laisser être.

La deuxième attitude face à la peur, qui vient souvent après avoir utilisé celle du sage, est l'attitude du lion. Il s'agit maintenant de faire face à la peur, de maintenir notre ligne de pensée et d'action peu importe l'intensité de la peur que nous ressentons. Si vous avez décidé d'exprimer votre désaccord à un collègue de travail, par exemple, l'attitude du lion implique que vous passiez maintenant à l'action, que vous preniez contact avec cette personne et que vous lui disiez ce que vous pensez, sincèrement et sans faux-fuyant. Devant une décision qui implique un changement d'attitude, la relation entre M. Pensée et M. *Feeling* – dont le rôle est la conservation des acquis et des petites habitudes – tente de décourager l'aspirant par toutes sortes d'arguments qui intensifient la peur. C'est à ce moment que le Guerrier Intérieur doit imposer l'attitude du lion en continuant à respecter la décision de passer à l'action. À force de tenir nos engagements malgré la peur, cette dernière finit par s'user et par perdre de son pouvoir sur nous.

Je suggère ici un exercice, encore une fois basé sur le principe d'acceptation, qui peut aider l'aspirant à mieux se contenir en présence de la peur. Le but est d'apprendre à réagir plus calmement face à la peur. Chaque fois que vous ressentez de l'anxiété, du stress ou de l'angoisse (peu importe comment vous nommez la peur), assoyez-vous et prenez cinq minutes pour simplement ressentir cette peur ; cherchez-la en vous et tentez de voir clairement ce qui se passe quand vous avez peur, juste par curiosité. Ne faites que voir et ressentir. Imaginez que vous êtes un scientifique parfaitement détaché de la peur, et que celle-ci devient l'objet d'une étude qui vous passionne. En créant ainsi une relation plus mature avec votre peur, vous allez immédiatement sentir qu'elle a moins d'emprise sur vous.

Par exemple, l'aspirant qui ne peut pas rester seul avant un quelconque événement perçoit inévitablement la situation comme menaçante. Il aura indéniablement avantage à travailler cet aspect de lui-même. Il est certain que, face à la pression pour réussir, personne sauf l'aspirant lui-même ne pourra s'occuper de sa peur ; il doit donc apprendre à l'affronter dans la solitude. En effet, chacun se retrouve seul avec ses habiletés dans les moments de performance, et ce, même lorsqu'il s'agit de travail en équipe. Dans le feu de l'action, le joueur de hockey qui doit sortir la rondelle de sa zone durant un match important est seul avec la nécessité de faire la bonne passe au bon moment. La femme qui vient d'obtenir un poste de cadre convoité par plusieurs hommes se retrouve seule pour assumer ses responsabilités et répondre aux attentes que les autres ont à son endroit, même si elle fait partie d'un groupe de collaborateurs.

Ceux qui n'ont pas l'habitude d'entrer en eux-mêmes sont souvent incapables de ressentir la peur sans réagir nerveusement. De plus, ils la laissent influencer leurs choix et leurs décisions. Puisqu'ils reculent devant elle depuis un certain nombre d'années, la peur s'est transformée en un gros monstre qui gouverne leur vie intérieure. Chacun doit négocier avec sa propre bête, afin de l'apprivoiser petit à petit. Si une période de cinq minutes vous semble irréaliste, commencez l'exercice expliqué ci-dessus en le limitant à une minute seulement, puis augmentez le temps à mesure que « l'animal » se laissera amadouer. De toute évidence, avant de pouvoir manier l'attitude du sage et du lion à sa guise, l'aspirant devra faire plusieurs expériences et même changer son approche dans plusieurs aspects de sa vie. La plupart du temps, se fier simplement à quelques stratégies de relaxation s'avère inefficace à long terme. À ce sujet, l'écrivain américain Sam Keen écrit :

« But finally, stress cannot be dealt with by psychological tricks, because for the most part of it is a philosophical rather than physiological problem, a matter of a wrong world view. »[1]

La maîtrise de la peur est définitivement atteinte lorsque l'aspirant a la capacité de rééquilibrer sa relation intérieure, parce qu'il est en étroit contact avec ce qui s'y passe. Chaque fois que les circonstances l'imposent, il peut entrer en lui, détecter – par le travail d'introspection – le déséquilibre qui est à l'origine de la peur et agir malgré le dialogue menaçant entre M. Pensée et M. *Feeling*.

Aspects contrôlables et aspects incontrôlables

Nous avons vu que le piège du succès pouvait se résumer dans le désir de contrôler ce qui ne peut pas l'être. De toute évidence, *l'autre*, dans tous les sens du mot, représente l'aspect incontrôlable le plus courant. À moins de parler d'une personne complètement dépendante, l'autre pense, décide, agit et réagit selon ses propres schèmes. Mais ce qui est autre, sans être nécessairement une personne, vient aussi influencer le cheminement de l'aspirant : des facteurs qui sont extérieurs à lui-même interviennent et le forcent à affronter l'erreur et l'échec.

Si un client potentiel décide de refuser le contrat que je lui offre et d'aller chez un compétiteur, qu'est-ce que je peux faire ? Devant un tel événement incontrôlable, l'aspirant devrait s'incliner et accepter ce qui, malgré les apparences, ne pouvait pas être évité. L'anxiété est

1. Sam Keen, *Fire in the Belly*, New York, Bantam Books, 1991, p. 61. Traduction libre : « En somme, l'anxiété ne peut être gérée par des trucs psychologiques, puisqu'elle relève bien davantage d'un problème de philosophie de vie que d'un problème physiologique, d'une vision erronée du monde. »

justement causée par l'espoir d'avoir le contrôle sur ce qui est indépendant de nous-même. Avant un spectacle, par exemple, l'acteur qui se répète « Il faut absolument que ça plaise au public » s'expose à l'anxiété, qui est une forme de peur. La critique des spectateurs est l'une de ces variables qui sont incontrôlables pour l'aspirant. Même si nous restons tous sensibles à l'opinion des autres, il est possible de ne pas nous laisser submerger par l'importance de cette opinion.

Par un exercice fort simple, l'aspirant peut sensiblement améliorer la qualité de sa concentration et diminuer la quantité d'énergie qu'il gaspille à se préoccuper de variables incontrôlables. Grâce au Guerrier Intérieur, à tout moment de la journée, il peut se surprendre en portant un regard à l'intérieur. Il constatera peut-être que son attention est fixée sur des aspects qui ne relèvent pas de sa responsabilité et qu'il ne peut influencer à son avantage que par la qualité de son rendement.

Si M. Pensée élabore un jugement, une réflexion, une solution plus efficace ou une vengeance à partir des actions d'une autre personne, il éveille ainsi des émotions inutiles chez M. *Feeling*. Généralement, l'aspirant se tourne ainsi vers des variables incontrôlables pour s'épargner l'effort d'accepter l'autre : il refuse aussi, cependant, de voir l'émotion douloureuse que ses propres mécanismes engendrent.

Arrêtez-vous et prenez-vous en flagrant délit deux ou trois fois par jour. Considérez ce que vous avez à accomplir dans *votre* tâche, en laissant aux autres le soin d'accomplir *leurs* tâches à leur façon. Avec la pratique, l'aspirant voit des façons de plus en plus efficaces et créatives de s'adapter aux décisions des autres sans les juger.

Imaginez, par exemple, une étudiante qui n'arrive pas à suivre son cours de mathématiques parce qu'elle tombe de sommeil. Elle s'arrête et s'aperçoit que M. Pensée ne cesse de lui répéter que le « prof » est ennuyant ! Même si, effectivement, l'enseignement du professeur est monotone, elle ne solutionne pas son problème en s'identifiant aux interventions de M. Pensée. Tout ce qui relève de la façon dont le cours est donné ne fait pas partie de ses responsabilités, mais bien de celles de l'enseignant. Elle doit donc faire un effort pour laisser aller cet aspect de la situation. Si elle réussit, elle verra des possibilités de solution lui apparaître. Par exemple : s'asseoir le dos bien droit et approfondir sa respiration ; sortir de la classe, boire un peu d'eau et s'étirer ou même quitter le cours pour aller dormir.

Dans cet exemple, cela peut sembler évident, mais la distinction entre les aspects contrôlables et incontrôlables d'une situation peut parfois s'avérer plus complexe. Dans une conversation, le fait d'employer la deuxième personne du singulier (tu) indique presque chaque fois que l'interlocuteur passe du côté des variables incontrôlables pour se tourner vers l'autre. Considérons deux types de discours. Le premier emploie la deuxième personne : « Ne me dis pas que *tu* n'as pas encore terminé ce dossier. » Comparons-le avec une façon de dire la même chose, en somme, mais qui utiliserait la première personne : « *Je* pensais que tu aurais terminé ce dossier. » La première communication porte un jugement, alors que la deuxième n'exprime que l'une de mes propres actions : j'ai simplement pensé – et c'est mon problème de l'avoir pensé prématurément – que le travail serait terminé. En employant la première personne du singulier, je garde la responsabilité de mes actions tout en demeurant du côté des variables contrôlables.

Il suffit qu'un aspirant accorde inconsciemment le cinquième de son attention à des aspects incontrôlables dans son quotidien pour que son cheminement en soit considérablement ralenti. Ceux qui croient qu'un cinquième de l'attention est exagéré se trompent. J'ai travaillé avec des athlètes qui étaient presque constamment tiraillés, sans nécessairement s'en rendre compte, par des comparaisons et des inquiétudes reliées à des aspects incontrôlables, et ce, même durant les séances d'entraînement.

La force de concentration d'un aspirant dépend évidemment de sa capacité à ignorer les variables incontrôlables. Quelque temps avant un événement que vous considérez important – disons environ une semaine avant –, soyez vigilant et éliminez toutes les pensées et tous les scénarios intérieurs centrés sur des aspects incontrôlables, comme les rivalités interpersonnelles, par exemple, ou les conséquences respectives d'une victoire et d'une défaite. Dresser une liste contenant d'un côté les variables contrôlables et de l'autre tout ce qui est incontrôlable peut vous aider à clarifier ces deux faces d'un événement. De plus, il vous sera ainsi plus aisé de ramener votre concentration et vos actions sur des points utiles à *votre* tâche. Vous pouvez même déchirer le côté de votre liste contenant les variables incontrôlables et le brûler.

C'est en laissant M. Pensée et M. *Feeling* construire une dynamique intérieure sur la base de variables incontrôlables que le compétiteur perd le contact avec son processus et se crée de l'anxiété qui émousse ses habiletés.

Vous vous êtes probablement déjà surpris à rêver, avant un événement, à des moments de grande gloire où vos proches souriaient de fierté à cause de votre performance parfaite. Voilà tout à fait le genre de scénarios que le Guerrier Intérieur doit détecter pour s'en débarrasser. Il est parfois difficile de se défaire de ces *fantasmes*, à cause des émotions plaisantes qu'ils provoquent chez M. *Feeling*. Sachez pourtant qu'ils peuvent très bien devenir la source de votre peur de l'échec.

Attention ! Je ne dis pas que ces fantasmes sont nécessairement mauvais. Je pense cependant qu'il faut s'y livrer longtemps avant l'événement qu'ils concernent. Idéalement, pour quelqu'un ayant acquis une grande maturité, ces fantasmes d'admiration auront disparu complètement ; toutefois, peu de gens peuvent s'en vanter. Ces rêves ont leur place seulement si nous restons les pieds solidement ancrés dans la réalité. Même dans ce cas, ils risquent néanmoins de nous empêcher de maximiser notre rendement. Très subtilement, ces fantasmes rendront les résultats de l'événement menaçants et attireront une partie de notre attention sur des variables incontrôlables.

Désirer très fort quelque chose que nous ne pouvons pas contrôler engendre des espoirs et des doutes qui brisent l'harmonie dont nous avons besoin dans notre relation intérieure afin d'atteindre une concentration et une confiance optimales. Si vos proches sont fiers de vous, ils doivent l'être pour ce que vous êtes et non pour ce que vous faites.

Afin de garder son attention sur des aspects contrôlables, je conseille à l'aspirant de bien définir les objectifs de processus qu'il poursuivra durant l'événement. L'idéal est d'établir avec précision le plan de ses propres actions et réactions les plus efficaces, pour les laisser produire des résultats positifs. Le judoka, par exemple, déterminera les prises qu'il veut utiliser contre son adversaire ; le musicien connaîtra avec de plus en plus de précision chaque intonation qu'il doit transmettre à l'instrument ; l'homme d'affaires qui négocie un contrat important préparera en détail ses arguments et ses contre-arguments.

Une fois ces variables contrôlables bien définies, il devient possible de les utiliser pour remplacer les scénarios créés par M. Pensée à propos des variables incontrôlables. La substitution se fait au moyen de visualisations contrôlées, dans lesquelles l'aspirant imagine le déroulement de l'événement en se voyant respecter le processus planifié.

Prévoir avec précision les attitudes et les états d'esprit qui seront privilégiés est aussi un atout pour élever la confiance et la concentration. Avec l'expérience, l'aspirant apprend que, selon le cas, la colère, l'arrogance ou la gentillesse excessive durant une performance lui indique que sa relation intérieure s'éloigne de la tâche à accomplir. Grâce à une telle préparation, le lien entre l'aspirant et tout ce qu'il doit faire, penser et ressentir pour maximiser ses chances de réussite devient plus solide et l'aide à surmonter les obstacles, tant extérieurs qu'intérieurs.

Depuis environ un mois, j'écris sans conviction. J'ai peur que ce livre ne soit *pas bon* même si rien d'objectif dans la réalité extérieure ne justifie un tel jugement de ma part. Je subis tout simplement les conséquences d'un déséquilibre que j'ai laissé s'installer dans ma relation intérieure.

Le mois dernier, en revanche, j'étais tout excité parce que, lors de mes séances d'écriture, M. Pensée me disait, sur un ton enjoué : « C'est bon, je vais être publié. » Cela entraînait chez M. *Feeling* de l'excitation et un plaisir dépendant du résultat (être publié). Puisque ce plaisir était centré sur une variable incontrôlable plutôt que sur des faits objectifs, je ressentais aussi, parallèlement à mon plaisir, une paresse grandissante avant de me mettre à la rédaction. Cette paresse venait du fait que je devais me convaincre que le manuscrit allait être publié pour être motivé à écrire. Elle prenait de l'ampleur parce que, en dessous de mon excitation d'être publié, se trouvait inévitablement l'envers de la médaille :

la peur de voir le manuscrit refusé par tous les éditeurs. Plus ma paresse grandissait, plus je devais me convaincre d'une éventuelle publication pour être enclin à écrire et plus je craignais un éventuel échec.

Quand je me suis rendu compte de ce déséquilibre, j'ai dû faire des efforts pour revenir à une motivation intrinsèque basée sur une variable contrôlable, en l'occurrence le choix conscient de poursuivre mon objectif et de produire un manuscrit pour m'exprimer. Afin de maximiser mes chances de voir ce texte publié un jour, je devais maintenir mon attention sur l'étape à laquelle j'étais rendu, soit écrire. La décision des éditeurs, ce n'était pas *mon* problème. Voilà une possibilité pour maximiser le rendement : y aller une étape à la fois, sans se préoccuper des conséquences que cette étape entraînera.

CHAPITRE XIII

Le jeu de Martin : la maturation

« Je t'aime, mon fils ! » Tels avaient été ses derniers mots. Le père de Martin était décédé depuis quelques heures et tout semblait s'être déroulé comme dans un rêve. Martin était à présent assis au parc des Fous et se sentait un peu stupide d'avoir attendu tant d'années pour entendre ce fameux « je t'aime » qui ne venait jamais. Il se reprochait de n'avoir vu que les actions que son père ne posait pas. Pourquoi était-il resté aveugle ou presque devant tous les efforts de son père pour tenter de correspondre à l'image que l'on pouvait se faire d'un père ? Bien sûr, il avait commis des erreurs parfois difficiles à digérer, mais durant toutes ces années, il n'avait cessé d'évoluer dans son langage du cœur. Martin comprenait maintenant que les « je t'aime », même s'ils n'étaient pas venus jusqu'à ses oreilles, s'étaient évertués à atteindre ses yeux. Il restait assis et fixait l'horizon, un peu perdu dans ses souvenirs. Il pensait au golf, à tous ces bons moments, à tous ces échecs qui lui avaient permis de se rapprocher de son père, imperceptiblement, au fil des années.

Durant les semaines qui suivirent, Martin laissa son rôle d'enseignant de côté et prit le temps d'être avec lui-même. Il avait bien tenté à quelques reprises de jouer au golf, mais il se sentait tellement vide que même cette passion ne réussissait pas à l'habiter. Il avait beau tenter de s'exciter en allant jouer sur ses terrains préférés, rien n'y faisait, il ne sortait pas de sa torpeur. Il retournait s'asseoir au parc des Fous et laissait les heures s'écouler, pour aller ensuite retrouver sa compagne, qui était enceinte d'un deuxième enfant.

Un jour qu'il se dirigeait encore une fois vers le parc, le visage de M. LeSage lui revint en mémoire. Il laissa l'image de son mentor être présente à son esprit et il décida d'aller jouer au golf. Cette fois, plutôt que de tenter de sortir de son marasme, il choisit de l'accepter et de jouer sa partie dans la détente et la paix de l'esprit que lui procurait son deuil. Quand il commença à s'échauffer sur le vert de pratique, il remarqua que le gazon semblait d'un vert plus clair que d'habitude. Même s'il avait toujours su que le gazon était vert, il n'avait jamais constaté la beauté de ce vert... Il frappa quelques coups roulés sans vraiment s'y appliquer, mais il remarqua qu'il était très présent à ce qui se passait dans son corps. Il se dirigea ensuite vers le tertre de départ du premier trou et la vue de ce premier trou lui sembla soudain d'une grande magnificence. Il resta quelques minutes, figé, à se délecter du paysage. Il ne pouvait détacher son attention du vert de l'allée qui contrastait avec le rouge, l'orangé et le jaune des arbres qui l'environnaient. Puisque c'était l'automne et que le terrain était presque désert, Martin avait l'occasion de jouer seul, ce qui l'arrangeait, au fond, car il n'avait pas envie d'échanger des mondanités avec qui que ce soit.

Il frappa finalement son premier coup sans aucun effort. Il aurait parié qu'une présence étrangère avait exécuté son élan à sa place, comme si quelqu'un d'autre guidait son corps. Cet autre semblait s'y connaître dans l'art du golf : la balle resta apparemment accrochée au nuage, elle ne semblait plus vouloir redescendre. La distance de ce premier coup était anormalement longue. Toutefois, Martin l'accepta comme une chose naturelle, sans même en être impressionné.

Toute la partie se déroula dans cet état de grâce. Les coups paraissaient d'une grande facilité aux yeux de Martin. En fait, il resta plutôt à l'écart, pour laisser cette présence jouer pour lui. Lors de certains coups roulés, la coupe lui donnait l'impression de s'agrandir et d'atteindre la taille d'un lavabo. Tout était tellement facile et harmonieux que le golf ne pouvait pas avoir été inventé pour être joué dans un autre état que celui-là.

Il s'éternisa sur le dernier trou. Il ne voulait pas que cet état d'esprit le quitte. Soudain, il pensa à sa famille, termina le trou avec autant d'aisance que le reste de la partie, monta dans sa voiture et se dirigea vers la maison. Durant le trajet, il remarqua qu'il avait oublié de compter ses coups. Il savait bien que son pointage aurait été époustouflant, mais il décida de garder seulement le souvenir de cet état de grâce auquel il avait eu la chance d'accéder.

Il savait maintenant que le golf, même en restant merveilleux, n'aurait plus jamais la même signification pour lui. Désormais, la recherche de cet état de grâce deviendrait sa priorité.

CHAPITRE XIV

Stratégies sur le chemin

Le deuil et le rendement

Le deuil est un outil intérieur fort utile mais néanmoins méconnu dans le monde de la performance. Il est un allié dont il ne faut pas sous-estimer la richesse. Il se compare un peu à un nettoyage intérieur : il nous lave du passé. Le processus de deuil peut être de grande envergure pour la mort d'un conjoint ou d'un autre proche, par exemple, mais il peut représenter un travail plus modeste pour évacuer de la relation entre M. Pensée et M. *Feeling* certaines attitudes et émotions relatives à une situation. Ce besoin de descendre en soi-même ne date pas d'hier ; dans les moments de confusion, les chevaliers du Moyen Âge s'isolaient pendant plusieurs jours afin de retrouver le sens de leur quête.

Le travail de deuil provoque évidemment une dépression passagère, qui est souvent perçue comme honteuse ou négative dans la société en général. Ce passage à vide n'est qu'un simple signal indiquant à l'aspirant que certains aspects de la dualité opposant M. Pensée et M. *Feeling* doivent céder leur place pour passer à autre chose. C'est de là que provient la sensation de *vide* : littéralement, une partie de soi s'est *vidée* de son contenu et elle est maintenant prête à accueillir du nouveau.

Le deuil est, à tort, associé à la mort, alors qu'il est en fait beaucoup plus rattaché à la vie. Même dans le cas de la perte d'un être cher, le processus de deuil a pour but de créer une énergie nouvelle, de libérer l'âme et le système nerveux de ce qui n'est plus. Entrer en deuil est difficile, parce que le processus est caractérisé par des émotions parfois intenses. Cependant, quand il est reconnu et accepté, le deuil peut être porteur de calme et de sérénité, voire même de régénération. Puisqu'il permet de quitter ce qui est passé, il procure un allègement intérieur très bénéfique pour l'esprit et pour le corps quand il est mené à terme.

Plutôt que le mot deuil, l'expression « lâcher prise » correspond davantage à la capacité que les aspirants doivent acquérir. La quête de l'excellence dans tous les domaines est une suite de remplacements d'habiletés et d'habitudes. Par conséquent, plus un aspirant est apte à laisser mourir le passé et à accueillir de nouvelles données quand cela s'impose, plus ses apprentissages se font rapidement.

M. Pensée, à cause de son grand besoin de réussir et de resplendir, s'accroche régulièrement à des images ou à des phrases liées à des événements passés, que ce soit des réussites ou des échecs. Évidemment, ces souvenirs provoquent, chez M. *Feeling*, des émotions qui coupent l'aspirant du moment présent. Pour détecter ces phrases et ces images, l'aspirant doit constamment rester aux aguets, puisqu'elles peuvent se faire très subtiles. À l'occasion, des périodes d'inactivité seront nécessaires à celui qui veut déterminer avec précision ce qu'il doit changer.

Les enfants sont encore une fois de bons exemples. En observant leur quotidien, il est facile de voir la puissance de leur habileté à lâcher prise. Quand un événement le blesse, l'enfant déclenche un deuil instantanément. Les larmes et les cris sortent de façon spontanée et, après quelques instants, le voilà reparti à la conquête de la vie comme si rien ne s'était passé. Cette force est un des facteurs clés de la grande capacité d'apprentissage des enfants. Ils sont constamment prêts à accueillir la différence.

Après un échec douloureux ou même après une grande réussite, un aspirant a besoin d'une période de calme et de régénération qui peut s'étendre sur plus d'une journée ou deux. Quelques semaines et même quelques mois peuvent s'avérer nécessaires dans certains cas. En général, notre éducation n'encourage pas ce besoin d'apprendre à entrer en deuil. Malgré des situations très douloureuses, beaucoup se poussent donc à rester *positifs*. Les creux de vague qui invitent l'aspirant à entrer en lui et à s'accorder un moment de retour à soi jouent pourtant un rôle important dans la recherche de l'excellence, je ne le dirai jamais trop.

Au lieu de s'attribuer les causes profondes d'un échec, il s'avère plutôt bénéfique d'en dégager des hypothèses qui contiennent des germes d'amélioration. Pour certains, la solution n'est que l'autopunition par un nombre d'heures de travail plus élevé et des efforts plus souffrants. Or, travailler plus fort est souvent moins important que d'adapter le travail à ses besoins réels.

J'aimerais citer un passage du livre de Csikszentminalyi et de ses collaborateurs qui, en parlant des adolescents ayant un talent spécial en arts, en sciences ou en sports, appuie l'importance des moments obscurs de lâcher-prise qui ponctuent tout cheminement entrepris avec conviction :

They also spent a greater amount of time alone, which is essential for anyone building future skills. More solitude and more productive activities probably accounted for more somber weekly moods than average teenagers. But talented teens had learned to tolerate negative moods and reported being more happy, cheerful, active, and motivated than average teenagers when productively engaged.[1]

Jack Nicklaus, Nolan Ryan, Bobby Jones, Larry Walker, pour ne citer que ceux que je connais, sont tous de grands athlètes qui ont pris conscience de l'importance de s'accorder des pauses quand ils en ressentaient le besoin, question de faire le point et de laisser la passion se régénérer.

Les aspirants étant souvent des personnes d'action qui ont de la difficulté à entrer en eux-mêmes à la suite d'échecs, ils ne se préoccupent généralement pas du besoin de lâcher prise après une réussite réjouissante. Néanmoins, ce besoin existe à ce moment-là aussi. Bien des aspirants redoublent d'ardeur dans les périodes de succès. Ils veulent « battre le fer pendant qu'il est chaud » et cette attitude provoque souvent un déséquilibre en faveur de l'action, provenant du désir de s'enfoncer dans le succès « pour de bon ».

Il est clair que le succès provoque de nouvelles attentes dans l'environnement de l'aspirant. L'arrivée du succès implique la formulation d'exigences plus élevées, qui peuvent accentuer l'isolement de l'aspirant dans sa discipline personnelle.

---

1. Mihaly Csikszentminalyi, Kevin Rathunde et Samuel Whalen, *Talented Teenagers : the Roots of Success and Failure,* Mass., Cambridge University Press, 1992. Traduction libre : « Ils passent aussi davantage de temps seuls, ce qui est essentiel pour construire des habiletés futures. Le fait de vivre plus de moments seuls et plus d'activités productives explique probablement le plus grand nombre de moments d'états d'esprit sombres qu'ils vivent en une semaine, si on les compare aux adolescents moyens. Mais les adolescents talentueux ont appris à tolérer les états d'esprit plus sombres, et semblent plus heureux, enjoués, actifs et motivés que les adolescents moyens quand ils sont engagés dans une activité productive. »

À la suite d'un succès, une fois l'euphorie passée, l'aspirant a besoin de revenir à lui-même et d'accepter le fait que les attentes extérieures vont se faire plus pressantes. Il doit aussi être vigilant pour que sa propre relation intérieure ne lui impose pas d'attentes irréalistes. Il est même parfaitement sain de se demander si l'envie de continuer est toujours présente, ou encore de fixer des limites à tout ce qui paraît merveilleux de l'extérieur. Certaines demandes venant des autres sont flatteuses, mais elles peuvent contenir certains dangers pour l'équilibre personnel. Se permettre une période de questionnement et de confusion durant quelques semaines n'a rien de mauvais, bien au contraire.

Malgré les raisons diverses dont ils semblent découler, la majorité des abandons de la quête de l'excellence proviennent de l'incapacité à laisser mourir certaines habitudes ou à changer quelques-uns des aspects du cheminement. C'est très rare que la motivation pour l'activité en tant que telle quitte un aspirant ; ce qui le démotive, dans bien des cas, et qui peut même finir par le dégoûter, c'est plutôt l'insatisfaction par rapport aux conditions d'entraînement qu'il s'impose et endure. L'aspirant se retrouve dans un état d'esprit difficile ou dans des situations extérieures exagérément stressantes. Ses ambitions et son désir de réussir perdent alors leur importance et deviennent secondaires.

J'ai souvenir de Caroline, une athlète qui était vraiment passionnée pour son sport : le tennis. Elle donnait tellement l'impression d'aimer s'y adonner que même une blessure ne pouvait pas l'arrêter de jouer. Je savais bien, pour ma part, que sous cette passion se cachait le piège du succès. Je lui avais même suggéré de prendre soin de sa cheville blessée plutôt que de jouer en boitant durant le championnat provincial, qu'elle avait d'ailleurs gagné l'année précédente. Mais elle avait trop soif de victoires pour m'écouter. Elle avait déjà manqué un tournoi à cause d'une autre blessure et elle en avait assez d'être inactive.

Moins d'un an après, Caroline prenait la décision d'arrêter le tennis. Comment une telle passion s'estompe-t-elle aussi vite ? Personne ne le comprenait vraiment. Caroline disait être lasse de se blesser. Je me demande, dans ce cas, pourquoi elle prenait si peu soin de son corps. Je pense qu'elle était plutôt exaspérée de se sentir poussée par une relation difficile entre M. Pensée et M. *Feeling*, qui entretenait la peur de ne pas être à la hauteur aux yeux des autres. Voilà, à mon avis, la vraie raison de son abandon. Elle en avait marre de se pousser à jouer malgré des blessures *presque* guéries.

La hantise de l'échec qu'engendre le piège du succès amène certains aspirants à ne plus pouvoir se détacher de leurs accomplissements. Beaucoup d'athlètes que j'ai côtoyés ont de la difficulté à prendre de la distance par rapport à leur pratique sportive et à démordre de ce qui leur fait obstacle.

Une athlète de water-polo me disait qu'elle se sentait beaucoup plus détendue et confiante quand elle avait congé d'entraînement la dernière journée avant une compétition. Elle avait pris la résolution de respecter ce besoin, au grand déplaisir de son entraîneur. Sylvie Bernier, pour sa part, avant l'épreuve finale de plongeon à laquelle elle a remporté sa médaille d'or olympique, était allée manger au restaurant avec des parents et des amis. Elle voulait être bien, l'esprit en paix, détachée du plongeon...

Il est évident que les enfants et les adolescents sont tous plus ou moins pris dans le piège du succès. Ils ont encore besoin, je le répète, d'une certaine confirmation extérieure pour se sentir reconnus. C'est d'ailleurs pour cette raison que la relation entre un jeune aspirant et celui ou celle qui le guide est un facteur primordial de son développement. Pour conserver sa motivation intrinsèque

– c'est-à-dire le simple plaisir de jouer et d'apprendre –, l'aspirant doit trouver un guide qui, en plus de lui faire croire en son talent et de lui donner le goût de progresser, fera appel à son sens de l'équilibre personnel. De cette façon, l'aspirant pourra garder contact avec lui-même en tout temps.

La visualisation

La visualisation, ou imagerie mentale, est la technique d'entraînement psychologique de loin la plus populaire. Elle consiste à imaginer d'abord certaines scènes, afin de créer ensuite une force qui dirige nos actions vers la réalisation extérieure de ce qui a été visualisé. Depuis une vingtaine d'années, la littérature sur la visualisation s'est considérablement enrichie. Un problème que je perçois, cependant, c'est que l'utilisation de l'imagerie mentale est souvent conseillée aux aspirants sans tenir compte de leurs besoins réels. On leur recommande des séances de visualisation, sans s'inquiéter de savoir si leur contenu convient aux objectifs d'amélioration de l'aspirant...

On croit souvent, d'ailleurs, que la visualisation est bénéfique à tous les aspirants. Pourtant, elle pourrait malencontreusement mener certains athlètes, pour qui il est fastidieux de produire des images d'eux-mêmes, à douter de leurs capacités. Ceux-là doivent donc l'utiliser avec beaucoup de précautions.

Il faut d'abord comprendre que nous faisons tous de la visualisation à l'état de veille. Si l'aspirant observe ce qui se passe en lui durant une séance de travail ou un événement qui présente à la fois des possibilités de réussite et d'échec, il voit des images aller et venir en lui. M. Pensée est très rarement silencieux. Le problème, c'est que ces images, pour la plupart, ne sont pas choisies volontairement et qu'elles vont souvent à l'encontre des objectifs poursuivis. L'habitude de produire certaines images plutôt que d'autres s'est installée au fil des années, à mesure que l'éducation jetait ses bases. Inévitablement, certains de ces apprentissages deviennent un jour inadéquats, en ce qu'ils ne nous permettent plus de nous adapter à notre situation présente.

La première étape est donc de vérifier la nature de nos images intérieures avant et pendant les moments de rendement, pour devenir plus conscient de celles qui émergent de façon mécanique. En créant des émotions de peur, de joie ou de colère chez M. *Feeling*, elles imposent à l'aspirant une façon particulière de percevoir la réalité et de s'attendre à certains résultats.

Il est tout à fait naturel que les actes d'une personne découlent de sa façon de voir la réalité. Celui qui se voit constamment en situation d'échec posera inconsciemment les gestes qui confirmeront sa vision de l'avenir. Combien de fois ai-je entendu un aspirant, après un incident fâcheux pour lui, s'exclamer : « Je le savais ! »

Un maître hindou, Swami Prajnanpad[1], disait que nous attirons deux genres d'événements dans notre vie : ceux que nous désirons et ceux qui nous font peur. Si un athlète craint l'opinion de son entraîneur, c'est sans doute parce qu'il conserve en lui des images de son passé : l'un de ses éducateurs précédents, par exemple, tenait peut-être à propos de l'échec un discours négatif et humiliant. Dans ses moments de performance, la peur de l'échec ramène ces images et il pose alors des gestes qui auront tendance à les matérialiser. Si tout ce mécanisme est inconscient, les échecs

1. Cité dans Arnaud Desjardins, *À la recherche du Soi*, tome II, Paris, Éditions La Table Ronde, 1977-1980.

surviennent même si l'entraîneur actuel demeure calme à la suite des échecs de cet aspirant. Les images inconscientes, en effet, ne disparaissent jamais, et elles continuent d'influencer M. *Feeling* ; seules les images devenues conscientes peuvent être neutralisées.

Si l'aspirant est vigilant, il détectera probablement ces images passées tout en constatant qu'elles ne correspondent pas à l'attitude de son entraîneur. Dès lors, les choses pourront s'améliorer. À ce moment, il peut, après un échec et à l'aide du Guerrier Intérieur, être bien attentif aux commentaires respectueux de son entraîneur. Il sensibilisera ainsi sa relation intérieure au fait que la peur du jugement n'est pas justifiée dans les circonstances présentes. Le processus de changement peut aussi être amorcé en instaurant un nouveau discours de M. Pensée. Dans le but de dissocier le présent et le passé, l'aspirant pourra donner des indications verbales à M. *Feeling* et changer son registre émotionnel en amenant progressivement une nouvelle interprétation des moments qui suivent un échec.

Apprendre à discerner le passé du présent est certes une tâche ardue ; cependant, elle incombe à tous les aspirants qui veulent aller au bout d'eux-mêmes.

Usages possibles de la visualisation

Puisque M. *Feeling* est sensible aux images, nous pouvons utiliser la visualisation de plusieurs façons. Les images et les mots agissent à l'intérieur de nous comme une programmation de nos actions et de nos réactions vis-à-vis de l'environnement. Même si les événements extérieurs restent les mêmes, l'aspirant qui travaille sa visualisation percevra sa réalité d'un point de vue qui entraînera une perception plus positive de ces événements. À partir de ce constat, plusieurs possibilités s'offrent à celui qui accepte de transformer M. Pensée ou, plus précisément, d'utiliser consciemment ses images intérieures.

Premièrement, il y a quelques règles à respecter lors d'une séance de visualisation. Si l'aspirant possède déjà un certain contrôle sur son film intérieur, il peut faire de courtes séances de visualisation chaque fois que les circonstances le lui permettent, peu importe l'endroit : il lui suffit d'entrer en lui. Lorsqu'on en possède la maîtrise, cette intériorisation peut avoir lieu malgré la présence de distractions.

Le néophyte, par contre, devra d'abord développer un minimum de contrôle sur son film intérieur. Pour ce faire, alors qu'il se trouve dans un environnement calme, il commencera par visualiser des scènes familières : il s'imaginera en train de marcher dans sa propre maison, d'ouvrir la porte de son réfrigérateur ou d'observer le décor de son appartement, par exemple. Il pourra ensuite passer à des images un peu plus difficiles, comme se voir pendant le trajet qu'il fait tous les matins pour se rendre au travail ou dans un parc qu'il connaît bien. Au début, des séances de cinq à dix minutes suffisent. Plus tard, les séances pourront s'allonger, mais ce n'est pas essentiel. En trente secondes à peine, des aspirants doués savent transformer des images négatives en images positives. Le plus important, c'est que M. *Feeling* s'imprègne du sentiment (confiance, motivation, sérénité, etc.) qui se dégage des images visualisées et qu'il le conserve ensuite.

Avant une séance de visualisation, on doit d'abord atteindre un certain niveau de calme intérieur. Si on tente de visualiser sans interrompre la course folle du quotidien, on aura toutes les difficultés du monde à contrôler et à clarifier les images désirées. Un niveau d'activation très élevé est presque toujours associé à un déferlement de pensées incohérentes difficiles à faire cesser.

M. *Feeling* est davantage absorbé lorsque les images sont détaillées, qu'elles contiennent les couleurs, les sons et même les odeurs qui se trouvent habituellement dans l'environnement visualisé. Ces détails facilitent l'apparition du sentiment associé à la scène. M. *Feeling* ne fait pas de différence entre une scène visualisée et une scène vécue ; pour lui, les deux scènes présentent le même potentiel pour éveiller un sentiment, une émotion ou une sensation.

La fréquence des séances est laissée à la discrétion de l'aspirant. Il faut cependant considérer qu'une programmation a plus de chance d'être bien ancrée si elle est répétée régulièrement. Ne percevez pas la visualisation comme un exercice très profond basé sur la spiritualité. Il s'agit simplement d'insérer en vous une programmation qui précise et clarifie ce que vous voulez.

Je suggère ici quelques utilisations de la visualisation liées de façon précise à certains besoins propres à la recherche de l'excellence :

1. *Visualisation de la réalisation d'un rêve*

Un aspirant ira aussi loin que ses rêves le lui permettront. Je parle évidemment de rêves éveillés, ceux qui sont des objectifs à long terme. Le fait de ne pas posséder d'image de moments qu'il aimerait vivre prive l'aspirant d'une force de motivation importante. Chaque grande réalisation a commencé par un rêve. Même si le rêve peut sembler impossible pour l'instant, ce n'est pas une raison pour perdre la foi. S'il était déjà réalisable, ce ne serait pas un rêve, puisque le rôle de ce dernier est justement de provoquer un cheminement d'aventure qui, éventuellement, le rendra réel. Il n'y a pas de certitude. La seule chose certaine relativement à la réalisation d'un rêve, c'est que celui qui n'entreprend rien n'obtiendra rien.

Certaines règles peuvent toutefois épargner à l'aspirant des détours inutiles :

a) plus le rêve est ambitieux, plus l'aspirant doit se munir de patience ;

b) ne jamais s'imposer de réaliser le rêve à tel moment précis, cela ne fait que resserrer l'emprise du piège du succès ;

c) durant le processus pour réaliser le rêve (séances de travail quotidiennes, compétitions ou moments de performance), ne pas porter son attention sur les chances de réaliser le rêve, mais bien sur le travail d'amélioration et d'évolution.

L'exercice proposé est la création d'images qui symbolisent la réalisation du rêve : le moment de performance ultime, la remise de la médaille, la fierté des proches, les moments de célébration avec les collaborateurs, etc. Vous pouvez visualiser ces scènes tous les jours sauf, comme je l'ai déjà souligné, à l'approche d'un événement qui pourrait, selon la qualité de la performance, permettre la réalisation du rêve. Dans ces circonstances particulières, cela risquerait plutôt de déplacer votre attention sur les conséquences positives et négatives possibles de l'événement plutôt que sur le processus. Visualisez pour le simple plaisir de rêver et de ressentir la jouissance de la réussite. Ensuite, canalisez cette envie de succès vers l'acceptation du processus qu'elle implique. Dites oui à toutes les petites victoires, comme aux échecs et aux efforts requis pour parvenir à votre but. Laissez mourir l'élan d'excitation fébrile qui s'empare parfois de M. *Feeling* après la visualisation d'un grand moment. Puisque ces élans cachent le désir de réussir *tout de suite*, ils meurent vite et finissent par détruire la foi en l'atteinte du rêve. Continuez simplement à croire que chaque jour vous rapproche un peu plus de votre objectif.

2. *Visualiser un geste ou une technique de travail*

La visualisation permet aussi d'améliorer une facette précise du processus. Le représentant des ventes peut s'imaginer une rencontre avec un client, lors de laquelle il met l'accent sur la présentation des différents avantages de son produit, par exemple, si c'est cet aspect de son travail qu'il doit améliorer. La mère de famille peut répéter intérieurement une situation dans laquelle elle reste calme malgré le refus de sa fille d'adopter la même vision qu'elle par rapport à une décision. De la même façon, l'athlète peut apprendre à transférer son poids différemment en développant, au moyen de séances de visualisation, une nouvelle sensation kinesthésique. Cette stratégie permet d'éviter l'obligation de se trouver dans un environnement particulier pour programmer de nouvelles habiletés. Cet exercice peut se faire à la maison, dans l'autobus ou en patientant pour un rendez-vous...

J'ai souvent perfectionné ainsi des gestes sportifs sans même le vouloir consciemment. Je me rappelle une partie de golf où mon attention était attirée par l'élan d'un golfeur qui jouait dans le quatuor qui précédait le mien. Ce n'est qu'après la partie que je réfléchis à cette apparente distraction. En examinant l'image de ce souvenir, qui revenait sans cesse à mon esprit, je pris conscience que ce n'était pas tout l'élan de ce joueur qui m'attirait, mais seulement un point technique précis. En effet, il amorçait la descente de son bâton par un pivot efficace de ses hanches qui me paraissait très élégant et qui donnait envie à M. *Feeling* d'expérimenter le même mouvement. Aussitôt que je tentai de l'imiter, je me rendis compte que le mouvement des hanches de l'homme avait retenu mon attention justement parce que le mien avait besoin d'être amélioré et qu'il me faisait rater plusieurs coups. Je n'avais qu'à garder au fond de moi l'image du pivot de cet homme tout en pratiquant mon élan pour améliorer mon propre pivot !

Il suffit d'avoir un modèle extérieur du geste ou de la technique à atteindre pour commencer l'apprentissage. Lorsqu'une facette de votre processus nécessite une progression, trouvez quelqu'un qui la maîtrise et observez-le en pleine action. Une autre option est de demander à un professeur compétent de vous guider.

3. *Visualiser une attitude ou un état d'esprit*

L'imagerie mentale offre aussi la possibilité de développer de nouvelles forces intérieures. Plusieurs aspirants aimeraient bien exercer leur art en étant plus calmes, plus enjoués ou plus autoritaires, par exemple. Toutefois, bien qu'il leur arrive d'entrevoir ces forces, ils retombent vite dans leurs vieilles habitudes.

Choisissez une force intérieure que vous souhaiteriez développer dans votre quotidien et imaginez-vous effectuant vos tâches quotidiennes en adoptant la sérénité, le dynamisme, la confiance ou l'entregent que vous désirez voir apparaître.

Avant de faire cette visualisation, il est préférable d'imaginer d'abord des situations dans lesquelles il vous est facile de maîtriser cette force. Celui qui veut développer le calme dans son rendement quotidien peut, avant de se visualiser plus calme dans ses activités ordinaires, se visualiser marchant dans une forêt ou allongé sur une plage ; cela permettra à M. *Feeling* de ressentir plus facilement l'attitude recherchée. La confiance qui fait défaut sera plus facile à visualiser si vous imaginez d'abord une conversation avec une amie en qui vous avez totalement confiance. Si M. *Feeling* sait qu'il est déjà capable de ressentir cette force dans d'autres circonstances, il lui sera plus facile de la transposer dans la situation exigeant un meilleur rendement.

Après quelques séances de visualisation préparatoires, vous pourrez, au moyen de deux ou trois courtes pauses quotidiennes, ramener quelques images préalablement visualisées pour rester en contact avec la force visée.

En plus de programmer de nouvelles réponses, cette visualisation a pour but d'aider l'aspirant à vaincre la peur de l'inconnu. Arriver à être différent n'a rien de vraiment compliqué, au fond ; ce n'est souvent que notre réticence à paraître différent qu'il nous faut vaincre. Les autres ont cultivé une perception de nous assez précise, et ils y sont habitués. Il est donc légitime de ressentir une certaine crainte de l'opinion des autres. Il ne faut toutefois pas la laisser bloquer un changement bénéfique.

4. *Répétition d'une performance (entraînement mental)*

Il s'agit ici d'imaginer le déroulement d'une performance pour programmer son bon déroulement. Pour les activités n'impliquant aucune variable incontrôlable, cet exercice est tout indiqué. Le slalom en ski alpin, le plongeon, le patinage artistique, une marche de cinq kilomètres, un concert ou la présentation d'une conférence sont des exemples d'activités lors desquelles l'environnement ne change pas sous une influence extérieure. Autrement dit, durant l'événement, personne ne vient modifier la tâche de l'aspirant. Lors de la visualisation, ces activités sont simplement répétées mentalement, jusqu'à ce que chaque moment de la performance soit vu se déroulant sans anicroche.

Pour ce qui est des activités dont certaines variables sont incontrôlables, comme une rencontre avec un client potentiel, un match de tennis ou une conversation avec un adolescent, cette stratégie s'applique aussi, mais différemment. Puisque l'autre est inclus dans la performance, la tâche risque de varier à tout moment, et on ne peut pas prévoir avec certitude comment l'autre réagira. L'exercice consistera alors à imaginer des scénarios possibles tout en s'y adaptant de façon efficace. Le joueur de tennis peut s'imaginer répondre adéquatement aux différents coups de son adversaire. L'homme d'affaires visualisera des réponses aux questions diverses que pourrait poser son client.

Même s'il faut toujours s'attendre à une part d'inconnu, M. *Feeling* se sent beaucoup plus en confiance quand il sait que des réponses connues lui sont accessibles.

5. *Planification par la visualisation*

Les personnes ayant la chance de mener une vie leur permettant de s'accomplir ont parfois des journées et même des semaines très chargées. J'ai travaillé avec des aspirants à qui la motivation et la confiance faisaient défaut, parce qu'ils n'arrivaient pas à planifier ni à ordonner tout ce qu'ils avaient à faire. Toutes les tâches formaient en eux un nuage noir, qui les empêchait de focaliser leur attention sur la première tâche, pour ensuite passer à la deuxième, puis à la troisième, et ainsi de suite.

L'exercice qui suit permet à l'aspirant de clarifier ce qui doit être accompli d'abord, pour ensuite comprendre qu'il n'a qu'une seule tâche, soit celle du moment présent. Prenez un moment pour relaxer et réfléchissez à vos tâches : lesquelles doivent vraiment être accomplies ? Est-ce que certaines ne pourraient pas attendre à plus tard ou être jumelées à d'autres ? Le fait de coucher toutes ces réflexions sur papier peut aussi vous aider à les mettre en ordre.

Maintenant que vous avez déterminé les tâches essentielles, vous devriez logiquement vous demander ce qui doit être fait d'abord. Personne ne va poster une lettre avant de l'avoir écrite et mise dans une enveloppe. Nul ne se lance en affaires sans savoir au préalable si un permis est nécessaire ou si un besoin existe pour le type de produits ou de services qu'il veut offrir. Quand les étapes de votre travail seront organisées, visualisez l'accomplissement de vos tâches en ordre chronologique et assurez-vous que chacune est bien à sa place.

Pendant la visualisation, soyez très attentif à M. *Feeling* : si une étape est placée avant une autre et que c'est là une erreur, vous percevrez un malaise ou un doute.

Une fois toutes les tâches visualisées dans leur ordre d'accomplissement, l'aspirant peut mettre M. Pensée de côté. Il est en effet inutile de se répéter sans cesse ce qu'il faut faire pour ne rien oublier. Lorsqu'une étape sera terminée, la suivante apparaîtra naturellement, sans effort, simplement parce qu'elle aura été programmée pour surgir à ce moment.

Les moments non engagés

Dans tous les domaines, certains temps morts font partie intégrante de la performance. Dans ces moments, l'aspirant ressent une certaine intensité intérieure, mais il n'est pas directement occupé à accomplir les tâches liées à son rendement. Ces moments non engagés (M.N.E.) sont fort utiles pour détecter les déséquilibres dans la relation intérieure et pour reprogrammer M. *Feeling*.

Pour une ballerine, par exemple, il y a des moments non engagés durant la préparation du spectacle, entre les danses auxquelles elle participe, à l'entracte et immédiatement après la représentation. Pour un joueur de golf, les principaux M.N.E. sont l'échauffement, les instants où il est sur le tertre de départ et que ses partenaires effectuent leur coup, la marche entre ses coups et le temps passé dans le vestiaire après le match. Pour un représentant des ventes, le parcours en voiture entre deux clients est un M.N.E propice pour restabiliser sa relation intérieure.

Peu importe votre domaine, faites l'exercice de reconnaître vos propres M.N.E. Il est possible qu'ils varient d'un événement à l'autre. Quelles sont les pensées, les émotions et les attitudes qui sont cultivées durant vos M.N.E ? Vous permettent-elles de garder un état d'esprit positif et équilibré, que ce soit après un début prometteur ou après un départ chancelant ? Les personnes que vous côtoyez durant ces moments vous communiquent-elles des messages qui vous donnent confiance ou qui vous font douter de vos moyens ? Qu'aimeriez-vous entendre, faire et ressentir durant ces moments ?

Progressivement, établissez dans vos M.N.E des rituels adaptés à vos besoins. De courtes visualisations d'images positives peuvent être bénéfiques à M. *Feeling*. Faites d'abord des expériences, puis réajustez par la suite. Le but d'un rituel durant un M.N.E. est de vous permettre de vous centrer, de ramener votre attention sur le présent et de reprendre une attitude positive pour amorcer votre prochaine activité.

Tenir un journal de bord

Pour celui qui désire connaître davantage sa relation intérieure entre M. Pensée et M. *Feeling*, et ce, en rapport avec tous les exercices que j'ai proposés dans la dernière partie de ce livre, la tenue d'un journal personnalisé est tout indiquée. Un journal vous permet, si vous êtes à l'aise avec ce type d'outil, de clarifier davantage toutes les données dont il a été question jusqu'à maintenant. Ce cahier facilitera la reconnaissance des phrases, des images et des émotions qui surviennent le plus souvent durant votre processus d'accomplissement. Je suggère ici une forme simple de journal, qui peut être utilisée rapidement et efficacement. Il est préférable de remplir son journal dans les moments qui suivent l'événement, puisque ce qui a été vécu intérieurement est vite remplacé et oublié.

Afin qu'il soit efficace, vous devez rédiger votre journal au moins trois fois par semaine. Je donne ici un exemple de journal de bord pour une séance d'entraînement au golf ; il est facile de transposer ces éléments dans le contexte d'une autre activité.

Date : Le 27 juin 2002

Programme de l'entraînement : Frapper deux paniers de balles avec élan complet et faire une heure d'entraînement pour les coups d'approche (moins de vingt mètres).

Objectif psychologique : Ramener mon attention aussi souvent que je le peux sur ma respiration, pour la garder profonde et aisée.

Objectif technique ou tactique : Prendre un bon appui sur mon pied droit avant d'amorcer mon pivot.

RETOUR APRÈS LA SÉANCE

Phrases ou images intérieures les plus fréquentes :

M. Pensée répétait souvent : « Je suis fatigué ! » au début de la séance, et M. *Feeling* devenait alors lourd et confus.

Mon niveau d'activation s'élevait après deux ou trois mauvais coups. M. Pensée s'inquiétait sur un ton nerveux : « Allons, qu'est-ce qui se passe ? » et des tensions s'éveillaient dans mes épaules.

Le but du journal est de mieux vous connaître. Ne vous inquiétez pas si vous découvrez des facettes qui pourraient être améliorées sans qu'aucun moyen pour le faire soit immédiatement disponible. Certains aspirants se privent de la richesse de se connaître, simplement parce qu'ils ont peur d'être désemparés en prenant conscience qu'ils ne sont pas parfaits. Se connaître, c'est progresser. Accueillir les côtés de soi qui sont moins flatteurs guide l'aspirant vers un potentiel plus grand : voilà l'attitude à développer.

Dans son livre *Apprivoiser son ombre*, Jean Monbourquette écrit : « Jung considère l'acceptation intégrale de soi, à la fois de ses grandeurs et de ses petitesses, comme étant l'essentiel de la question morale et le sommet de tout idéal de vie. »[1]

Évidemment, certaines questions peuvent se soulever lorsque nous apprenons de nouvelles choses sur nous-même. Trouver quelqu'un de confiance et partager ces découvertes est souvent un bon moyen de les accepter.

1. Jean Monbourquette, *op. cit.*

L'attitude juste face à une dynamique intérieure négative

Lorsqu'il a fait une utilisation régulière du journal de bord pendant un certain temps, l'aspirant sera à même de repérer quelques-unes des dynamiques intérieures qui lui sont propres. Petit à petit, la vigilance et l'expansion de la conscience rendront possible la neutralisation des images négatives envoyées par M. Pensée, tout en donnant libre cours aux réactions de M. *Feeling* entraînant un état d'esprit plus positif. Il faut toutefois se méfier d'une attitude trop volontaire pour faire disparaître une dynamique intérieure négative.

Lorsqu'il est question des rapports entre M. Pensée et M. *Feeling*, la finesse est de rigueur. L'aspirant qui fait des efforts pour ne plus avoir telle pensée ne fera qu'envenimer les choses. Il faut simplement qu'il voie, à l'aide du Guerrier Intérieur, cette pensée, de même que l'émotion qui l'accompagne, et qu'il laisse tout cela partir... si M. Pensée et M. *Feeling* le veulent bien. Sinon, il devra simplement laisser la dynamique comme elle est en l'observant et en l'accueillant.

Le Guerrier Intérieur – spectateur neutre jamais affecté – nous évite de nous identifier à la dynamique entre M. Pensée et M. *Feeling* et de nous y perdre, même si un dialogue négatif est présent. Si le regard posé sur la relation intérieure n'est pas neutre, il est facile de conclure que ce n'est pas le Guerrier Intérieur qui observe. L'aspirant qui ressent de la colère en constatant que sa relation intérieure est empreinte de peur, par exemple, saura que son regard ne passe pas par le Guerrier Intérieur, et que c'est encore M. Pensée qui juge la peur. C'est seulement par un sentiment de bienveillance détachée envers l'émotion ressentie que le Guerrier Intérieur manifeste sa présence. C'est impossible d'obliger les pensées et les émotions à disparaître ; un lâcher-prise ne peut pas se faire par la force.

Imaginez que vous voulez faire sortir un lapin de son terrier ; vous n'allez pas frapper le sol à côté du trou en criant : « Viens ici tout de suite ! » Vous resterez plutôt à l'écart pour observer en silence, le temps qu'il faut, tout en sachant qu'à un moment ou à un autre, le lapin devra bien sortir. Le même principe s'applique en ce qui concerne la relation intérieure. Il faut rester aux aguets en acceptant ce qui s'y passe, pour laisser progressivement mourir les dynamiques négatives. C'est le meilleur moyen pour obtenir une amélioration.

Avec la vigilance et le temps, les images négatives se feront plus rares et les réactions de M. *Feeling* perdront de leur intensité. Ce que je viens d'expliquer n'est pas une technique magique, mais plutôt un processus d'apprentissage. Colette Portelance le confirme :

« Retrouver la liberté de gérer ses émotions et ses mécanismes défensifs résulte d'une démarche d'apprentissage. En effet, cette vigilance à ce qui se passe en soi s'apprend ; cette aptitude à appréhender son monde émotionnel et défensif se développe par le travail sur soi. »[1]

Il est parfois indispensable de cibler des phrases et des images plus positives pour se débarrasser des vieilles habitudes de la relation intérieure. Au début, il se peut que l'aspirant ressente un vide après avoir laissé mourir des pensées et des émotions auxquelles il était attaché.

1. Colette Portelance, *La communication authentique*, Montréal, Éditions du CRAM, 1994.

Toutefois, si les vieilles habitudes sont remplacées par d'autres plus constructives, le détachement sera plus aisé. Prenons un compétiteur qui, depuis plusieurs années, se motive durant son processus en utilisant des images d'un résultat positif fascinant. Or, il désire se départir de cette habitude. Le changement sera plus facilement réalisable s'il porte son attention sur certaines images de son processus qui le motivent. Ainsi, plutôt que de rêver de publication ou de ventes records, par exemple, un auteur pourrait visualiser les moments où il écrit, très tôt le matin, dans une pièce remplie de soleil.

Il faut se méfier du *positivisme*. Ne remplacez pas vos anciennes pensées par d'autres, entièrement roses, qui font croire à M. *Feeling* que tout va s'arranger sans efforts. Choisissez plutôt des pensées qui vous permettent d'agir à votre rythme et dans votre intérêt, sans pour autant nuire aux autres.

Développer la confiance par l'erreur

Dans un chapitre précédent, j'ai appuyé sur le fait que l'erreur et l'échec devaient être utilisés comme des outils d'apprentissage. Leur rôle est de nous amener à nous dépasser, en créant de nouvelles réponses pour nous adapter aux constantes difficultés qui se dressent sur notre chemin. Or, plusieurs aspirants ne peuvent adopter ni cette perception, ni les attitudes qui en découlent, simplement parce qu'ils n'ont pas la capacité – ne serait-ce que pour quelques minutes ou quelques heures – de tolérer le sentiment de honte et même de panique qu'ils ressentent lorsqu'ils semblent se diriger vers un échec. Aussitôt qu'ils ne sont pas en plein contrôle de la situation, M. Pensée s'empresse de les injurier et M. *Feeling* répond par des émotions diverses qui l'amènent au seuil de la détresse. Avec la pratique, un exercice somme toute assez simple peut aider les aspirants concernés à améliorer leur tolérance aux risques d'erreurs et d'échec.

D'abord, choisissez un aspect de votre domaine dans lequel vous vous percevez comme malhabile ou qui vous donne du fil à retordre quand vous devez le mettre en œuvre. Pour un nageur, ce pourrait être un style de nage difficile comme la brasse ou le papillon ; le musicien peut choisir une pièce qu'il a de la difficulté à jouer ; le conférencier très intuitif pourrait penser à l'organisation et à la planification de ses présentations ; le père de famille introverti pourrait organiser une soirée de discussion familiale portant sur un thème plutôt tabou. Pour sa part, le golfeur choisirait ses coups roulés ou ses sorties de trappe de sable si tel est son besoin. Dans tous les cas, n'ayez surtout pas, pour l'instant, le désir d'améliorer cette habileté, vous passeriez à côté de l'essentiel.

Créez ensuite une situation qui vous permet de mettre en pratique l'habileté choisie et passez une heure à exécuter ce geste ou à vous entraîner à cette habileté. Plutôt que de vous centrer sur vos difficultés à *réussir* le geste ou l'activité, utilisez le Guerrier Intérieur pour observer la relation qui s'établit entre M. Pensée et M. *Feeling* en cas d'échec. Voyez les phrases et les images de M. Pensée, puis les émotions et les tensions de M. *Feeling*, sans vous identifier à leurs manifestations. Demeurez neutre face à vos réflexions : « Qu'est-ce que je fais là ? » « J'ai l'air de quoi ? » Ne vous confondez pas non plus vous-même avec votre honte ou votre sudation abondante. Laissez-vous être mauvais et observez !

Invitez quelques amis à vous regarder, cela peut augmenter l'efficacité de l'exercice.

À la longue, votre confiance relativement à l'erreur augmentera, puisque M. *Feeling* sera rassuré par la présence du Guerrier Intérieur, qui lui, ne juge pas. En étant plus à l'aise avec vos réactions en cas d'échec, vous accepterez plus facilement de foncer dans les situations qui comportent des risques d'échouer, mais qui sont pourtant courantes dans la recherche de l'excellence.

Il est possible que l'habileté que vous avez choisie se développe d'elle-même, simplement parce que M. *Feeling* arrive à se détendre un peu lors de cet exercice. Évidemment, si vous êtes obligé d'utiliser cette habileté lors de vos performances, il serait bénéfique de l'améliorer. Mais si, en plus de mal la maîtriser, vous vous dénigrez et avez honte de vos difficultés, le mal est bien pire ; dans ce contexte, tout votre être est affecté et vous ne pouvez plus évoluer.

Il faut garder en tête qu'une performance est dépendante de la plus faible des habiletés, comme la solidité d'une chaîne repose sur celle du plus faible maillon. Un échec survient souvent parce que l'adversaire ou le cours normal de la vie forcent l'aspirant à affronter *cette faiblesse*. Voilà pourquoi la recherche de la performance représente le terrain parfait pour travailler sur soi-même : les difficultés sont sans cesse ramenées au grand jour à cause du besoin naturel d'évolution.

L'erreur commune est de se forger d'une part des attentes de résultats flamboyants en se basant sur quelques habiletés solides, tout en ignorant d'autre part des lacunes évidentes sur lesquelles l'*ego* refuse de travailler. J'ai vu des athlètes qui possédaient des habiletés physiques et techniques impressionnantes atteindre de piètres niveaux de performances, simplement parce que leurs habiletés tactiques et psychologiques étaient fortement négligées. D'autres, après quelques victoires éblouissantes, ont vu leurs résultats bloquer leur progression, et ce, pour la simple raison que les victoires tenaient surtout à leur combativité et à leur force d'intimidation. L'aspirant sérieux doit considérer toutes les facettes de son art.

Trouver les mots qui donnent confiance

En plus d'avoir confiance en ses habiletés, l'aspirant doit aussi se sentir en confiance parmi les gens qui sont directement responsables de son encadrement. La communication avec l'entraîneur, le professeur, le superviseur, entre autres, que ce soit avant, pendant ou après un événement important, influence fortement la confiance de l'aspirant. Bien sûr, la communication doit s'adapter aux particularités de chacun, mais les besoins particuliers de l'aspirant doivent être la priorité et certains principes doivent être respectés.

Premièrement, interpréter un événement comme étant capital est une erreur. Bien que cette stratégie puisse susciter chez l'aspirant de grands efforts pour réussir, cette croyance, à long terme, cause plus de dommages qu'on ne le pense. Je me rappelle un entraîneur de crosse qui nous disait, avant certaines parties : « Celle-là est importante ! » Évidemment, il n'était pas conscient que son discours signifiait que toutes les autres ne l'étaient pas...

En gonflant, à l'aide de M. Pensée, l'importance d'un événement, on enlève automatiquement aux autres leur valeur. Avec cette approche, l'aspirant aura tendance à devenir anxieux pour les événements perçus comme très prestigieux, alors qu'il manquera d'intensité dans les autres occasions. Quand on a vécu de *grands* moments et que la relation intérieure s'est attachée à cette gloire et aux émotions fortes, le quotidien, le train-train ordinaire, devient fastidieux. Sans même sans rendre compte, souvent, l'aspirant ne se prépare qu'avec peu de conviction pour les événements qui lui semblent de moindre envergure.

J'encourage les aspirants et ceux qui les encadrent à développer, par rapport à toutes les occasions d'accomplissement, une communication qui tend vers le message suivant : « C'est un événement auquel nous avons choisi de participer et il a le même rôle que les autres : permettre d'exprimer et de mettre en valeur le potentiel cultivé jusqu'ici. »

Il est possible d'avoir des objectifs de processus différents d'un événement à l'autre, mais l'intensité de la concentration devrait tendre vers un niveau élevé, contrôlé et similaire en toutes occasions.

Juste avant une performance, le discours portant sur ce qui doit être fait et comment le faire doit être réduit au minimum. Il est trop tard à cette étape pour améliorer ou changer quoi que ce soit à ce qui a été préparé de longue haleine. Des changements risqueraient d'éveiller des craintes et des doutes chez M. *Feeling*. Le travail d'amélioration est terminé pour l'instant ; lors de l'événement, c'est la confiance et le calme qui sont de mise.

Une stratégie avantageuse consiste à établir un plan de communication entre l'aspirant et ceux qui l'encadrent. Pour les plus jeunes, le même type de plan pour communiquer avec les parents peut aussi s'avérer bénéfique. Lorsqu'il est soumis à la pression de réussir, le compétiteur devient plus sensible aux propos des autres. Des paroles habituellement anodines peuvent être perçues différemment avant et pendant une performance. L'aspirant doit s'attarder à reconnaître le genre de discours qui l'amène à se sentir davantage confiant vis-à-vis de la tâche qui l'attend. Il ne doit pas craindre de verbaliser ses besoins de communication à ceux qui l'encadrent, même si ce ne sont que de petits détails qui lui nuisent. L'entourage de l'aspirant doit *sincèrement* considérer les besoins que ce dernier manifeste.

Ce n'est pas seulement la communication avant la performance qui importe ; dans certains cas, elle est également déterminante pendant l'événement. Les entraîneurs et les autres personnes proches de l'aspirant devraient discuter avec lui pour connaître les messages qui sont à éviter et à privilégier durant l'action. Encore une fois, les besoins de l'aspirant sont prioritaires.

La communication postperformance est une richesse régulièrement négligée. Ceux qui sont victorieux se gonflent parfois d'orgueil, alors que les perdants se dénigrent ou blâment des facteurs extérieurs pour justifier leur défaite. Il faut se rappeler que la communication qui suit une performance prépare l'état d'esprit dans lequel l'aspirant entreprendra la prochaine. S'il se sent rabaissé ou s'il croit qu'on lui reproche certaines erreurs, sa motivation et sa confiance en seront inévitablement affectées la fois suivante. S'il reste des doutes ou que le *deuil* de l'événement n'est pas achevé dans la relation intérieure, des erreurs coûteuses et souvent inexcusables pourraient en découler lors d'un événement ultérieur.

Avant de revenir sur la performance, laissez d'abord passer les émotions associées à la victoire ou à la défaite. Par la suite, une évaluation s'impose. Premièrement, une autoévaluation par l'aspirant lui-même et, deuxièmement, l'évaluation des responsables.

Dans ces évaluations, des points positifs *et* des points à améliorer doivent être énumérés avant de prendre des décisions pour orienter le futur travail. L'aspirant qui a tendance à ne voir que les bons aspects d'une performance doit être encouragé à choisir des objectifs d'amélioration après *chaque* événement, voire même après chaque journée de travail. De la même façon, le perfectionniste qui ne voit que les mauvais aspects devrait être amené à voir les réussites, même subtiles, qui ponctuent chacune de ses expériences. En somme, il s'agit de s'en tenir à ce qui fournit de l'information pertinente pour faire progresser les habiletés essentielles. Tous les regrets – les « j'aurais pu... » – sont inutiles et ne font que provoquer de la culpabilité et de la rancœur contre soi-même.

Voici un exemple de plan de communication pour un joueur de tennis. Il contient des suggestions pour le retour sur une défaite, mais les mêmes principes s'appliquent dans d'autres domaines, et ce, même après une victoire.

Autoévaluation

Points positifs

1. Technique :	J'ai trouvé qu'au revers, mes genoux étaient bien fléchis et que ma régularité était satisfaisante.
2. Tactique :	J'ai attaqué sans arrêt le revers de mon adversaire, comme prévu.
3. Psychologique :	Contrairement à mon habitude, je ne me suis pas découragé quand j'ai perdu le premier set.
	Je prenais plus de temps que d'habitude entre les échanges, ce qui a gardé mon niveau d'activation plutôt bas.

Objectifs d'amélioration

1. Psychologique : M. Pensée sacrait sans arrêt après une erreur et j'avais de la difficulté à oublier les mauvais coups. Je visualiserai différentes réactions que je pourrais intégrer.
2. Tactique : Je ne prenais aucun risque au service, j'ai servi presque toujours au centre. Je dois davantage viser les coins.
3. Physique : Je dois travailler mon endurance, j'étais vidé après le deuxième set.

Évaluation de la personne responsable de l'encadrement

Points positifs

1. Tactique : J'ai remarqué que tu fonçais sur chaque balle courte, sans hésiter.
2. Technique : J'ai trouvé ton jeu de pieds au fond de terrain excellent. On voit que tu l'as travaillé.
3. Psychologique : Même sur le dernier point du match, j'ai vu que tu n'avais pas abandonné.

Objectifs d'amélioration

1. Physique : Je suis d'accord avec toi à propos de l'endurance, je vais planifier des séances d'entraînement physique.

2. Tactique :	Je pense que tu faisais trop d'amortis, l'adversaire n'était plus surpris par cette stratégie. Deux ou trois amortis par set suffiraient.
	Je trouve que des coups d'approche plus profonds t'auraient donné un avantage.
3. Psychologique :	Je suggère qu'on travaille sur le contrôle des émotions après les points, j'ai eu l'impression que tu restais émotif d'un point à l'autre.

Si les points positifs et les cibles d'amélioration diffèrent de part et d'autre, ce n'est pas un problème. Il est vain de vouloir trouver qui a tort et qui a raison à la suite des évaluations. Inévitablement, certaines différences de point de vue s'établissent, puisque l'aspirant assiste à sa performance de l'intérieur, alors que celui qui l'encadre, son entraîneur par exemple, la voit d'un œil extérieur. De plus, toute évaluation est influencée par le passé et la personnalité de celui qui la fait. Il vaut mieux considérer les deux points de vue afin de maximiser l'information pertinente qui découle d'une expérience. En outre, rappelez-vous que c'est inutile et même nuisible de rajouter des jugements de valeur dans l'évaluation ; les faits suffisent.

Ainsi, la quête de l'excellence servira au rapprochement des gens plutôt qu'à leur division.

CHAPITRE XV

Le jeu de Martin : la conclusion

C'était samedi matin. Martin jouait dans la cour arrière avec ses deux filles, deux petites brunes âgées de six et neuf ans. Elles adoraient ces matinées où papa jouait lui aussi à la balle et à cache-cache, pendant que maman dormait. C'était au tour de Martin et de la plus jeune, Sophie, de chercher où s'était cachée l'aînée, Annie. Martin faisait semblant de ne pas connaître sa cachette, mais il avait entendu du bruit dans la remise. Annie avait probablement fait tomber son sac de golf en voulant se glisser derrière. Au moment où Sophie et son père allaient entrer dans la remise, la voix de la mère se fit entendre :

– Bonjour, quelqu'un veut des crêpes ?

Martin et Sophie firent quelques pas pour aller sur le côté de la maison et répondre à cette offre alléchante.

– Bonjour, chérie, bien dormi ? Oui, je veux bien des crêpes, dit Martin.

– Moi aussi ! s'exclama Sophie.

– Mais où est Annie ? demanda la maman.

– Je pense avoir une idée, fit Martin avec un clin d'œil.

Il retourna vers la remise pour terminer la partie de cache-cache.

Il entra doucement, suivi de Sophie, et cria : « Bou ! » en s'attendant à voir sursauter sa fille. Pourtant, même si son sac de golf était bel et bien renversé comme il l'avait pressenti, il n'y avait personne dans la remise... Martin en resta bouche bée. Il pensa aussitôt qu'elle ne pouvait pas être bien loin. Elle était probablement rentrée dans la maison par la porte du sous-sol pendant que Martin et Sophie étaient sur le côté. Il alla voir au sous-sol, mais elle n'y était pas non plus. L'épouse de Martin lui demanda soudain de venir tout de suite la rejoindre dans leur chambre, à l'étage supérieur. Il lui répondit qu'il cherchait Annie. La mère lui répondit que la petite était là, sous ses yeux, et qu'il devait venir la voir tout de suite.

Martin monta l'escalier et retrouva sa femme, qui tenait Sophie par la main : elles fixaient toutes deux la fenêtre qui donnait sur l'autre côté de la maison. Un sourire empreint de fascination illuminait le visage de la mère. Martin s'approcha de la fenêtre et aperçut enfin Annie. Il remarqua qu'elle se tenait droite et immobile. Soudain, elle ferma les yeux et prit une respiration profonde en étirant sa colonne vertébrale vers le ciel. Elle s'avança ensuite vers une balle de plastique. Martin fut sidéré quand elle frappa la balle vers un arbre à l'aide d'un de ses bâtons de golf, qu'elle tenait au bas de la poignée.

Elle toucha l'arbre. Elle semblait sereine...

ÉPILOGUE

En ce jour d'août 2003, j'ai la conviction que ce texte est une réussite. Pourtant, je ne sais même pas s'il sera publié ni si j'en vendrai un seul exemplaire. Tout ce que je connais, c'est le dépassement personnel auquel cet ouvrage a fait appel durant plus de onze ans, et ce que sa création est venue éveiller dans l'ignorance de mon potentiel.

Marc Biron

ANNEXE

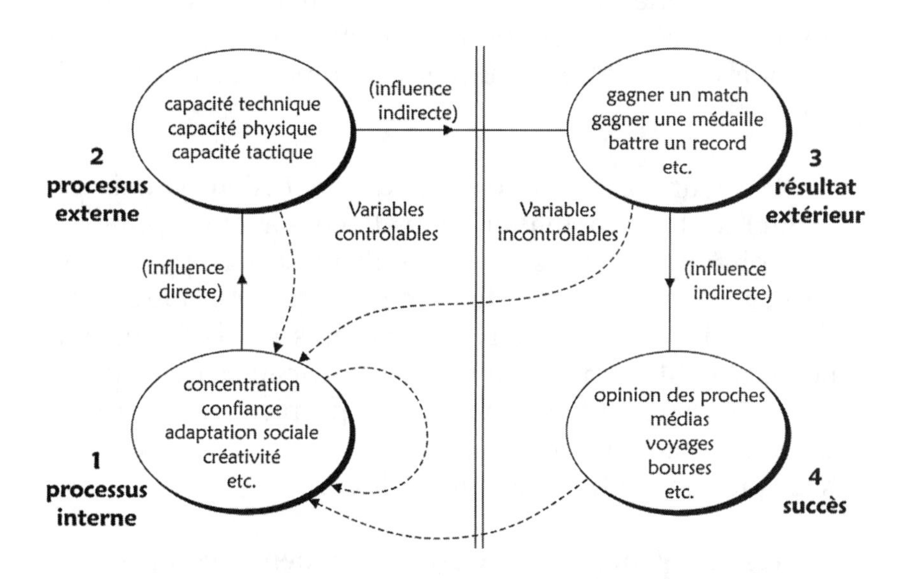

Modèle de l'évolution vers l'excellence

Les composantes du modèle et leurs interactions

Comme l'indique le tableau, le modèle est formé de quatre composantes, dont deux englobent des variables contrôlables : le processus interne (1) et le processus externe (2). Les deux autres composantes contiennent des variables incontrôlables : le résultat (3) et le succès (4). Les flèches représentent les interactions entre les différentes composantes du modèle.

(1) Le processus interne regroupe tous les facteurs psychologiques de l'aspirant : son niveau de motivation, sa capacité à relaxer, son aptitude à se concentrer sur une tâche, son pouvoir de visualisation et de créativité, son estime de soi, ses aptitudes à résoudre les problèmes, son degré de contrôle sur ses émotions, sa rapidité à intégrer de nouvelles données, etc. Le processus interne, pierre angulaire du modèle, détermine les possibilités de progression de l'aspirant, le rythme auquel il évoluera et jusqu'où il pourra aller.

Plusieurs aspirants de grand talent n'ont jamais pu exploiter tout leur potentiel. Trop attachés à leur réputation et à l'opinion d'autrui en général, ils ne se sont pas donné le droit à l'erreur. La peur de l'échec, du rejet ou du ridicule les hantait, les déconnectant de leur processus. Ils devenaient tendus, négatifs et même terrorisés, incapables de se livrer au conditionnement psychologique propice à la réussite. Malgré un potentiel intéressant, des lacunes dans leur processus interne ont bloqué leur évolution.

(2) Le processus externe, deuxième composante du modèle, concerne les facteurs physiques, techniques et tactiques. L'aspect physique, surtout déterminant pour les sports, regroupe des capacités comme l'endurance, la souplesse, la force musculaire, la qualité de la respiration, etc. La technique se rapporte pour sa part à l'exécution des gestes propres à une activité : faire un lancer frappé au hockey, exécuter un élan au golf, lancer une courbe au baseball, tenir un archet au violon, manier un ciseau à bois, etc.

La tactique est parfois étroitement reliée à la technique et désigne les stratégies employées pour s'adapter à une tâche : utiliser un fer pour un coup de départ au golf, servir sur le revers de l'adversaire au tennis, lancer dans le haut du filet au hockey, retarder une conversation pour qu'un employé se trouve dans un état plus réceptif, ne pas discuter d'un certain aspect d'une situation afin d'éviter des malentendus, choisir des mots qui respectent autrui, etc. Comme on le voit sur le modèle, la technique, la tactique et les capacités physiques sont directement dépendantes du processus interne. Autrement dit, une amélioration ou une régression d'une facette du processus interne influencera la qualité du processus externe. Si, par exemple, ma concentration est diminuée par une mauvaise nouvelle, la qualité de ma technique et de mes choix tactiques s'en ressentira.

Dans les milieux où l'on recherche l'excellence, cette relation directe entre le processus interne et le processus externe est régulièrement occultée. J'ai souvent rencontré des athlètes, des parents et des entraîneurs qui ne comprenaient pas pourquoi les performances pouvaient être aussi remarquables à l'entraînement et aussi décevantes en compétition. Ces personnes ignorent que les facteurs psychologiques comme la confiance, la concentration, le calme ou la créativité sont aussi déterminants que le travail technique ou les efforts physiques. Or, l'interaction entre le corps et l'esprit est indéniable.

Lors de mes saisons de crosse, tant que j'étais au camp d'entraînement ou aux matchs hors-concours, je pouvais courir longtemps en portant mon équipement. Je m'entraînais tout l'hiver dans le but de parfaire ma condition physique. Pourtant, durant le match inaugural, pour lequel mes parents et amis étaient présents, j'avais l'impression que j'allais mourir après quelques pas de course seulement, et ce, même si j'étais en parfaite condition physique avant le match.

Aujourd'hui, je comprends que j'étais tout simplement effrayé à l'idée de ne pas être à la hauteur, au moins en partie, de la réputation de bon compteur que mes performances passées avaient propagée auprès de plusieurs spectateurs (ma peur était surtout rattachée, en fait, aux spectatrices...). L'anxiété, nourrie par la pression que je mettais sur mon jeu, avait raison de mon endurance. Or, il suffisait que je réussisse un ou deux buts pour avoir de nouveau l'impression de pouvoir courir pendant des heures. Le fait de marquer des points me rassurait et mon processus interne se dégageait de la tension. La confiance retrouvée donnait libre cours à mon énergie et ma condition physique revenait comme par enchantement.

Dans son livre intitulé *The Inner Game of Tennis*[1], Timothy Gallwey explique que les erreurs techniques sont majoritairement causées par des indispositions psychologiques. Les pensées négatives ont le pouvoir de déclencher une peur, qui provoque à son tour une tension musculaire nuisible à l'application de la technique, en une fraction de seconde. J'avoue avoir souvent constaté ce phénomène dans ma propre pratique sportive.

L'influence du processus interne sur la tactique est également incontestable. L'aspirant ne peut pas prendre une décision sans que ses aptitudes psychologiques soient mises à contribution. Toute décision implique soit une analyse intellectuelle, soit un sentiment, soit une intuition.

Quand l'aspirant adopte une attitude positive et possède les forces intérieures requises pour se développer, la tactique, la technique et les capacités physiques évoluent de concert. Il va de soi que l'aspirant doit tout de même être

1. Timothy Gallwey, *op. cit.*

guidé par un modèle ou par un enseignant dans l'acquisition d'habiletés techniques et tactiques, tout en s'entraînant dans un environnement adéquat.

Il est arrivé parfois que certains aspirants atteignent de hauts niveaux de performance au moyen d'un processus interne qui semblait déficient, mais c'était probablement trompeur.

L'exemple de John McEnroe, champion de tennis, est éloquent. Comment cet homme a-t-il pu se hisser dans l'élite mondiale du tennis avec un processus interne apparemment si inadéquat ? Ceux qui l'ont vu à l'œuvre se rappelleront à quel point il pouvait se mettre en colère contre lui-même, contre l'arbitre ou même contre les spectateurs. Je demeure convaincu que cette lacune est responsable de nombre de ses erreurs techniques et tactiques. Je me rappelle un match au cours duquel il avait perdu 23 points de suite après une de ses célèbres colères, et qui se termina par une engueulade avec l'arbitre en chef.

Mais, un jour, j'ai entendu M. McEnroe déclarer en entrevue qu'il avait appris à s'isoler dans une foule. Grâce à ce pouvoir d'isolement, il s'épargnait sûrement la honte habituellement ressentie à la suite de manquements à l'éthique et il pouvait demeurer concentré sur le jeu. Puisque ses « crises » se déroulaient entre les points et qu'il n'en avait pas honte par la suite, il pouvait la plupart du temps s'en libérer aussitôt qu'elles étaient terminées. Il avait donc développé certaines forces intérieures solides pour contrebalancer son manque de contrôle apparent.

Seule l'existence d'une influence entre le processus interne et le processus externe peut expliquer qu'un athlète présente de grandes variations dans son rendement, et ce, sur période aussi réduite qu'un jour ou deux. Un nageur, par exemple, ne peut certainement pas perdre en une journée la technique apprise et répétée des centaines de fois. Il en va de même d'un golfeur : c'est impossible qu'il ait oublié en vingt-quatre heures un élan qu'il travaille depuis vingt ans. Le même principe vaut d'ailleurs dans des domaines n'ayant rien à voir avec le sport. L'enseignant habituellement clair dans ses explications n'a sans doute pas perdu cette force tout d'un coup, même si un de ses exposés reste incompréhensible un certain après-midi. Pourtant, ces pertes soudaines d'habileté existent bel et bien.

Les écarts de rendement sur une courte période de temps sont attribuables à une incapacité à maintenir un processus interne de qualité constante.

(3) Le résultat permet d'évaluer la performance d'un compétiteur par rapport à ses adversaires. Il prend différentes formes, selon le domaine considéré : gagner un match de hockey, remporter la médaille d'argent en plongeon, jouer 78 au golf, faire partie d'une équipe nationale, conclure une vente, obtenir un contrat à la suite d'une soumission... Le résultat est la première composante du modèle qui contienne des variables incontrôlables. Voyons un exemple pour mieux différencier les variables contrôlables de celles qui sont incontrôlables.

Imaginons deux joueuses de tennis, que nous appellerons Chantale et Marie-Ève. Supposons que, pour deux années consécutives, Chantale ait perdu en finale des championnats canadiens contre la même adversaire : Marie-Ève. Déterminée, malgré ces échecs, à devenir championne canadienne, Chantale met les bouchées doubles à l'entraînement au cours de l'année suivante. Elle travaille à améliorer tant ses aptitudes tactiques, techniques et psychologiques que ses capacités physiques. Son entraîneur affirme, une semaine avant la compétition, que Chantale s'est améliorée de cinquante pour cent sur tous les plans et qu'elle devrait gagner cette année.

En supposant que les deux joueuses s'affrontent une fois de plus en finale, la victoire de Chantale dépend autant du jeu de son adversaire que des efforts qu'elle a investis pendant cette année préparatoire. Si Marie-Ève joue mieux que son adversaire ce jour-là, elle gagnera encore, et Chantale ne pourra rien y faire. Si Chantale a seulement la victoire en tête, elle sera aux prises avec un processus interne empreint d'anxiété, ce qui risque fort de diminuer la qualité de son jeu, puisqu'elle s'impose ainsi de contrôler ce qui ne peut pas l'être.

Parce que l'autre – en tant que personne distincte – et plusieurs autres facteurs aléatoires en font partie, le résultat est une variable incontrôlable. Plus l'aspirant s'entête à désirer contrôler une telle variable lors de sa performance, plus il alimente sa peur d'échouer.

Lors d'une entrevue, une jeune joueuse de tennis attribuait ses piètres résultats à un manque de confiance en elle : « Il faut que je reprenne confiance et, pour y parvenir, je dois gagner », affirmait-elle. En comptant ainsi sur les résultats de ses prochains matchs, la jeune femme plaçait le retour de sa confiance entre les mains de ses adversaires qui, de toute évidence, allaient plutôt faire tout ce qu'elles pouvaient pour lui causer davantage de défaites...

La confiance en soi ne peut pas dépendre des autres, et surtout pas des adversaires.

La façon la plus efficace pour un aspirant d'exercer un certain contrôle sur ses adversaires, si redoutables soient-ils, c'est de travailler ses processus internes et externes : ses aptitudes techniques et tactiques, ses capacités physiques et ses habiletés psychologiques. Les aspirants dont les performances suscitent l'admiration démontrent une vitesse d'exécution, une précision, de la concentration et de la persévérance. Ils ont travaillé sans relâche leur processus et ont développé des aptitudes correspondantes.

Le désir d'impressionner par de nombreuses victoires n'est pas une garantie de succès. Le premier objectif essentiel est de prendre conscience de son processus interne et de le faire progresser, puis de développer les habiletés techniques et tactiques à partir de ce processus interne toujours plus efficace.

Revenons à l'exemple des joueuses de tennis. Chantale, en redoublant d'efforts et en progressant dans plusieurs aspects de son sport pendant l'année précédant le tournoi, s'est donné le maximum de chances de gagner la finale. Toutefois, elle ne doit pas perdre de vue qu'elle ne contrôle pas la capacité de performance de Marie-Ève.

En résumé, l'aspirant qui veut maximiser ses performances doit mettre sa priorité non pas sur le résultat de sa pratique, mais plutôt sur son cheminement. Il ne doit jamais perdre de vue que ses résultats à long terme seront le reflet parfait de l'évolution de son processus.

(4) Le succès, c'est l'ensemble des récompenses extérieures amenées par de bons résultats : voyages, admiration du public, fierté des parents et de l'entraîneur, éloges des médias, retombées financières... Le succès, c'est la preuve manifeste et publique de la réussite. Paradoxalement, dans le feu de l'action, l'athlète doit demeurer détaché du succès, sinon il le compromet sérieusement.

Il ne faudrait pas croire que l'anxiété reliée à la performance et causée par la soif de succès ne concerne que l'élite des aspirants. Beaucoup de sportifs amateurs affirment jouer pour le plaisir, mais en s'acharnant à vaincre un copain, ils deviennent tendus pendant le jeu. Cette anxiété peut surgir à la simple pensée de clamer leur victoire...

Imaginez maintenant l'anxiété d'un adolescent de quinze ans qui croit que le résultat de la compétition déterminera son sort : susciter l'admiration de ses parents ou les décevoir profondément, recevoir des compliments de toute part ou braver des regards narquois, voir sa photographie dans un journal ou rester dans l'anonymat. Les enfants sont naturellement narcissiques, c'est-à-dire en admiration devant eux-mêmes, centrés sur eux-mêmes. La maturité que parents et intervenants tentent de faire gagner à l'adolescent consiste justement à passer de cette attitude égocentrique à une estime de soi dosée et à une ouverture vers les autres. Un succès précoce et une ambition démesurée peuvent freiner cette évolution vers l'équilibre et la maturité.

Par ailleurs, le succès, riche en expériences intéressantes, ne demeure pas moins une source de motivation. Il sera porteur de retombées positives si l'aspirant ne laisse pas la recherche de succès devenir la base de sa motivation. Sinon, l'intérêt pour son développement personnel et professionnel ira en dents de scie, au gré des échecs et des victoires.

Les interactions sont les influences que les composantes du modèle ont les unes sur les autres. Elles se regroupent en trois catégories : les influences directes, les influences indirectes et la rétroaction.

Les influences directes s'exercent uniquement entre le processus interne et le processus externe. La qualité du processus externe dépend directement du processus interne.

Les influences indirectes, par contre, s'exercent à deux niveaux : d'abord, entre le processus externe et le résultat, et ensuite entre les composantes du résultat et le succès.

Même si on sait que des habiletés tactiques, techniques et physiques sans cesse améliorées mèneront tôt ou tard à des résultats supérieurs, et même si ces résultats sans cesse améliorés conduisent inévitablement à la réussite, il est impossible de savoir quand, où et comment le succès se concrétisera, ni combien de temps il durera. Celui qui espère impatiemment voir arriver de meilleurs résultats et un plus grand succès peut baigner longtemps dans la déception, la frustration et le découragement.

Les aspirants pris au piège du succès développent parfois une telle dépendance à la réussite qu'ils deviennent compulsifs dès lors qu'ils la connaissent. Ils font de leur activité d'accomplissement le centre de leur vie, en parlent constamment et ne pensent qu'à s'y adonner. Obsédés par le résultat, ils ne voient pas la peur de l'échec les envahir. Cette peur plus ou moins consciente nuit cependant à leurs processus, les résultats se dégradent, le succès s'envole, la motivation fait place à l'anxiété et perd de sa ferveur. L'aspirant renonce alors à sa quête du succès et recommence à jouer pour le seul plaisir de jouer. Presque infailliblement, parce qu'il est alors plus détendu et concentré sur son processus, il voit ses résultats s'améliorer et connaît à nouveau la réussite. Le cycle recommence si l'aspirant n'a pas pris le temps de comprendre ses motivations et les causes de ses échecs. Des aspirants peuvent même alterner entre la recherche de succès et la vraie recherche de l'excellence durant tout leur cheminement, sans jamais en être conscients.

Il y a évidemment une relation de cause à effet entre le résultat et le succès. Très instable, variant selon la situation et les personnes en place, cette relation devient un facteur important d'insécurité pour l'aspirant qui tente d'exercer un contrôle direct sur le résultat et le succès.

La rétroaction permet d'observer la progression, la stagnation ou même la régression du cheminement. Elle peut donc s'avérer aussi néfaste que bénéfique, selon la perception de l'aspirant. Elle est représentée, dans le tableau, par les flèches pointillées qui relient chacune des composantes au processus interne. Cela signifie que la qualité du processus interne est influencée par la perception qu'a l'aspirant de ce qui se passe dans les trois autres composantes de son cheminement (processus externe, résultat et succès). En d'autres mots, le processus interne s'alimente de l'expérience tirée des autres composantes.

L'aspirant pris au piège du succès met l'accent sur les variables incontrôlables – résultat et succès – dans sa rétroaction, et néglige les variables contrôlables que sont les processus interne et externe.